HISTOIRE « ACÉPHALE »
ET
INDEX SYRIAQUE
DES LETTRES FESTALES
D'ATHANASE D'ALEXANDRIE

SOURCES CHRÉTIENNES

Fondateurs : H. de Lubac, s.j., † J. Daniélou, s.j. et C. Mondésert, s.j.
Directeur : D. Bertrand, s.j.
Directeur-adjoint : J.-N. Guinot

Nº 317

HISTOIRE « ACÉPHALE »
ET
INDEX SYRIAQUE
DES LETTRES FESTALES
D'ATHANASE D'ALEXANDRIE

INTRODUCTION, TEXTE CRITIQUE, TRADUCTION ET NOTES

PAR

Annik MARTIN

avec la collaboration
pour l'édition et la traduction du texte syriaque
de

Micheline ALBERT

Ouvrage publié avec le concours
du Centre National de la Recherche Scientifique

LES ÉDITIONS DU CERF, 29, Bd de Latour-Maubourg, PARIS
1985

La publication de cet ouvrage a été préparée avec le concours de l'Institut des Sources Chrétiennes

(**U.A.** 993 *du Centre National de la Recherche Scientifique*)

A Henri Irénée MARROU

PRÉFACE

Parmi les documents concernant l'Église d'Alexandrie, se trouve une source unique consacrée à l'histoire d'Athanase, évêque de cette Église de 328 à 373 : conservée dans un seul manuscrit, le *Codex Veronensis* LX, elle a été appelée par le premier éditeur, Scipione Maffei, en 1738, *Historia acephala*. A son tour, W. Cureton, en 1848, publia un *Index* syriaque des *Lettres festales* d'Athanase également conservé dans un manuscrit unique, *Add. 14569*, de la British Library.

Ces deux documents ont, depuis, attiré l'attention de nombreux historiens de l'Église et c'est à eux que l'on se réfère pour établir une chronologie athanasienne précise. Pourtant, bien qu'utilisés dans tous les grands ouvrages consacrés à l'Histoire de l'Église depuis le xixᵉ siècle, ils n'ont jamais fait l'objet d'une étude particulière et n'ont donné lieu à aucune traduction française. En me proposant de m'y intéresser, H. I. Marrou, qui dirigea cette étude, désirait qu'une telle lacune fût comblée. Espérant avoir rempli avec tout le soin qu'elle requérait cette tâche délicate, j'ose lui en faire l'hommage.

Madame M. Albert a bien voulu accepter de prendre en charge l'édition et la traduction de l'*Index* souvent désigné sous le nom de *Chronicon* syriaque. Qu'elle soit ici chaleureusement remerciée.

J'ai enfin le plaisir de remercier celles et ceux qui ont manifesté quelque intérêt à ce travail, tout particulièrement Messieurs C. Pietri et J. Fontaine pour l'avoir relu avec l'œil critique qu'on leur connaît.

A. Martin

INTRODUCTION *

CHAPITRE PREMIER

L'HISTOIRE « ACÉPHALE »

Le Codex Veronensis LX

Ce codex, rédigé en belle onciale du VIIIe s., compte cent vingt-six feuillets réunis en deux volumes, trente-six pour le premier, quatre-vingt-dix pour le second[1]. Le premier volume réunit des documents concernant l'histoire de l'Église d'Afrique. Cette collection (= A) qui comprend les actes du concile de Carthage de 419 et les lettres synodales des évêques africains aux papes Boniface et Célestin en 424 et 425[2], est à mettre en rapport avec

---

* Voir la table des abréviations et sigles, p. 135 s.

1. Le *Codex Veronensis* LX a fait l'objet de plusieurs descriptions, plus ou moins complètes, par S. MAFFEI, *Osservazioni letterarie* 3, Vérone 1738, p. 60-83, et *Opusculi Ecclesiastici*, dans *Istoria Teologica*, Trente 1742, p. 254-272 ; les BALLERINI dans *Opera S. Leonis Magni* 3, 1757, *de antiquis collectionibus et collectoribus canonum*, Pt 2, ch. 9 (= *PL* 56, 143-148) ; F. MAASSEN, *Geschichte d. Quellen und d. Literatur des kanonischen Rechts im Abendlande*, Gratz 1870, I, p. 546-549 ; C. H. TURNER, « The Verona Manuscripts of Canons : The Theodosian MS. and its connection with St. Cyril », dans *The Guardian*, déc. 11, 1895, col. 1921-1922, « E. Schwartz and Acta conciliorum œcumenicorum », dans *J.Th.S.*, t. 30, 1929, p. 115-116, et *EOMJA*, I, 2, 4, Oxford 1939, p. 625-626 ; E. SCHWARTZ, « Die Sammlung des Theodosius Diaconus », dans *Nach. Gött.*, 1904, p. 357-391 (= *GS* 3, p. 30-72), et « Über die Sammlung des Cod. Veronensis LX », dans *ZnTW*, t. 35, 1936, p. 1-23 ; W. TELFER, « The Codex Verona LX (58) », dans *Harvard Theological Review*, t. 36, 1943, p. 169-246 (plus particulièrement, p. 179-184).

2. Cette partie du *Codex* (A) a été éditée pour la première fois par Justel en 1614, cf. C. H. TURNER, *EOMJA*, I, 2, 3, p. 561-624 et, en

l'affaire d'Apiarius, prêtre africain condamné par son
évêque, qui, après appel à Rome, fut réintégré par le pape
Zosime en 418[1]. L'Église d'Afrique contesta cet appel en
récusant l'authenticité de deux canons prétendus de Nicée
(en réalité les canons 3 et 17 de Sardique, ce qu'ignoraient
les évêques africains[2]), sur lesquels le pape fondait son

dernier lieu, C. MUNIER, *Concilia Africae*, 345-525, *CC* 149, 1974,
gesta Apiarii, p. 79-172.

1. Sur cette affaire : H. LECLERCQ, art. « Liber canonum Africae »,
dans *DACL*, IX, 1, 1930, col. 171-175, E. AMANN, art. « Urbain de
Sicca Veneria », dans *DTC*, XI, 2, 1950, col. 2307-2312, F. L. CROSS,
« History and Fiction in the African Canons », dans *J.Th.S.*, t. 12, 2,
1961, p. 227-247, G. DOSSETI, *Il simbolo di Nicea e di Constantinople*,
Bologne 1967, p. 135-140, W. MARSHALL, *Karthago und Rom (Päpste
und Papstum 1)*, Stuttgart 1971, et C. PIETRI, *Roma Christiana*,
Paris 1976, II, p. 1250-1264. Sur Apiarus, v. A. MANDOUZE, *Prosopographie de l'Afrique chrétienne (303-533)*, Paris 1981, p. 82-83.

2. On sait que les « canons de Nicée » cités par les papes romains
incluent, en plus des vingt canons du concile, les vingt et un de celui
de Sardique dans les plus anciennes collections canoniques (dès
Jules Ier), les deux séries conciliaires étant liées sous une même
numérotation, v. E. SCHWARTZ, « Die Kanonessamlungen der alten
Reichskirche », dans *ZSS.Kan.* 25, 1936, p. 53 et suiv. (= *GS* 4,
p. 212), et G. DOSSETI, *o.c.*, p. 133 et suiv. (cf. *PL* 56, 72 B - 77 C,
HEFELE-LECLERCQ, *Hist. des conciles*, t. 3, p. 1148-1158, et TURNER,
EOMJA, I, p. 444 a). C'est cette affaire d'Apiarius qui, en 419,
permit d'établir l'absence des canons de Sardique dans les exemplaires
orientaux des canons de Nicée, v. G. BARDY, *La papauté de S. Innocent
à S. Léon le Grand*, coll. Fliche et Martin, IV, p. 250 et suiv.,
C. H. TURNER, « The Genuineness of the Sardican Canons », dans
J.Th.S., t. 3, 1902, p. 370-397, et H. HESS, *The Canons of the Council
of Sardica*, Oxford 1958, p. 49-54. Sur l'ignorance par les évêques
africains des documents de Sardique auquel assista pourtant
l'évêque Gratus de Carthage, v. TELFER, art. cité, p. 189-192. La
propagande donatiste avait fait état de lettres d'évêques réunis à
Sardique manifestant leur communion avec Donat. Augustin, en
406, se les procura et put ainsi constater que, condamnant Athanase,
elles émanaient d'un concile arien, *contra Cresconium*, III, 34, 38
et IV, 44, 52, *CSEL* 52, p. 445 et 550. Comme l'ensemble de ses
confrères, il ignorait lui aussi les textes du concile des évêques occidentaux. L'affaire d'Apiarius allait être l'occasion de combler cette
lacune. V. *infra*, p. 45, n. 1.

intervention. Aussi envoya-t-elle des délégués auprès des trois grands sièges orientaux, Constantinople, Alexandrie et Antioche, pour solliciter des copies authentiques des documents de Nicée[1].

Le second volume, appelé « collection du diacre Théodose » (= T), du nom qui figure au colophon qui le termine[2], est, dans son état actuel, « un véritable salmigondis », selon l'expression de C. H. Turner[3], unique par le nombre de documents qu'il contient — vingt-sept —, quelques-uns originaux, la plupart traduits du grec. On y trouve, en effet :

1. une série de documents sur les conciles de Nicée et de Sardique[4] ;

1. *Lettre du concile africain à Boniface* en 419, dans TURNER, *EOMJA*, I, 2, 3, p. 596-608, C. MUNIER, *Concilia Africae*, p. 156-161 ; le pape, de son côté, était prié d'en faire autant, *ibid.* p. 160.

2. *Humillimus omnium diaconorum Theodosius indignus diaconus fecit, fol.* 126 b, éd. MAFFEI, *Osservazioni letterarie* 3, Vérone 1738, p. 8. Ce personnage n'a pu être identifié ; selon TURNER, dans *J.Th.S.*, t. 30, 1929, il n'est pas le rédacteur du ms. de Vérone, mais appartient à un niveau plus ancien ; pourtant, rien ne permet d'affirmer qu'il soit africain, contrairement à ce que Turner lui-même avançait, c'est pourquoi la *Prosopographie de l'Afrique chrétienne* ne l'a pas retenu.

3. Art. cité, p. 115-116.

4. Documents nᵒˢ 1 (symbole et canons de Nicée avec une introduction historique, dans la version « de Cécilien » : E. SCHWARTZ, *ZnTW*, t. 35, 1936, p. 11 s., a en effet établi que la traduction latine n'était pas de Cécilien, lequel avait rapporté un texte grec de Nicée ; une version grecque existait à Carthage en 419, cf. la lettre à Boniface, *Quoniam Domino*, Munier, p. 160) ; 9-10 (lettre synodale, dans une version latine unique, du concile de Nicée aux Églises d'Égypte et de Libye, suivie d'un bref récit historique annonçant la convocation du synode de Sardique) ; 24-25 (lettre de Constantin, de Nicée, à l'Église d'Alexandrie, et « décret de Porphyre » contre l'arianisme, dans une version latine unique) ; 13-14 (symboles et anathèmes de Sardique oriental suivis d'un cycle pascal pour 343-387) ; 15-17 (quatre documents de Sardique occidental) ; et 23 (faussement intitulé *Item symbolus sanctae synodi Sardici*, en fait, une version latine d'une

2. un noyau de documents uniques concernant l'histoire de l'Église d'Alexandrie[1] ;

3. un court dossier sur le schisme d'Antioche (372-379)[2] ;

4. deux écrits canoniques propres à l'Église d'Afrique[3], dont l'un constitue la seule source pour le concile de Carthage de 421 ;

5. une série de canons conciliaires, certains dans la version de Denys le Petit (1re moitié du vie s.)[4], d'autres d'origine grecque dans la *versio Isidoriana* (début viie s.)[5], ainsi qu'une version latine unique de Chalcédoine (451)[6] ;

6. la *definitio dogmatum* de Gennade de Marseille[7].

Comment et pourquoi ces deux volumes, A et T, ont été reliés ensemble, c'est ce que nous voudrions rappeler maintenant. L'étude paléographique de A et de T a permis d'établir qu'ils avaient tous deux été copiés à Bobbio vers la fin du viie s., sans doute à partir d'un original africain, et qu'ils avaient par la suite été acquis séparément par la bibliothèque du chapitre de Vérone. C'est là qu'entre les viiie et xe siècles, ils ont été reliés en un seul volume[8] et qu'une seconde main a ajouté la lettre du pape

profession de foi orientale semblable à celle de Constantinople). La numérotation suivie est celle de W. Telfer, reprise des Ballerini, sauf, pour les nos 8 a et b omis par eux.

1. Nos 19 à 22 (lettres du concile de Sardique proclamant l'innocence d'Athanase, suivies du récit de son retour à Alexandrie et de ses trois derniers exils) et 26 (schisme mélitien).

2. No 3.

3. Nos 8 a et 8 b, le *Breviarum Hipponense* de 393, et dix canons du concile de Carthage de 421.

4. Nos 11, 12 et 18.

5. Nos 2, 4-7. Sur la *collectio Isidoriana*, v. en dernier lieu C. Pietri, *Roma Christiana*, I, p. 874 et n. 1, et II, p. 1261, n. 1.

6. No 8.

7. No 27.

8. Sur l'étude paléographique du ms., v. E. A. Lowe, *Codices latini antiquiores*, Oxford 1937, IV (Italie, Vérone), no 510, qui émet l'hypothèse d'une provenance véronaise, et l'art. de W. Telfer,

Léon de 453[1] pour compléter un blanc et a utilisé les dix derniers feuillets restés vierges à Bobbio pour copier l'ouvrage dogmatique de Gennade et remployer le colophon du diacre Théodose en dernière page, qui devait donner son nom à cette partie du codex (T).

Pourquoi ces documents ont-ils été rassemblés ainsi dans un même codex ? C'est C. H. Turner qui, le premier, fit avancer le problème en démontrant qu'au cœur de la « collection du diacre Théodose » se trouvait la réponse de Cyrille d'Alexandrie à la demande des évêques africains de copies authentiques de Nicée dans le cadre de l'affaire Apiarius, « réponse que l'on a universellement supposée avoir péri[2] ». En effet, si l'on retranche les additions postérieures, apparaît un premier noyau autour de Nicée et Sardique, spécialement dans leur relation à l'Église d'Alexandrie et à Athanase. Cyrille ne s'est pas contenté de remettre au prêtre africain Innocent des exemplaires authentiques de Nicée et de Sardique dont les canons étaient dans les archives de l'Église d'Alexandrie. Il y a ajouté les éléments d'une *Histoire ecclésiastique*, comme en témoigne la lettre qui devait l'accompagner et dans laquelle il parle de *fidelissima exemplaria ex authentica synodo*, en appelant au témoignage *quod et in ecclesiastica historia requirentes invenietis*[3]. Turner appuyait son argumentation

cité *supra*, p. 11, n. 1, de même que les travaux de Turner. Sur la nature particulière du feuillet 36, v. TELFER, p. 212-216.

1. Nº 18 a.

2. Dans *The Guardian*, 11 déc. 1895, 1921, fin de la 3ᵉ col.

3. TURNER, *EOMJA*, I, 2, 3, p. 610-611. Cette lettre aux évêques africains, répondant sans doute à une de leurs demandes, indique également la date de Pâques, qu'il faut lire *XIIII kal. Maias* et non *XVII*, soit le 18 avril 420, ce qui date la lettre de 419. Le texte en est, du reste, transmis à Rome par les Africains fin nov. 419, cf. TURNER, *o.c.*, p. 609. Un manuscrit de l'Université de Madrid, 53, est le seul à contenir, outre la lettre de Cyrille, la profession de foi et les vingt canons de Nicée, v. F. L. CROSS, « The Collection of African Canons in Madrid University (Noviciado) Ms 53 », dans *J.Th.S.* 50, 1949, p. 197-201, plus précisément 201.

sur les passages de narration historique unique[1], tous en rapport avec l'Église d'Alexandrie, contenus dans la collection. De Constantinople, le sous-diacre Marcellus ne rapporta qu'un texte révisé du symbole et des canons de Nicée, sans aucun matériau supplémentaire[2]. Quant à ce qui est advenu à Antioche, nous l'ignorons, concluait-il. On comprend, dès lors, la connection entre T, réponse d'Alexandrie à Carthage, et A comprenant les actes du concile africain de 419. L'Église d'Afrique, à partir de son doute sur l'authenticité de la version romaine des canons de Nicée, allait, du reste, en même temps, démontrer, en publiant son propre corpus des décrets conciliaires (sous le nom de *Codex canonum Ecclesiae Africanae*), « que Rome, malgré le prestige de sa tradition, n'était pas la source unique du droit[3] ». E. Schwartz, suivant la voie tracée par Turner[4] et s'attelant à l'histoire de ces collections, allait

1. Nᵒˢ 10, 22 et 26.

2. TURNER, *EOMJA*, p. 611-612. Atticus y fait état de la hâte de Marcellus. La traduction latine des canons fut l'œuvre de Philon et Évariste, tous deux de Constantinople ; mais ceux-ci ayant déjà été incorporés à la collection (cf. *supra*, p. 13, n. 4, doc. 1), les scribes postérieurs n'ont pas jugé bon de les retranscrire. Cependant cette version, différente de la *versio Caeciliani*, a été conservée dans la première rédaction de la collection de Denys le Petit (*Vatic. Palat.* 577), dans la *collectio « Isidoriana »*, ainsi que dans le *Ms* 53 de Madrid évoqué plus haut, proche de cette dernière, cf. CROSS, *o.c.*, p. 201.

3. C. PIETRI, *Roma Christiana*, II, p. 1260-1264, plus particulièrement p. 1264.

4. Il était d'accord sur la provenance alexandrine des documents, mais estimait qu'ils n'avaient pu parvenir à Carthage avant 424, car, dans leur lettre à Célestin (de 424) faisant état des réponses orientales à leur demande de 419, les évêques africains affirmaient que les canons utilisés par Rome dans l'affaire d'Apiarius n'étaient pas de Nicée et ils ajoutaient : *in nullo invenimus patrum synodo constitutum* (éd. Turner, p. 620, éd. Munier, p. 171, l. 73), dans *ZnTW* 35, 1936, p. 11-13. L'affirmation de TURNER (dans l'art. du *Guardian* cité *supra*, p. 11, n. 1) se transforme, du reste, en interrogation quelques années plus tard, *J.Th.S.* 30, 1929, p. 116.

montrer que T contenait aussi la réponse d'Alexandre d'Antioche[1], dont la lettre, ayant déplu aux Africains, ne fut pas jointe à celles de Cyrille d'Alexandrie et d'Atticus de Constantinople expédiées à Boniface, le successeur de Zosime[2]. A cet ensemble de documents constituant la réponse antiochienne, W. Telfer proposa à son tour d'en ajouter deux autres, la profession de foi, épurée au temps de Mélèce, et les anathèmes du synode oriental de Sardique, suivi du cycle pascal de 343 à 387[3] ; ainsi que le vingt-

---

1. Dans l'art. du *ZnTW* cité *supra* (p. 11, n. 1), p. 361-377 (= *GS* 3, p. 34-35) : il s'agit d'un dossier romain composé de la synodale de Rome — *Confidimus quidem* — condamnant Auxence de Milan, au temps de Damase en 371, adressée « aux évêques d'Orient » *(sic)*, cf. Pietri, *o.c.*, I, p. 733 s., 777 s. ; suivie de trois extraits dogmatiques antérieurs à 379, *Ea gratia*, *Illud sane* et *Non Nobis* ; et une notice d'adhésion de 146 évêques réunis à Antioche sous la présidence de Mélèce en 379 (*Id.*, p. 818-820, 846-849). Ce dossier, qui avait primitivement été envoyé au pape Damase, en 379, dans le cadre de la recherche par Mélèce d'un rapprochement avec l'Occident, donnait tous les signes de soumission au siège romain. On comprend qu'il ait fort déplu aux évêques africains, qui n'avaient pas, en 419, les mêmes raisons que Mélèce en 379 pour adopter pareille attitude. Alexandre d'Antioche dut également joindre au dossier le symbole et les canons de Nicée tels qu'ils figuraient dans le *corpus canonum* constitué au temps d'Euzoios (361-376) et continué sous Mélèce ; il n'est pas impossible, si l'on suit Schwartz dans sa démonstration, que ce soit, du reste, ce dernier qui les ait fait placer en tête de la collection pour la préserver de la condamnation par les néo-nicéens, *ZSS.Kan.*, t. 25, 1936, p. 35.

2. *Ep. conc. africani ad papam Coelestinum urbis Romae episcopum* (424/425), éd. Turner, *EOMJA*, I, 2, 3, p. 614-622, Munier, *Concilia Africae*, p. 169-172, dans laquelle, sans faire mention d'Alexandre d'Antioche, les évêques africains rappellent qu'ils ont envoyé à Boniface les véritables canons de Nicée tels que leurs envoyés, Innocent et Marcellus, les ont rapportés d'auprès de Cyrille d'Alexandrie et d'Atticus d'Antioche.

3. Les doc. nᵒˢ 13 et 14 ont trait à la question de Sardique que se posaient les Africains, v. *supra*, p. 12, n. 2, W. Telfer, art. cité, p. 193 s. Comme les canons d'Antioche (v. 330 ?), de Gangres et de Laodicée, ils appartiendraient, selon lui, et contre l'opinion de Schwartz,

troisième document constitué par une profession de foi de
caractère orthodoxe rédigée, selon lui, au temps de Mélèce,
après 378[1].

Ainsi T serait, au départ, le résultat d'une compilation
du *scrinium* de l'Église de Carthage, antérieure à 430,
comprenant les réponses d'Alexandrie, d'Antioche et de
Constantinople (non conservée) : 1. à la question de
l'authenticité des canons de Nicée laissés par Cécilien à
l'Église africaine ; 2. à l'ignorance de Sardique occidental
par cette même Église, malgré la présence de Gratus de
Carthage. Information nécessaire pour contrecarrer celle
des Donatistes et destinée à montrer qu'Athanase n'avait
jamais fait l'objet d'une condamnation par un concile
orthodoxe[2].

A ce premier état de la collection, il convient d'ajouter
les deux écrits canoniques africains de 393 et de 421[3] qui se
rattachent par leur contenu au premier volume.

Des introductions postérieures sont venues l'augmenter
au détriment de sa cohérence première pour en faire une
collection canonique :

1. C'est entre les VIe et VIIe siècles où le manuscrit fut
recopié à Bobbio, qu'ont en effet été ajoutés des éléments de

au *corpus canonum* grec évoqué *supra*, p. 17, n. 1, qui fut également transmis à l'Église d'Afrique soucieuse de constituer son propre
corpus face à Rome. Ces documents, de même que ceux concernant
Sardique occidental (n°s 15-17) — ces derniers provenant vraisemblablement, toujours selon Telfer p. 195 s., repris par Hess, *o.c.*,
p. 65, 67, de l'Église de Thessalonique, et non d'Alexandrie comme
le pensaient Turner et Schwartz — ne peuvent être parvenus au
scrinium de l'Église de Carthage qu'entre 425 et 430, car les évêques
africains, dans leur lettre au pape Célestin (424), ignorent toujours
que les prétendus canons de Nicée cités par Rome dans la querelle
d'Apiarius sont en réalité des canons de Sardique.

1. Art. cité, p. 195.

2. *Supra*, p. 12, n. 2.

3. Doc. 8 a et 8 b, omis dans la description du *codex* par les
Ballerini.

collections canoniques latines ; celle de Denys le Petit (canons apostoliques, canons d'Antioche et de Sardique occidental) et une traduction du *corpus canonum* grec (Néocésarée, Gangres, Laodicée, Constantinople et Ancyre) constituant une partie de la *collectio Isidoriana*[1], ensemble auquel il faut sans doute joindre la *definitio fidei* de Chalcédoine dans une version latine unique[2].

2. Les dix dernières pages restées vides ont été remplies par le traité dogmatique de Gennade de Marseille, la dernière page reproduisant en lettres capitales le colophon du diacre Théodose[3].

Venons-en plus précisément aux documents concernant l'Église d'Alexandrie, parmi lesquels se trouve une source unique consacrée à l'histoire d'Athanase, évêque de cette Église de 328 à 373, et appelée par le premier éditeur du texte, Scipione Maffei, *Historia acephala*[4], car elle ne couvre que les années 346 à 373 de son épiscopat.

Les rapports de l'« Historia » avec la compilation carthaginoise : source, unité et date du document

Nous voudrions montrer que cette *Historia*, dans l'état où nous l'a laissée la « collection du diacre Théodose », a été rédigée pour répondre à la demande de l'Église de Carthage. Elle contient le récit des circonstances et de la durée des trois derniers exils d'Athanase, celui de l'installation d'un évêque hétérodoxe à Alexandrie, Georges, et de celle, manquée, de Lucius, ainsi qu'un bilan portant sur l'ensemble des années d'épiscopat d'Athanase depuis 328. Et elle s'achève sur l'annonce de ses successeurs jusqu'à Théophile compris.

1. Cf. *supra*, p. 14, n. 5.
2. Doc. 11, 12 et 18 ; 2, 4-7 ; 8.
3. Doc. 27. Sur le colophon, v. *supra*, p. 13, n. 2.
4. *Osservazioni letterarie* 3, Vérone 1738, p. 60 : *Historia acephala ad Athanasium potissimum ac res Alexandrinas pertinens.*

Le rédacteur, sans doute un clerc de l'Église d'Alexandrie, a puisé sa source directement dans les archives de cette Église. Celles-ci comprenaient des éphémérides indiquant année par année et au jour le jour les principaux événements la concernant, comme en témoigne la manière de dater ceux survenus aux tout premiers mois de l'année, à un moment où les noms des nouveaux consuls ne sont pas encore connus à Alexandrie[1], ainsi que d'autres, comme la mort des empereurs, non pas du jour de l'événement, mais de celui où la nouvelle en est parvenue à Alexandrie[2]. C'est la même source qui a permis la rédaction du court *Index* placé en tête des Lettres festales d'Athanase et conservé seulement dans une collection syriaque[3], nous y reviendrons, et sans doute aussi celle de la chronique alexandrine connue sous le nom injustement donné par son premier éditeur, Scaliger, en 1606, d'*Excerpta latina Barbari*[4].

1. Ceci se produit à trois reprises, en janvier 356, *tybi decimo die* (5 janv.) *post consulatum Arbitionis et Loliani* (1, 10 = *Ba* 5), en février 362, *methir X die mensis* (4 févr.) *post consulatum Tauri et Florenti* (3, 1 = *Ba* 9), en février 366, *VII die mechir post consolatum Valentiniani et Valentis* (5, 6 = *Ba* 16) et le rédacteur, ici, ajoute : *hoc est in consulatu Gratiani et Dagalaifi*. Dans chacun de ces trois paragraphes, les autres dates, postérieures, comportent le nom des consuls de l'année en cours.

2. La mort de Constance, survenue le 3 nov. 361, n'est connue à Alexandrie que le 30 nov. (2, 8 = *Ba* 8), celle de Julien, survenue le 26 juin 363, le 19 août (4, 1 = *Ba* 12). De même le rédacteur de l'*Index* met en évidence ce décalage lorsqu'il écrit pour 363 : « quand après huit mois mourut Julien (*i.e.* en juin) et que sa mort fut annoncée, il entra de nuit à Alexandrie... ». V. E. Schwartz, « Die Osterbriefe », dans les *Nach. Gött.*, 1904, p. 333-356 (= *GS* 3, p. 1-29).

3. V. *infra*, p. 123 et n. 1. Cet *Index* résumant chacune des quarante-cinq années de l'épiscopat d'Athanase a été désigné sous le nom de *Kephalaia* par E. Schwartz, *o.c.*, p. 336 (= *GS* 3, p. 4). Rédigé après coup, il doit être distingué des en-têtes que comprenait chacune des quarante-cinq lettres primitives et dont seulement quinze ont été conservées, cf. *infra*, p. 70 et n. 3.

4. Éd. Frick, *Chronica minora* I (1892), p. 183-371, il s'agit d'une traduction latine du VIIIe s. d'un mauvais original grec du Ve s. Voir en dernier lieu C. Vandersleyen, *Préfets d'Égypte*, p. 138-168.

Il convient d'insister sur le caractère propre d'un tel document. Dès la première lecture on demeure frappé par l'extraordinaire précision avec laquelle le rédacteur a rapporté les circonstances des trois derniers exils et retours d'Athanase, ainsi que la durée de chacun d'entre eux. Ainsi dès le début du texte on peut lire : « Athanase revint de la ville de Rome et des régions d'Italie et entra à Alexandrie le vingt-quatrième jour de phaôphi (21 oct.), sous le quatrième consulat de Constance et le troisième de Constant, soit après six ans (d'exil). Et il demeura tranquillement à Alexandrie durant seize ans et six mois[1]. » Un peu plus loin, à propos du coup de force du *dux* d'Égypte dans l'église de Théonas, la nuit du 8 au 9 février 356, « cela eut lieu neuf ans, trois mois et dix-neuf jours après son retour d'Italie[2] ». Ou encore : « C'est ainsi que, de sa fuite au temps de Syrianus et d'Hilarius (troisième exil) à son retour sous Julien le vingt-septième jour de méchir, après six ans et quatorze jours d'exil, il demeura dans l'Église jusqu'au vingt-septième de phaôphi, sous le consulat de Mamertinus et Nevitta (362), huit mois entiers[3]. » On note d'emblée également que seules les circonstances de chaque exil font l'objet d'un développement important ; si la durée des séjours de l'évêque dans son Église est également indiquée, c'est sans aucune mention de son activité à Alexandrie ou en Égypte, ceci à la différence de certaines indications fournies par l'*Index* des *Lettres festales* par exemple.

Pourquoi seuls les trois derniers exils ont-ils été pris en compte par le rédacteur de l'*Historia*, alors que sa source, les éphémérides de l'Église d'Alexandrie, contenait des renseignements tout aussi précis sur les deux premiers, comme l'*Index* des *Lettres festales* et un passage de l'*Historia*

---

1. 1, 1 (= *Ba* 2), sur les calculs, v. discussion, *infra*.
2. 2, 4 (= *Ba* 6).
3. 3, 4 (= *Ba* 10).

elle-même le montrent clairement[1] ? On a déjà fait
remarquer que l'*Historia* vient, dans la « collection du
diacre Théodose », tout de suite après une série de lettres
émanant du concile de Sardique et d'Athanase[2]. Or ces
lettres ont pour fonction d'établir la condamnation d'un
certain nombre d'évêques ariens, de rappeler la non-
reconnaissance par les Occidentaux de l'élection de
Grégoire et de proclamer l'innocence d'Athanase[3]. Le récit,
improprement appelé « acéphale » par Maffei et ses
successeurs, enchaîne sur une nouvelle série de lettres,
impériales cette fois, annonçant le retour de l'évêque. Le
rédacteur a jugé bon de n'en retenir qu'une, qu'il joint à
son récit mais que le copiste, lui, n'a pas cru devoir
reproduire[4]. Ce sont également des lettres et des édits

1. *Index ad a.* 336 (1er exil), 338 (retour), 339 (« fuite »), *Historia*,
5, 8 (= *Ba* 17) : « il séjourna à Trèves en Gaule 28 mois et onze jours,
dans la ville de Rome et dans les régions d'Italie 90 mois et 3 jours ».

2. Le premier éditeur, S. Maffei, a eu raison de publier ensemble
cette série de la collection (n°s 19 à 22, dans l'ordre 20, 21, 19), à
laquelle il a ajouté, au début, le n° 26 concernant le schisme mélitien,
sous le titre général de *Monumenti ecclesiastici del quarto secolo
Cristiano non piu venuti in luce, conservati in Codice antichissimo
Capitolo Veronesi*, p. 11 à 83. HEFELE, *Hist. des Conciles*, Paris
1907, I, 2, p. 811-812, a contesté sans fondement l'authenticité de
ces trois lettres, cf. HESS, *o.c.*, p. 14, n. 3.

3. « Episcopum vestrum dilectissimum fratrem nostrum et
conministrum Athanasium innocentem et sincerum ab omni calumnia
pronunciauit sancta et magna synodus, Theodorum vero, Narcissum,
Stephanum, Acacium, Georgium, Ursacium, Valentem et Mino-
phantem episcopatu deposuit... De Gregorio autem... olim depositus
est, imo magis episcopus penitus non est aestimatus », synodale de
Sardique aux églises de Maréote reprise par la lettre d'Athanase aux
mêmes, éd. BALLERINI (= MAFFEI), *PL* 56, 849 B et 850 BC. Cf.
Synodale à l'Église d'Alexandrie, *ap.* Athanase, *Apol. c. Ar.*, 37, 6,
39, 2, et la Synodale à tous les évêques, *ibid.*, 46, 1, 47, 1-3, éd.
OPITZ, II, p. 116, 117, 122 et 123.

4. 1, 1 (= *Ba* 1) : « parmi les lettres de l'empereur celle-ci, entre
autres, est conservée », mais le document fait défaut dans le manuscrit.
Le fait se reproduit en un autre passage de l'*Historia* (5, 7 = *Ba* 14).

impériaux qui déclenchent les trois autres exils : lettre de
Constance apportée par Montanus (1, 8 = *Ba* 3), édit de
Julien porté par Pythiodorus (3, 5 = *Ba* 11), édit de
Valens (5, 1 = *Ba* 15) affiché par le préfet Flavianus. Ce
qui ressort à l'évidence de ces trois exils, c'est qu'Athanase
n'a jamais fait l'objet d'une condamnation ni par le
concile de Sardique (comme le croyaient les Africains), ni
par aucun autre concile orthodoxe. Cela concerne, on le
voit, la réponse aux Africains ignorant les textes du
concile de Sardique occidental, et s'inscrit dans le droit fil
de l'histoire polémique écrite par Athanase et suscitée par
les controverses ariennes depuis le concile de Tyr qui
condamna l'évêque d'Alexandrie. Des deux premiers exils,
résultat de cette condamnation initiale par la majorité des
évêques orientaux, il n'est pas question dans la réponse
des Alexandrins.

   Un tel ouvrage n'a pu être rédigé qu'après la mort
d'Athanase, en utilisant les données précises fournies par
les éphémérides de l'Église d'Alexandrie. En effet le bilan des
années passées en exil, tel qu'il figure à la fin de l'*Historia*
(5, 8-10 = *Ba* 17), reprend les données fournies au fil de la
narration comme le montre ce tableau :

Historia	*Bilan* résumé
	en 5,8 (= *Ba* 17)
1, 1 (= *Ba* 1) : durée du 2e exil : 6 ans *(sic)*	90 mois et 3 j.
3, 4 (= *Ba* 10) : durée du 3e exil : <72 mois et 14 j.>	72 mois et 14 j.
4, 4 (= *Ba* 13) : durée du 4e exil : 1 an, 3 mois et 22 j.	15 mois et 22 j.
4, 5 (= *Ba* 16) : durée du 5e exil : 4 mois	4 mois

tandis que celui des années de séjour à Alexandrie est globale-
ment rapporté : « 22 a., 5 m. et 10 j. », sans que le rédacteur
juge bon, cette fois, de faire le détail, bien que l'*Historia*
contienne des indications précises qui l'auraient permis[1].

------

1. La durée du séjour à Alexandrie est exprimée entre le 2e et le
3e exil, « 9 ans 3 mois et 19 j. », en 1, 11 (= *Ba* 5) et entre le 3e et le

Si les calculs de ce bilan ont été faits en prenant pour référence l'année 368 et non 373, celle de la mort de l'évêque, c'est que les années postérieures à cette date n'ont été marquées par aucun nouvel exil et que, de plus, correspondant à la quarantième année de son épiscopat, elle constituait un repère commode pour le compte et le décompte des années passées en exil ou à Alexandrie. Ces deux raisons expliquent également que l'épisode de l'arien Lucius tentant de s'emparer du siège d'Alexandrie en 367, rapporté au paragraphe suivant (5, 11-13 = *Ba* 18), bien qu'antérieur, ait été rejeté par le rédacteur après ce bilan[1], car, ayant (temporairement)[2] échoué, il n'a pas, précisément, donné lieu à un nouvel exil de l'évêque orthodoxe, à la différence de ce qui s'est passé avec Grégoire puis Georges. Par conséquent, loin d'être « une remarque marginale provenant d'un lecteur qui aurait arrangé les dates fournies par l'*Historia acephala* et celles connues de lui par ailleurs », comme l'a écrit E. Schwartz pour qui l'*Historia* aurait été rédigée en 368 en l'honneur du « jubilé » d'Athanase[3], ce résumé chiffré ne peut être dissocié de la rédaction originelle dont nous venons de montrer un des objectifs.

4ᵉ exil, « 8 mois », en 3, 4 (= *Ba* 10), mais a été omise celle entre le 4ᵉ et le 5ᵉ.

1. Maffei, dans ses *Osservazioni letterarie* 3, l'estimait « hors de sa place ». P. Batiffol, « Le Synodicon de S. Athanase », dans *Byz. Zeitschrift*, 1901, p. 130, supposait que « le récit des années 366 et suivantes a(vait) été écourté et que l'abréviateur n'en a(vait) conservé d'intact que le morceau qui constitue le paragraphe 18 » ; enfin E. Schwartz, « Die Sammlung des Theodosius Diaconus », dans *Nach. Gött.*, 1904, p. 386 (= *GS* 3, p. 65-66), considérait qu'il se rattachait directement à la fin du récit du retour du 5ᵉ exil (5, 7 = *Ba* 16).

2. Après la mort d'Athanase, Pierre, son successeur, dut s'enfuir après que Lucius fut installé sur le siège d'Alexandrie par le préfet Pallade sur ordre de l'empereur Valens, v. Socrate, IV, 21-22, Sozomène, VI, 19 et Théodoret, IV, 21.

3. *O.c.*, *supra*, n. 1.

Cette *Historia* ainsi comprise dans son unité prend le relais des écrits apologétiques d'Athanase, pour démontrer que, sans l'appui du pouvoir impérial, les Ariens n'auraient pu triompher en Orient, à Alexandrie comme à Constantinople et à Antioche[1]. A Alexandrie plus particulièrement, l'installation d'un évêque hétérodoxe imposé de l'extérieur n'est possible que sous la protection des légions du *dux* d'Égypte. Les trois derniers « exils » d'Athanase, en réalité des *fugae in persecutione* en terre égyptienne, sont peu ou mal connus de l'Occident. Les écrits athanasiens, *Apologies* et *Histoire des Ariens*, s'arrêtent après le récit du troisième exil et l'installation de l'intrus Georges à Alexandrie et ne semblent guère avoir été lus en Occident. Ainsi Rufin, qui s'est pourtant rendu en Égypte et pour qui Athanase représente, à juste titre, la fidélité à la foi de Nicée, centre de son *Histoire ecclésiastique*, confond le premier et le troisième exil (I, 18-19), bloque en un seul les deux premiers (I, 18-20) et ignore purement et simplement le cinquième (II, 2). L'*Historia* de la « collection du diacre Théodose » vient compléter en les achevant les écrits d'Athanase.

Sozomène et l'Histoire « acéphale »

L'original grec de l'*Historia* « acephala » a été utilisé par Sozomène dans sa propre *Histoire ecclésiastique*, on le sait[2], et le tableau ci-dessous n'est qu'un rappel permettant d'en faire apparaître les correspondances :

---

1. Cf. *Historia* 1, 2-6 (= *Ba* 2) et 4, 5-6 (= *Ba* 13 *bis*) pour Constantinople, et 2, 7 et 4, 7 (= *Ba* 7 et 14) pour Antioche.
2. P. Batiffol, *o.c.*, p. 128 s. ; G. Schoo, *Die Quellen des Kirchenhistorikers. Sozomenus*, Berlin 1911, p. 102 s. ; E. Schwartz, *o.c.*, p. 387 (= *GS* 3, p. 67) ; H. Fromen, *Athanasii Historia Acephala*, Münster 1914.

		Historia		*Sozomène*

353-361 péripéties du 3ᵉ exil : 1, 7-11 (= *Ba* 3-5) IV, 9, 6-9

2, 1-7 (= *Ba* 5-8) IV, 10, 8-12

2, 8-9 (= *Ba* 8) V, 7, 2-3

363-364 retour du 4ᵉ exil : 4, 3-4.7 (= *Ba* 13-14) VI, 5, 1-4

365 5ᵉ exil : 5, 1-7 (= *Ba* 15-16) VI, 12, 5-6

A la différence des trois derniers exils, le récit du second (III, 6, 10-11) puise au contraire sa source dans l'*Histoire* de Socrate (II, 11, 3-6), qui, lui-même, commet une confusion entre les événements de 339 et ceux de 356 tels qu'ils sont rapportés par Athanase dans l'*Apologia de fuga* 24. Socrate reprend, en effet, le récit athanasien en l'attribuant à la fuite de 339. Quant à celle de 356, il ne la mentionne qu'à travers l'allusion qu'y fait Athanase dans l'*Apologia de fuga* dont il cite intégralement un long passage (6 et 7), centré principalement sur la persécution de Georges d'Alexandrie et du *dux* Sebastianus dans la ville et en Égypte durant les années 357/358 (II, 28, 2-15). Pour le récit du premier exil, Sozomène (II, 28) recourt tout d'abord, comme Socrate (I, 34), à Athanase dont il cite la lettre de Constantin convoquant à Constantinople les évêques réunis à Tyr (*Apol. c. Ar.* 86) (2-12) ; puis il utilise l'arien Sabinos (13-14) qui, lors de l'entrevue avec l'empereur, omet de mentionner le contenu de la calomnie dont l'évêque fait les frais (le détournement des blés égyptiens destinés à la capitale) et la présence des cinq évêques égyptiens devant lesquels la scène se déroula conformément au récit d'Athanase (*Apol. c. Ar.* 87) repris par Socrate (I, 35). Si l'*Historia* « acephala » avait comporté dans son état originel le récit complet des exils d'Athanase, on en aurait, semble-t-il, trouvé trace chez Sozomène qui ne se prive pas de l'utiliser, de préférence à Socrate, pour les trois derniers.

D'autre part, Sozomène (I, 24, 3) est seul à fournir certaines précisions sur l'origine du schisme mélitien qu'il a trouvées, là encore, dans les archives alexandrines, comme le prouve le rapprochement avec un des documents du fragment 26 du *Codex Veronensis* LX[1]. Il est à nouveau le seul à faire allusion à la lettre d'Ossius de Cordoue et de Protogène de Sardique à Jules de Rome pour justifier la rédaction d'un nouveau formulaire de foi plus développé que celui de Nicée par les évêques occidentaux réunis à Sardique (III, 12, 6), lettre citée intégralement dans le *Codex Veronensis* LX (n° 15).

C'est donc bien la preuve qu'il existait à Alexandrie au début du ve s. une histoire de l'Église, des origines du schisme mélitien à Théophile, dans laquelle s'intégrait l'histoire dite acéphale d'Athanase.

L'« Histoire ecclésiastique » de Cyrille et le Codex Veronensis LX

Reprenons plus en détail les documents alexandrins de la collection théodosienne. Ce sont :

— N° 1, le symbole et les canons de Nicée dans la version de Cécilien de Carthage, revue et corrigée par Cyrille d'Alexandrie (d'après Maassen et Turner). L'ensemble est précédé d'un bref historique commençant

---

1. Il s'agit de la lettre des quatre évêques égyptiens à Mélitios de Lycopolis, dénonçant les ordinations illicites pratiquées par ce dernier dans leurs diocèses, motif fourni par Sozomène pour expliquer les sanctions prises contre lui par le concile de Nicée. L'historien du ve s. est également le seul à fournir des éléments concernant les rapports entre Arius et Mélitios avant qu'Arius ne soit ordonné diacre par Pierre d'Alexandrie (I, 15, 1, 2). Nous avons cru pouvoir établir que c'est à Alexandrie qu'il a trouvé sa source — source dont on trouve trace également dans les *Acta Petri* (version de Guarimpotus) qui s'appuient, selon leur auteur, sur un *libellus* rapportant la vie d'Athanase. Sur l'analyse détaillée de ces rapprochements, nous renvoyons à notre thèse de doctorat dont le ch. 2 est consacré au schisme mélitien. V. également, W. TELFER, « St Peter of Alexandria and Arius », dans *Anal. Boll.*, 67, 1949, p. 117-130 et T. ORLANDI, « Ricerche su una storia ecclesiastica alessandrina del IV sec. », dans *Vetera Christianorum*, 11, 1974, p. 269-312.

par ces termes : *Synodus Nicaena sub Alexandro episcopo Alexandriae imperatore Constantino*, suit la convocation du concile par l'empereur Constantin[1].

— N⁰ˢ 9 et 10, la lettre synodale de Nicée aux Églises d'Égypte, de Libye et de Pentapole, à la suite de laquelle est joint un bref historique commençant par *tunc temporis*, sans rapport avec un nom dont il serait le complément, et mentionnant la convocation d'un synode dirigé contre Paul de Constantinople, « à la suggestion d'Eusèbe, Acace, Théodore, Valens, Étienne et de leurs alliés », lequel se réunit à Sardique[2]. Ceci est à rapprocher de l'*Historia « acephala »* 1, 2-6 (= *Ba* 2) qui rapporte l'histoire de Paul aux prises avec les menées ariennes à Constantinople « après le retour d'Athanase » *i.e.* après Sardique *(sic)*.

— On retranchera de cette liste les trois documents de Sardique occidental[3] dont la provenance alexandrine, affirmée jadis par Turner et Schwartz, n'est plus aujourd'hui

---

1. *Fol.* 37 a - 42 b, éd. TURNER, *EOMJA*, I, 146-147.

2. *Fol.* 70 a - 71 b, éd. OPITZ, *Athanasius Werke*, III, *urk.* 23 (TURNER, *o.c.*, I, 629-630), *fol.* 71 b, éd. TURNER, 637 : *tunc temporis ingerebantur molestiae impp. synodum conuocare ut insidiarentur Paulo episcopo Constantinopolitano per suggestionen Eusebii Acacii Theodori Valentis Stephani et sociorum ipsorum, et congregata est synodus consolatu Constantini et Constantini (sic) apud Sardicam. Explicit Deo gratias. Amen.* C'est le premier document du *codex* sur Sardique. S'il est bien d'origine alexandrine, on remarquera l'insistance qu'il met à présenter Sardique comme un concile tramé par les évêques orientaux (c'était l'image qu'en avait conservée Augustin, cf. *supra*, p. 12, n. 2). V. *infra*, p. 41 et n. 2.

3. La lettre d'Ossius de Cordoue et de Protogène de Sardique à Jules de Rome justifiant la profession de foi de Sardique (cf. SOZOMÈNE, III, 12, seul témoin), profession précisément absente du corpus athanasien, et retranscrite ici avec la synodale ainsi que les canons, le tout dans une traduction latine d'une version grecque différente de celles de Sozomène (pour la lettre d'Ossius) et de THÉODORET, II, 8 (pour la profession), les originaux étant, on le sait, en latin, éd. Turner, I, p. 644 (*fol.* 80 b - 81 a), 645-653 (*fol.* 81 a - 88 a), 491-531 (*fol.* 88 a - 94 b).

reconnue. H. Hess, après W. Telfer, les rattache plutôt à l'Église de Thessalonique devenue le rempart de l'orthodoxie après la défection de Libère en 356[1].

— Nos 19-21, trois lettres dont deux d'Athanase, aux prêtres et diacres de l'Église d'Alexandrie et de la Parembole, et aux Églises de Maréote, et une des évêques occidentaux réunis à Sardique à l'Église de Maréote (avec une liste de signatures)[2].

— A ce dossier fait directement suite l'*Historia*, n° 22, qui commence par y joindre une des lettres impériales concernant le retour d'Athanase à Alexandrie : *scripsit autem et imperator Constantius de reditu Athanasii et inter imperatoris epistulas haec quoque habetur*[3].

— Avec les nos 24-25, on retrouve le concile de Nicée : il s'agit de la lettre de Constantin à l'Église d'Alexandrie et de la lettre appelée « décret de Porphyre » condamnant Arius et ses adeptes[4].

— Enfin le n° 26 concerne les origines du schisme mélitien, antérieur à Nicée. Un récit historique relie entre eux les deux documents conservés dans cette unique version latine, la lettre de quatre évêques à Mélitios de Lycopolis et celle de Pierre à ses fidèles[5]. Ce dossier est à rattacher au n° 9. Il va dans le sens des canons de Nicée, en particulier du canon 6, confirmant les droits absolus de l'évêque d'Alexandrie sur les Églises d'Égypte, de Libye et de Pentapole.

Ainsi regroupés, ces différents éléments s'étalent sur près d'un siècle, entre l'épiscopat de Pierre (300-311) et

---

1. *The Canons of the Council of Sardica*, p. 65-67, cf. TELFER, *Harvard Theological Review* 36, 1943, p. 195-197.

2. *Fol.* 99 b - 105 a, éd. TURNER, 654-662.

3. *Fol.* 105 a - 112 a.

4. *Fol.* 112 b - 113 b, éd. OPITZ, *o.c.*, *urk.* 25 et 33 (TURNER, 631-633).

5. *Fol.* 113 b - 116 a, éd. F. H. KETTLER, dans *ZnTW*, t. 35, 1936, 159-163, et TURNER, I, 634-636.

celui de Théophile (385-412) mentionné à la fin de l'*Histoire* « *acéphale* ». Ils sont constitués de documents témoins — lettres épiscopales, synodales et impériales, professions de foi, canons, édits impériaux — reliés parfois entre eux par un récit historique plus ou moins développé, le plus important par sa longueur étant l'*Histoire* « *acéphale* ». Dans ce dernier cas, tantôt le traducteur, tantôt le copiste ont estimé ne pas devoir conserver certains d'entre eux. Il en est ainsi d'une lettre de l'empereur Constance sur laquelle enchaîne le récit du retour d'Athanase au début de l'*Historia* et que le copiste a laissée pour compte (1,1 = *Ba* 1). De même, le dossier faisant état des démarches des Ariens d'Alexandrie auprès de l'empereur Jovien à Antioche subit un sort analogue, le traducteur africain, cette fois, n'en ayant que faire pour son propos, comme il l'écrit lui-même : *Hic autem minus necessaria intermisimus* (4, 7 = *Ba* 14). De ces démarches relatées dans l'*Historia* nous avons trace dans un fragment de la lettre festale d'Athanase pour 364 écrite d'Antioche[1], dans Sozomène précisément et, plus complètement, dans le texte des quatre pétitions émanant de Lucius (le successeur de Georges d'Alexandrie), d'un certain Bernicianos et d'autres Ariens contre Athanase et conservé à la suite de la lettre de l'évêque d'Alexandrie à l'empereur Jovien dans le *Codex Parisinus* 474[2]. A cette occasion, l'historien, qui est le seul

---

1. M. PIEPER, « Zwei Blätter aus dem Osterbrief des Athanasius vom Jahre 364 (Pap. Berol. 11948) », dans *ZnTW* 37, 1938, p. 73-76, texte copte p. 74, trad. all. p. 75, le *fol.* 108 mentionne que le 3 hathor (= 31 octobre), Lukios, Bernikianos et d'autres Ariens ont remis une première plainte à l'empereur, mais que celui-ci « allait... », le texte est malheureusement inachevé.

2. F. WALLIS, « On some mss of the writings of S. Athanasius », dans *J.Th.S.*, t. 3, 1902, p. 97-110 et plus particulièrement p. 99. Si SOZOMÈNE, VI, 5, 2-4, suit bien ici l'*Historia*, celle-ci ne devait contenir que la dernière des quatre pétitions, émanant de Lucius lui-même.

à utiliser l'original grec de l'*Historia*, commet une confusion à propos de l'eunuque Probatios, dont il fait le candidat arien au siège d'Alexandrie soutenu par Euzoios d'Antioche. En réalité, le récit joint à la suite de la quatrième pétition explique comment les Ariens ont cherché à obtenir les faveurs des eunuques impériaux — parmi lesquels Probatios — tout comme ils l'avaient fait au temps de Constance avec le chambellan Eusèbe, pour établir un évêque arien sur le siège d'Alexandrie[1]. On sait par l'*Historia* elle-même que Lucius tentera lui-même sa chance, sans davantage de succès, quelques années plus tard dans la capitale égyptienne (5, 11-13 = *Ba* 18).

Mgr Batiffol, le premier éditeur français du texte, voulut voir dans l'*Historia* le noyau principal du *Synodicon* d'Athanase auquel renvoie Socrate (I, 13) et dont personne aujourd'hui n'a encore trouvé trace. L'*Historia* serait, selon lui, le résidu d'un dossier composé de pièces synodales et de documents analogues qui aurait été incorporé au *Synodicon* pour former, au temps de Théophile, une collection canonique répondant à la *Synagogè* de Sabinos et représentant le stade le plus ancien de ce type de littérature. Et c'est là qu'auraient puisé Socrate, Gélase de Cyzique et Théodoret[2]. Mais alors, si l'*Historia* avait été l'embryon du *Synodicon*, comment expliquer que seul Sozomène y ait eu recours ? D'autre part, l'auteur ne s'est

---

1. *PG* 26, 824.
2. « Le Synodicon de S. Athanase », dans *Byz. Zeitschrift*, 1901, p. 128-143. L'A. y critique l'hypothèse de GEPPERT, formulée dans *Die Quellen des Kirchenhistorikers Sokrates Scholasticus. Studien zur Geschichte der Theologie und Kirche*, III, 4, Leipzig 1898, selon laquelle le *Synodicon* serait une collection de documents sur Nicée présentés par Athanase dans le cadre de la polémique contre l'arianisme, selon le modèle de son *Apologie contre les Ariens*. Le *Synodicon* est bien un dossier estime Batiffol, mais il déborde largement le cadre du seul concile de Nicée, englobant des documents allant du schisme mélitien à l'épiscopat de Théophile. Et la date proposée par Geppert — 355/361 — doit être en conséquence abaissée.

guère intéressé aux liens qui unissent l'*Historia* au *Codex Veronensis*, dont il ne retient, pour sa thèse, que les documents du n⁰ 26 concernant le schisme mélitien, ainsi que les nᵒˢ 19 à 21 constitués par les lettres de Sardique et précédant directement l'*Historia*. Or, qu'il s'agisse du schisme mélitien sur lequel Socrate ne fait que reproduire Athanase, du concile de Nicée pour lequel il ne donne que les trois premiers noms de la liste qu'il a sous les yeux, du concile de Sardique, dont il ne cite même pas la profession de foi, ou des trois derniers exils d'Athanase, rien dans l'*Histoire* de Socrate ne provient du *Synodicon* tel qu'a prétendu le reconstituer Batiffol au début de ce siècle[1]. Enfin nous avons cru pouvoir démontrer que la liste de souscriptions à Nicée à laquelle renvoie Socrate sous le nom de *Synodicon d'Athanase* et dont il ne transcrit que les trois premiers noms, correspondait à la liste grecque élaborée à Antioche au temps de l'évêque Mélèce. Cette liste, archétype des listes actuellement connues, a été reprise intégralement par Théodore le lecteur[2]. Ainsi les souscriptions puisées au soi-disant *Synodicon d'Athanase* proviennent d'une collection antiochienne, et sûrement pas d'Alexandrie.

La comparaison avec Sozomène sur chacun des points cités plus haut est au contraire éclatante. Mᵍʳ Batiffol, en limitant son analyse aux seuls rapprochements entre

1. Le *Synodicon* aurait, selon lui, compris : 1. les documents de Nicée (symbole, canons, date, souscriptions, synodale et lettres diverses) ; 2. ceux concernant le schisme mélitien tels qu'on les trouve dans le *Codex Veronensis* LX ; 3. l'*Historia* « *acephala* » comprenant elle-même des documents dont certains omis par l'abréviateur latin ; 4. les lettres d'Alexandre d'Alexandrie telles qu'on les trouve citées par Socrate, Gélase de Cyzique et Théodoret ; 5. celle de Pierre II à Damase (également citée par Théodoret, IV, 22) ; 6. les textes concernant les conciles romains contre les Apollinaristes (Théodoret, V, 8, 10).

2. Nous renvoyons au ch. 1 de notre thèse de doctorat d'État qui analyse les listes de Nicée.

l'*Histoire* de Sozomène et l'*Historia* « *acephala* », s'est refusé la possibilité d'une confrontation du même auteur à l'ensemble des documents alexandrins contenus dans le *Codex Veronensis* LX. Et, cherchant le *Synodicon*, il n'a pas vu que ces documents, y compris l'*Historia*, constituaient la trame d'une même Histoire, celle qu'évoque Cyrille dans sa réponse aux Africains en 419 et qui servit de source privilégiée à Sozomène.

Les centres d'intérêt d'une telle *Histoire* peuvent être dégagés de la manière suivante :

1. la référence fondamentale à l'orthodoxie nicéenne constamment défendue en Orient par l'évêque d'Alexandrie ;

2. la confirmation de la toute-puissance de ce dernier sur l'ensemble des Églises d'Égypte, de Libye et de Pentapole par le même concile de Nicée (canon 6) ;

3. l'absence de condamnation d'Athanase par un quelconque concile orthodoxe (on aura remarqué, à cet égard, le silence total de la « collection » concernant le concile de Tyr, responsable de cette condamnation) ;

4. les décisions impériales (sans qu'il soit fait référence à aucun concile) à l'origine des trois derniers exils d'Athanase rapportés conjointement et constituant l'axe de la vie d'Athanase depuis 346 ;

5. enfin l'affirmation sous-jacente de la supériorité incontestée d'Alexandrie sur Constantinople où triomphent pendant ce temps les Macédoniens et les Anoméens, ainsi que sur Antioche[1], dans la défense de l'orthodoxie.

Ce n'est donc ni à une simple collection canonique, comme l'ont estimé les frères Ballerini et, après eux,

---

1. V. *supra*, p. 25, n. 1. On notera que le c. 6 de Nicée, tel qu'il figure dans la version « de Cécilien » revue par Alexandrie (selon l'hypothèse de Turner) a omis le dernier membre de phrase concernant Antioche.

Maassen[1], ni au soi-disant *Synodicon* d'Athanase, comme l'a cru Batiffol que nous avons à faire. L'« Histoire ecclésiastique » issue des archives d'Alexandrie ressemble fort, dans sa composition, aux écrits athanasiens du même style, *Apologies* et *Histoire des Ariens* : un choix de documents de nature variée en apparence, destiné, dans le fond, à accréditer l'image que cette Église, à travers son évêque, s'est donnée d'elle-même, victime de l'étranger — l'arien — et du pouvoir impérial qui le soutient en Égypte en lui prêtant main forte. N'y a-t-il pas là, en germe, tous les éléments qui, plus tard, alimenteront le nationalisme égyptien ?

Histoire « engagée », nécessairement partisane en ce qu'elle défend un ordre propre à l'Église d'Alexandrie, histoire dont les écrits apologétiques d'Athanase constituent le modèle, elle doit être interrogée enfin sur les rapports que celle-ci entretient avec les deux autres grandes métropoles de l'Orient chrétien, Antioche et Constantinople.

Les rapports entre Alexandrie, Constantinople et Antioche

Le rédacteur de l'*Histoire* « *acéphale* » a jugé bon de consacrer deux passages de sa chronique à l'histoire de l'Église de Constantinople et un, beaucoup plus bref, à celle d'Antioche. Ces insertions font problème, non seulement par le seul fait de leur présence dans un récit dont, en apparence, elles rompent à trois reprises la trame, mais encore par l'origine de l'information à laquelle a puisé le rédacteur.

---

1. Les premiers, dans leur *De antiquis collectionibus canonum*, 1757, le second, dans sa *Geschichte d. Quellen und d. Literatur des kanonischen Rechts*, 1870, n'ont édité que les parties se rapportant à des canons de synodes.

Le premier passage, concernant le siège constantino-
politain au temps de Paul, Eusèbe, Macedonius et Eudoxe[1],
est inséré entre le deuxième retour d'exil d'Athanase en
octobre 346, qui ouvre l'*Histoire « acéphale »*, et les événements de 353, qui préludent à son troisième exil, soit
après Sardique auquel il n'est fait aucune allusion dans le
texte. La date fournie — « sous le consulat d'Hypatius et
de Catullinus » — retient un des consuls de l'année 349 et
un de ceux de l'année 359[2]. Ce flottement, unique dans un
document d'une précision par ailleurs exemplaire, étonne
tout d'abord. Mais l'on constate rapidement que les
quelque cinquante lignes consacrées à cette histoire sont
particulièrement embrouillées, tant en ce qui concerne les
événements eux-mêmes que leur chronologie. Ainsi les
faits rapportés (sans aucune autre date que celle mentionnée ci-dessus) sont les suivants : 1. une délégation
d'évêques orientaux conduite par Théodore (d'Héraclée)
cherche à engager Paul à entrer dans leur communion ;
2. devant le refus de celui-ci, s'adjoignant Eusèbe de
Nicomédie, ils le calomnient et l'exilent ; 3. le peuple de
Constantinople s'agite, ce qui provoque l'irritation de
l'empereur qui envoie le comte Hermogénès ; celui-ci se
fait maltraiter jusqu'à la mort, à la suite de quoi Paul est
exilé en Arménie ; 4. faute de pouvoir installer tout de
suite Eudoxe de Germanicie sur le siège vacant, les mêmes
évêques ordonnent Macedonius, prêtre de Paul ; 5. ils
finissent toutefois par arriver à leurs fins en exilant Macedonius et en établissant à sa place Eudoxe alors évêque
d'Antioche.

On note que Paul, sans constituer le centre de cette
histoire, est présenté comme l'évêque légitime de Constantinople, parce qu'il est l'adversaire des Ariens. « Il jette

---

1. *Fol.* 105 a, *l.* 17 - *fol.* 105 b, *l.* 24.
2. Les consuls de 349 sont Limenius et Catullinus, ceux de 359,
Eusèbe et Hypatios.

l'anathème » sur la délégation conduite par Théodore, et le peuple, « attaché à sa saine doctrine » (entendons à la foi de Nicée), l'empêche de quitter la ville. Mais son histoire s'arrête avec la mention de l'exil en Arménie, sans rien sur sa mort. Le second personnage du récit, Macedonius, fait figure d'hérétique, deux fois traître : à son « père » dont il est « prêtre » et auquel il accepte pourtant de succéder, et à la foi de Nicée, puisqu'il communie avec les Ariens. De plus, il devient, après sa rupture avec les évêques qui l'ont ordonné, le chef d'une nouvelle hérésie ; le rédacteur mentionne, en effet, qu'on appelle depuis lors Macédoniens « ceux qui font naufrage au sujet du Saint-Esprit[1] ». Quant à Eudoxe, il est le véritable antagoniste de Paul et sa position doctrinale sera précisée dans le second passage consacré à Constantinople par l'*Historia*.

Les seuls points d'ancrage chronologique dont on soit assuré pour éclairer l'ensemble du passage, sont la mention de l'émeute populaire qui, en 342, coûta la vie au maître de la milice Hermogénès[2], et l'intronisation d'Eudoxe sur le siège de la nouvelle capitale en 360[3]. C'est donc à un raccourci de quelque vingt années que nous avons à faire ici.

Certains éditeurs de notre texte se sont interrogés sur la présence d'Eusèbe de Nicomédie dans une délégation

1. L'assimilation entre les Macédoniens et les Pneumatomaques s'est faite vers la fin du ive s. Sur cette question, v. *infra*, Hist. « *aceph.* » 1, 6 (= *Ba* 2), n. 22.

2. Jérôme, *Chron. ad a.* 342, Socrate, II, 13. Cette émeute fut suscitée par les troubles qui mirent aux prises les partisans de Paul et ceux de Macedonius, à la suite de la mort d'Eusèbe qui avait finalement occupé le siège de 338 à 341 (Socrate, II, 12-13 ; Sozomène, III, 7 ; brève mention dans Ammien, XIV, 10, 2, qui donne le titre exact d'Hermogénès, *magister equitum*, l'*Historia* se contentant de l'appeler « comte »).

3. *Chronicon pascale ad a.* 360, le 27 janvier, en présence de 72 évêques (Socrate, II, 43, 7 ; Sozomène, IV, 26, 1).

d'évêques ariens postérieure à Sardique[1]. Et l'on a même
été jusqu'à y voir une erreur du rédacteur alexandrin qui
se serait mépris sur la véritable identité du personnage,
prenant le *praepositus cubiculi* de Constance, partisan des
Ariens, pour l'évêque de Nicomédie mieux connu de lui[2].
Pourtant, rien n'est moins sûr que cette hypothèse.
Aucune allusion n'est faite ailleurs à un quelconque rôle du
chambellan impérial dans l'histoire de Paul[3], sinon un
passage du *Martyre des saints notaires Markianos et
Martyrios*, récit hagiographique postérieur à 439[4] où il est
question des pressions exercées par « Eusèbe *praepositus* »
sur Constance pour qu'il réunisse un synode à Sardique
« afin de déposer le bienheureux Paul[5] ». Comme l'a montré
si justement G. Dagron, reprenant les conclusions de

1. H. FROMEN, *Athanasii Historia Acephala*, dissert., Münster,
1914, p. 57-58, après E. SCHWARTZ, v. note suivante.

2. E. SCHWARTZ, « Die Sammlung des Theodosius Diaconus »,
dans *Nach. Gött.*, 1904, p. 382 et n. 1 (= *GS*, t. 3, p. 61, et n. 1);
cf. W. TELFER, « Paul of Constantinople », dans *Harvard Theol.
Review*, t. 43, 1950, p. 31-92, qui s'appuie sur un passage de l'*Hist.
Ar.*, 6, d'Athanase, déplorant l'effet pernicieux des eunuques (en
général) et des femmes sur les affaires de l'Église. Sur le personnage
d'Eusèbe lui-même, son influence sur l'empereur Constance et son
rôle dans les affaires ecclésiastiques, AMMIEN, XIV, 10, 5 ; XV, 3, 2 ;
XVIII, 4, 3 ; XX, 2, 3 ; ATHANASE, *Hist. Ar.*, 35, 4 ; SOCRATE,
II, 2, 6 ; SOZOMÈNE, III, 1, 4 ; IV, 16, 22 ; V, 5, 8 ; THÉODORET, II,
16, 9, 15, 28 ; v. O. SEECK, *Die Briefe des Libanius*, p. 139-140
(Eusèbe V), JONES, MARTINDALE, MORRIS, *Prosopography*, I,
p. 302-303 (Eusèbe 11).

3. La référence à Athanase, *Hist. Ar.*, 35, 4, à laquelle renvoie
Schwartz, concerne la mission dont fut chargé le *praepositus cubiculi*
auprès de Libère en 356.

4. Ed. FRANCHI DE'CAVALIERI, dans *Anal. Boll.*, t. 64, 1946,
p. 132-175.

5. Εὐσέβιος οὖν ὁ πραιπόσιτος οὐκ ἐπαύετο ἀπείλων καὶ ἐκφοβῶν
τὴν ἁγιωτάτην τοῦ θεοῦ ἐκκλησίαν καὶ διενοχλῶν τῷ βασιλεῖ
Κωνσταντίῳ ... ὥστε γενέσθαι σύνοδον ἐν Σαρδικῆς πρὸς τὸ καθαι-
ρεθῆναι τὸν μακαριώτατον Παῦλον, *ibid.*, p. 169, *ll.* 7-12.

Franchi de'Cavalieri, nous sommes ici en pleine légende[1]. Au contraire, Athanase, rapportant les premiers déboires de l'évêque de Constantinople, fait état de calomnies portées contre lui par l'un de ses prêtres, Macedonius, calomnies qui furent utilisées ensuite par Eusèbe de Nicomédie « qui convoitait de s'emparer de l'épiscopat de la ville » et à la suite desquelles Paul fut exilé[2]. Et il fournit un indice chronologique important, car, ajoute-t-il, ces accusations furent portées en sa présence[3], c'est-à-dire lors de son passage à Constantinople à l'occasion du retour de son premier exil, dans le courant de l'été ou au début de

---

1. *Constantinople*, Paris 1974, p. 434, ceci contre W. TELFER qui prétendait que le récit hagiographique était la source de ce passage de l'*Historia*, art. cité *supra*, p. 37, n. 2.

2. *Hist. Ar.* 7, 1-3. C'est bien par *Constance* et non par Constantin, comme le corrigent à tort certains éditeurs (dont Opitz), qu'il fut exilé (signalé par *PG* 25, 701B4, qui édite Κωνσταντίου mais traduit *a Constantino*) et vraisemblablement à Thessalonique, sa ville natale (selon SOCRATE, II, 16 et SOZOMÈNE, III, 9), comme le suggérait déjà Valois, plutôt que dans le Pont, comme l'écrit Athanase ; c'est de là qu'il s'est rendu à Trèves auprès de Constantin II et fut reçu dans la communion par l'évêque de la capitale impériale, Maximin, soit entre 338 et mars 340, *quoniam Paulo Constantinopolitano... primus ipse communicauit et quod ipse tantae cladis causa fuit ut Paulus ad Constantinopolim ciuitatem reuocaretur... ipse fuit qui Paulum olim damnatum ad Constantinopolim reuocauit*, précise l'*ep. Sardic. orient.*, 27, *ap.* HILAIRE, *frag. hist.*, III, *CSEL*, 65, p. 67. L'empereur Constance fit nommer à sa place Eusèbe de Nicomédie par un synode réuni à Constantinople (SOCRATE, II, 6-7, SOZOMÈNE, III, 4), sans doute au début de l'année 338, avant son départ pour la campagne contre les Perses, cf. G. DAGRON, *Constantinople*, p. 426-428 et 432, qui donne comme date fin 338-début 339, parce qu'il adopte 338 pour le retour d'exil d'Athanase (p. 428, n. 2), date devant être définitivement écartée comme nous le montrons plus loin. On sait, d'autre part, qu'au printemps 338, Constance met le siège devant Nisibe (P. PEETERS, art. cité *infra*, p. 85, n. 1).

3. *Ibid.*, 7, 1, ὁ κατηγορήσας αὐτοῦ Μακεδόνιος, ὁ νῦν ἐπίσκοπος ἀντ' αὐτοῦ γενόμενος παρόντων ἡμῶν κατὰ τὴν κατηγορίαν κεκοινώνηκεν αὐτῷ καὶ πρεσβύτερος ἦν ὑπ' αὐτὸν τὸν Παῦλον.

l'automne 337[1]. C'est à cette situation que pourrait renvoyer le début du texte où le nom de l'évêque de Nicomédie apparaît. De plus Sozomène rapporte que la procédure d'élection de Paul fut contestée par les Ariens, car il s'appropria l'épiscopat, dit-il, « sans l'approbation d'Eusèbe évêque de Nicomédie et de Théodore d'Héraclée de Thrace, évêques auxquels, comme voisins, revient la consécration[2] ».

1. Athanase est de retour à Alexandrie le 27 nov. 337, comme les calculs de l'*Histoire « acéphale »* elle-même permettent de l'établir définitivement, v. *infra*.

2. III, 3, 1, οἷς ὡς γείτοσιν ἡ χειρονία διέφερεν. Sur cette élection, G. Dagron, *o.c.*, p. 422. L'établissement de la chronologie de Paul fait problème, compte tenu de la nature même des sources (*Id.*, p. 425-435) ; les divergences portent en premier lieu sur la date de sa consécration — sous Constantin (Tillemont, Schwartz, Telfer, Hess, et, en dernier lieu, A. Lippold, dans *RE*, suppl. X, 1965, 510-520), ou sous Constance, si l'on suit Socrate, II, 6 et Sozomène, III, 3 (Fischer, Dagron) — puis, en conséquence, sur les dates, le nombre et les lieux d'exil. Les deux textes les plus anciens, l'*ep. Sardic. orient.* 13, 20 et 27, et Athanase, *Hist. Ar.* 7, paraissent difficilement conciliables : le premier fait mention d'une condamnation d'Athanase par Paul (§ 13), ce qui a longtemps fait opter les historiens pour l'année 335 comme date de la consécration de ce dernier ; mais on perçoit d'emblée la difficulté : ceci doit pouvoir se combiner avec la date de la mort d'Arius à laquelle succède celle d'Alexandre, le prédécesseur de Paul, nécessairement postérieure à 335 (Tyr), ainsi qu'avec la présence d'Athanase à Constantinople entre fin oct. et début nov. 335, avant son exil pour la Gaule ordonné par Constantin. Le second, nous l'avons vu, rappelle comment l'évêque de Constantinople fut accusé *en sa présence* par l'un de ses prêtres, Macedonius, ce qui, repris par Eusèbe qui ambitionnait le siège, lui valut un premier exil *sous Constance* (et non Constantin, v. *supra*, p. 38, n. 2). Or, si l'on tient compte des données fournies également par Socrate, II, 6-7 et Sozomène, III, 3-4, on peut, à titre d'hypothèse, proposer la chronologie suivante : consécration de Paul dans l'Église d'Irène entre mai (mort de Constantin) et oct. 337 (passage d'Athanase, non attesté mais probable, à Constantinople, avant son retour à Alexandrie le 27 nov. 337) ; mécontentement de Constance qui le fait déposer par un synode et remplacer par Eusèbe

D'autre part, les noms d'Eusèbe et de Théodore figurent parmi les évêques qui, selon le court récit du *Codex Veronensis* LX, n⁰ 10 susceptible d'appartenir à l'« Histoire ecclésiastique » d'Alexandrie[1], ont fait pression sur les empereurs pour qu'ils convoquent un synode « pour tendre un piège à Paul évêque de Constantinople » ; et c'est ainsi qu'un synode fut réuni à Sardique, « à la suggestion d'Eusèbe, Acace, Théodore, Valens, Étienne et leurs alliés[2] ». Or, si l'on excepte celui d'Eusèbe mort après le concile d'Antioche de 341[3], ces noms, tout comme ceux de la délégation arienne de l'*Historia*, Théodore, Narcisse et Georges, sont ceux des évêques déposés par les Occidentaux au synode de Sardique, à deux exceptions près : « THEODO-RUM uero, NARCISSUM, *Stephanum*, *Acacium*, GEORGIUM, Ursacium, *Valentem* et Menophantum episcopatu depo-

---

de Nicomédie, fin 337-début 338 — c'est peut-être à cette occasion que Paul est amené à signer la condamnation d'Athanase rentré en Égypte contre la décision conciliaire prise contre lui en 335 (plutôt qu'en 341, comme le propose DAGRON, *o.c.*, p. 430, car après son séjour à Trèves il n'a plus de raison de le faire). Il est renvoyé chez lui, à Thessalonique (SOCRATE, II, 16, SOZOMÈNE, III, 9, qui datent cet exil, à tort, de 342) d'où il s'embarque facilement pour l'Occident, où il rencontre Constantin II et l'évêque Maximin à Trèves, entre 338 et 340, v. *supra*, p. 38, n. 2 ; il y demeure après la mort de l'empereur à Aquilée en mars 340, jusqu'à la fin de l'année 341, où, conseillé par Maximin, il regagne son siège à l'annonce de la mort d'Eusèbe (cf. *epist. Sardic. orient.*, 27).

1. Cf. *supra*, p. 28.

2. *Tunc temporis ingerebantur molestiae imperatoribus synodum conuocare, ut insidiarentur Paulo episcopo Constantinopolitano per suggestionem Eusebii, Acacii, Theodorii, Valentis, Stephani et sociorum ipsorum : et congregata est synodus consulatu Constantini et Constantini (sic) apud Sardicam*, éd. Ballerini, *PL* 56, 146 (= E. SCHWARTZ, *Nach. Gött.*, 1904, p. 378 = *GS*, t. 3, p. 56).

3. SOCRATE, II, 12, SOZOMÈNE, III, 7, on ne peut préciser davantage.

suit[1] ». Le rédacteur du *Martyre* des deux notaires, qui a
utilisé l'*Historia*[2], n'a pas hésité à compléter les trois noms
des délégués ariens cités par elle en y ajoutant ceux des
cinq autres évêques de la liste de Sardique[3]. Curieuse
inversion de l'histoire par la légende, où les évêques
déposés par le concile deviennent ceux qui en sont les
instigateurs « dans le but de tendre un piège à Paul[4] ».
Nous assistons ici à la construction d'une histoire constantinopolitaine donnant à Paul le premier rôle à Sardique.
Or, non seulement nous savons que ce concile n'a jamais
été suscité par les évêques orientaux et qu'il fut convoqué,
au contraire, sur la pression des évêques occidentaux —
ceux « des résidences impériales qui constituaient, comme
en Orient, une sorte de synode permanent », orientant la
politique impériale —, par les empereurs Constant et
Constance[5] ; mais, bien plus, il n'est fait aucun cas de

1. HILAIRE, *frag. hist.*, II, 8 (*CSEL* 65, p. 123), cf. lettre à Jules,
ibid., II, 14 (p. 31), qui omet Théodore d'Héraclée ; ATHANASE,
Apol. c. Ar. 46, 1 (cf. *Hist. Ar.* 17, 3). Synodale aux Églises de Maréote
et lettre d'Athanase aux prêtres et diacres de l'Église d'Alexandrie et
de la Parembole, conservées dans le *Codex Veronensis* LX, nᵒˢ 19
et 20. Nous avons utilisé les petites capitales pour les noms des
évêques cités par l'*Historia* et l'italique pour ceux du récit du *Codex*,
nᵒ 10.

2. FRANCHI DE'CAVALIERI, *o.c.*, supra, p. 37, n. 4, plus particulièrement, p. 139, 149-150.

3. Συνῆλθον οὖν ... Θεόδωρος καὶ Μαρκίων *(lege* Νάρκισσος, cf.
recensio longior), Γεώργιος, Ἀκάκιος, Στέφανος, Μηνοφάντης,
Οὐρσάκιος ‹καὶ βάλης› (cf. *recensio longior*), p. 169 (cf. p. 172).

4. *Insidiati sunt beatissimo Paulo*, dit l'*Historia* « acephala »,
ut insidiarentur Paulo episcopo constantinopolitano, selon le court
récit du *Codex Veronensis* LX, nᵒ 10, cf. *supra*, p. 40, n. 2.

5. C. PIETRI, *Roma Christiana*, I, p. 208-216, plus particulièrement,
p. 212. Cf. ATHANASE, *Apol. ad Const.* 4 ; l'*ep. Sardic. Orient.*, ap.
HILAIRE, *frag. hist.*, III, 14 (*CSEL* 65, p. 57), mentionne Jules,
Maximin et Ossius ; SOCRATE, II, 20 et SOZOMÈNE, III, 11, en rendent
responsables « Athanase et Paul » (mais ceci repose vraisemblablement sur une construction postérieure de la vie de Paul en partie
calquée sur celle d'Athanase ; cf. de même SOZOMÈNE, III, 10, qui

l'évêque de Constantinople dans la synodale des évêques occidentaux qui n'évoque que les noms d'Athanase, d'Asclépas de Gaza et de Marcel d'Ancyre[1]. La synodale des évêques orientaux laisse entendre un tout autre son : tout d'abord, elle atteste que l'évêque de Constantinople n'était pas présent au dit concile, que celui-ci communiquait avec lui par l'intermédiaire d'Asclépas de Gaza qui se rendit exprès à Constantinople, et, enfin, que ce n'étaient pas tant ses positions doctrinales qui lui étaient reprochées que « ses crimes », entendons par là l'émeute sanglante qui suivit son retour d'exil à la mort d'Eusèbe (début 342)[2].

fait intervenir Jules de Rome auprès de l'empereur Constant pour faire rendre raison aux Orientaux « de la déposition de Paul et d'Athanase »). Tous ces témoignages insistent sur le rôle tenu par Constant. Une ambassade d'évêques orientaux comprenant Narcisse de Néronias, Théodore d'Héraclée, Marc d'Aréthuse et Maris de Chalcédoine s'était rendue, dès le début de l'année 342 (sur la date, v. PIETRI, o.c., p. 209, n. 3), auprès de Constant à Trèves (ATHANASE, De Syn. 25, cf. SOCRATE, II, 18 et SOZOMÈNE, III, 10, qui omet Maris), sans résultat. Cette ambassade n'a rien à voir avec le « groupe d'évêques » mentionné par ATHANASE dans l'Apol. ad Const., 4 — il s'agit des évêques occidentaux alors influents, v. supra — comme l'a pensé à tort J. M. SZYMUSIAK, dans SC 56, p. 92, n. 3, reprenant l'hypothèse de P. BATIFFOL, La Paix constantinienne et le catholicisme, Paris 1914, p. 432.

1. HILAIRE, frag. hist., II, 1-8 (CSEL 65, p. 103-126), ATHANASE, Apol. c. Ar. 44-50, THÉODORET, II, 8, Synodale à Jules de Rome, ap. Hilaire, ibid. 9-14 (p. 126-131). SOCRATE, II, 20, qui prétend que Paul fut rétabli par les Occidentaux à Sardique, en même temps qu'Athanase et Marcel d'Ancyre, est en parfaite contradiction avec tous ces documents. H. HESS, The Canons of the Council of Sardica, parle même d'un véritable « lâchage » de Paul par les Occidentaux (p. 26).

2. HILAIRE, frag. hist., III, 9, 20, 27 (CSEL 65, p. 55, 61, 66-67). Paul, après s'être retiré à l'annonce de l'arrivée de Constance en 342, est très vraisemblablement demeuré à Constantinople jusqu'à son arrestation par Philippe, préfet du prétoire, entre 344 et 350 (v. infra, p. 46, n. 1). L'empereur prend en effet des sanctions contre la ville (en la privant de la moitié de l'annone), « chasse Paul » dit SOCRATE, II, 13, sans mentionner de lieu d'exil, mais ne reconnaît pas pour

Cette différence fondamentale d'appréciation entre les deux *partes* quant au rôle dévolu à Paul à Sardique, déjà relevée par H. Hess, s'explique : les Orientaux ont quelque raison de s'intéresser particulièrement au titulaire d'un siège aussi important pour leur stratégie ecclésiastique que celui de la capitale impériale, au point de voir dans la communion avec Paul, ce « fauteur de troubles », un motif suffisant de condamnation ; ce qui n'est pas sans rappeler l'insistance mise par ces mêmes évêques quelques années plus tôt à Tyr, et rappelée bien souvent depuis, à condamner Athanase et ceux qui sont en communion avec lui[1]. Ce n'est nullement le cas des Occidentaux qui voient en Paul, trop fraîchement consacré pour avoir eu le temps de s'illustrer dans la défense de Nicée, un personnage plutôt gênant — surtout depuis l'émeute de 342 — dans les tentatives de rapprochement avec la *pars orientis*. D'où leur silence. Cette différence vaut d'être notée : n'y a-t-il pas là, en effet, la matière qui allait permettre aux orthodoxes de construire l'histoire, restée obscure, de l'Église de Constantinople à travers le personnage de Paul, histoire reposant, pour une grande partie, sur un parallèle étroit

autant Macedonius pour l'évêque de la capitale. Ce dernier est laissé en possession de l'église où il avait été consacré, ce qui laisse entendre que les autres églises — dont celle d'Irène, qui sert alors d'église épiscopale — sont laissées au clergé de Paul, cf. SOCRATE, II, 13, SOZOMÈNE, III, 13, et la critique qu'en fait LE NAIN DE TILLEMONT, dans ses *Mémoires pour servir à l'histoire ecclésiastique des six premiers siècles*, Paris 1706, t. VII, p. 252 s. et la n. II, p. 697-698. Les Eusébiens ont des raisons de craindre Paul : c'est qu'il est soutenu par une grande partie du peuple de Constantinople et Macedonius n'est pas à proprement parler leur candidat.

1. Cf. HESS, *o.c.*, p. 15-16. Sur les condamnations répétées contre ceux qui sont en communion avec Athanase, en 338 (cf. la réponse de Jules de Rome aux Eusébiens, dans l'*Apol. c. Ar.*, 20-35), en 341 au concile d'Antioche et en 342 à Trèves (délégation orientale), enfin en 343 à Sardique, v. en dernier lieu, C. PIETRI, *Roma Christiana*, I, p. 189 s.

avec celle d'Athanase et destinée à répondre aux « calomnies » des Orientaux ? Cette histoire d'Athanase, en
retournant la calomnie contre ces derniers, dont l'insistance
était susceptible de tromper sur le rôle *réel* joué par Paul à
Sardique, se retrouve, par exemple, à côté des données
historiques dont nous rendons compte par ailleurs, dans
Socrate et Sozomène, chez qui nous avons pu relever très
nettement ces deux niveaux[1]. Nous sommes, on le mesure
bien ici, au point d'intersection de l'histoire, de la polémique
et de l'hagiographie. Les évêques d'Afrique, qui ne
connaissaient le synode de Sardique que par la lettre des

---

1. On peut ainsi distinguer deux séries de séquences : 1. les
séquences II, 6-7, 12-13 et 26 chez SOCRATE, et III, 3-4, 9, IV, 1-2
chez SOZOMÈNE : succession après la mort d'Alexandre sous Constance,
consécration dans l'église d'Irène, synode réuni par Constance, exil
(rétablir ici II, 16, à Thessalonique, sa ville natale), nomination
d'Eusèbe, rétablissement après la mort de ce dernier, émeute de 342
entre les partisans de Macedonius et ceux de Paul, qui coûte la vie
au maître de la milice, à Hermogénès, sanctions contre la ville sans
que Paul soit pourtant exilé ni Macedonius reconnu évêque en titre ;
installation de Macedonius par Philippe, préfet du prétoire, exil de
Paul qui meurt étranglé à Cucuse, après la mort de Constant. Telle
est la trame historique de la vie de Paul ; 2. les séquences où le
parallèle avec Athanase est établi explicitement, avec, parfois, des
doublets : II, 15 (= SOZOMÈNE, III, 8), 17 (doublet de 15 non repris
par Sozomène), Paul se rend à Rome auprès de Jules en même temps
qu'Athanase, ils sont rétablis tous les deux (340) ; II, 20, ordre de
Constant de rétablir Paul et Athanase avec menaces, les deux évêques
demandent un concile, les Occidentaux les rétablissent ; II, 22,
doublet de 20, puis, 23, Paul rentre à Constantinople avec des lettres
de Constant et du concile et deux évêques pour l'accompagner (ceci
ne figure pas dans SOZOMÈNE, III, 20, mieux informé sur Sardique
que Socrate). On voit nettement ici le point de départ du parallélisme :
l'exil en Occident, le synode de Rome puis celui de Sardique.
Cette étude partielle des sources tient compte de la remarquable
analyse de G. DAGRON, *o.c.*, p. 425 s., mais celle-ci ne permet pourtant
pas de répondre sur la manière dont s'est constituée cette « construction
hagiographique qui vise à donner à Constantinople son Athanase »
(p. 425).

Orientaux qui leur fut adressée[1], trouveraient les éclair-
cissements attendus dans cette partie de l'« histoire
ecclésiastique » envoyée par Cyrille d'Alexandrie.

Revenons à Eusèbe de Nicomédie. Son nom, nous
semble-t-il, doit bien être maintenu tel qu'il figure dans le
manuscrit du diacre Théodose. Ainsi les quatre protago-
nistes qui se sont affrontés pour le siège de Constantinople,
entre 337 et 360, Paul, Eusèbe, Macedonius et Eudoxe, y
sont présents. Le rédacteur a retenu ce qui, dans l'histoire
encore obscure de Paul, pouvait être rapproché de celle
d'Athanase telle qu'elle figure dans l'*Historia* et répondre
ainsi aux « calomnies » de l'*epistula* des Orientaux. Il a
cristallisé, pour ce faire, les faits les plus connus : l'émeute
de 342, l'exil en Arménie autour de la résistance de l'évêque
et de son peuple aux Ariens et à l'autorité impériale.
L'objet de la « calomnie » dont Paul fut victime, telle qu'elle
est rapportée dans le texte, est déformé, amplifié, déplacé
dans le temps : celui des années 350 et non plus 337, lors de
la succession d'Alexandre, et le grief, de personnel, devient
politique, puisqu'il est question, en termes du reste fort
vagues, « de Constant et de Magnence ». On reconnaît là
l'accusation politique dont la vraie victime, Athanase, eut
à se défendre vigoureusement dans son *Apologie à l'empereur Constance*, 6-7. La rigueur chronologique a cédé le pas
à l'invraisemblance, et la succession des événements, telle

---

1. *Incipit decretum sinodi orientalium apud Serdicam episcoporum
a parte arrianorum quod miserunt ad Africam* (*CSEL*, 65, p. 48). Sur
les rapports entre Donatistes et Ariens, à propos de la mention d'un
Donatus parmi les destinataires, G. ZEILLER, « Donatisme et
Arianisme, la falsification donatiste de documents du concile arien
de Sardique », dans les *Comptes rendus de l'Ac. des Inscr.*, 1933,
p. 65-73 ; G. FOLLIET, « L'épiscopat africain et la crise arienne au
IVe s. », dans les *Mélanges V. Grumel*, I, *Rev. Ét. Byz.* 24, 1966,
p. 196-223, et A. PINCHERLE, « Ancora sull'arianesimo e la Chiesa
Africana nel IV secolo », dans *Studi e Materiali di Storia delle
Religioni* 39, 1968, p. 169-182. Cf. *supra*, p. 12, n. 2.

qu'elle est proposée, est, en effet, truffée d'erreurs évidentes. Hormis leur absence de fondement, ces accusations, qui, dans le texte, ont donné lieu à l'exil de l'évêque et à l'émeute populaire destinée à l'empêcher, n'auraient pu avoir pris corps qu'en 350, soit *après*, et non avant, ladite émeute, qui, comme on le sait par ailleurs, s'est déroulée en 342. Or Paul disparaît peu de temps après la mort de Constant, en 350, dans des circonstances discutées, durant son second exil commencé vers 344, exil qui le mena de Singara à Émèse, puis à Cucuse en Arménie[1]. Le préfet du prétoire d'Orient, Flavius Philippus, fut chargé de la besogne, et Philagrios, alors vicaire du Pont, a rapporté les faits à l'évêque Sarapion, tient à préciser Athanase[2]. Quant aux motifs véritables de l'émeute de 342, ils sont liés à la succession d'Eusèbe, qui laisse le champ libre à l'affrontement entre les partisans de Paul revenu d'exil et ceux de Macedonius ordonné par Théodore d'Héraclée et Théognis de Nicée[3]. Or ce dernier n'est pas encore mentionné dans le déroulement des événements tel qu'il est rapporté par l'*Historia*.

1. ATHANASE, *Hist. Ar.* 7, 3 (exil), 6 (cf. *Apol. de fuga* 3), mort « moins d'un an » avant la disgrâce du préfet Philippe qui survient avant la fin de l'année 351. Sur la carrière de ce dernier, JONES, MARTINDALE, MORRIS, *Prosopography*, I, p. 696-697 ; il est préfet du prétoire d'Orient dès 344 (art. de JONES dans *Historia*, 1955, p. 229-233), date à laquelle il a pu procéder à l'arrestation de Paul. C'est dans le même temps qu'il est chargé par l'empereur Constance d'introniser Macedonius à Sainte-Irène, l'église épiscopale, cérémonie qui se termina par un bain de sang (SOCRATE, II, 16 ; SOZOMÈNE, III, 9). Les Eusébiens firent courir le bruit qu'il était mort de maladie (ATHANASE, *Hist. Ar.*, 7, 4) ; en fait, il fut étranglé par ses geôliers (*ibid.* 6) ; selon SOZOMÈNE, IV, 2, il serait mort de maladie ou bien étranglé par les Macédoniens.

2. *Ibid.* 5, Flavius Philagrius avait été préfet d'Égypte pour la seconde fois en 338-339. Sur sa carrière, v. JONES, MARTINDALE, MORRIS, *o.c.*, p. 694 ; il est vicaire du Pont entre 348 et 350.

3. SOCRATE, II, 12 et 13, SOZOMÈNE, III, 7.

Le but du rédacteur n'est certes pas de nous donner une
chronologie exacte de la biographie de l'évêque Paul,
mais, en utilisant le peu qu'il sait de l'histoire de Constantinople[1], de la rapprocher de celle d'Alexandrie aux prises
dans le même temps avec les Ariens, depuis qu'en Orient
Constance est le maître. Dès lors, Paul n'est rien moins
qu'un second Athanase, fidèle défenseur de Nicée, soutenu
par son peuple, persécuté par les Ariens et le pouvoir
impérial. C'est cette image, déjà largement tracée ici,
qu'utiliseront, un peu plus tard, en l'accentuant encore,
les hagiographes de l'évêque de Constantinople. Sozomène
a participé à ce travail d'élaboration qui prend corps
après 381 et surtout au temps de Théodose II[2], mais c'est
Socrate qui, alors, lui sert de guide[3] et non plus l'*Historia*.
C'est chez lui également que l'on trouve le premier récit de
la mort des deux notaires, le chantre et lecteur Martyrios
et le sous-diacre Martianos, dénoncés par Macedonius au
préfet comme responsables de l'émeute qui coûta la vie à
Hermogénès, le maître de la milice de Constance. Cette fois,
il puise à la tradition orale[4]. Viendront ensuite les deux
recensions du *Martyre* des deux notaires, évoquées plus
haut[5].

1. Athanase ne voyait sans doute pas d'ironie à écrire, rappelant
le cas de Paul, que « plus illustre est la cité, moins ce qui s'y passe
peut y demeurer caché », *Hist. Ar.* 7, 1, ὥσῳ γὰρ ἐπιφανὴς ἡ πόλις,
τοσούτῳ καὶ τὸ γενόμενον οὐ κεκρύπται.

2. G. Dagron, *o.c.*, p. 433-435. Théodose fait transférer le corps
de l'évêque à Constantinople et l'ensevelit dans l'église construite par
Macedonius, qui prend désormais le nom de S. Paul (Sozomène,
VII, 10). La littérature hagiographique prend sa forme sous
Théodose II.

3. G. Dagron, *o.c.*, p. 431-433.

4. IV, 3, 1-3, v. G. Schoo, *Die Quellen des Kirchenhistorikers.
Sozomenos*, Berlin 1911, p. 91.

5. Il faut écarter définitivement l'étude de W. Telfer, « Paul of
Constantinople », *Harvard Theol. Review*, t. 43, 1950, p. 31-92, dont
la reconstitution chronologique est très contestable et arbitraire ;

Face à Paul, Macedonius est présenté, non pas comme son rival[1], mais comme un pis-aller temporaire pour les évêques orientaux qui, très vite, le rejettent dans l'ombre pour lui substituer Eudoxe. On sait que ce n'est pourtant pas avant 360 que ce dernier sera installé par l'empereur Constance sur le siège de la capitale, lequel est resté, pendant plus de dix ans, occupé par Macedonius[2].

Ainsi, contrairement à ce qu'a pu affirmer E. Schwartz[3], ce récit fortement abrégé et confus nous serait d'une mince utilité pour l'histoire de l'Église de Constantinople avant 360, sans le secours d'autres témoignages dont celui d'Athanase[4]. Toutefois, un tel document (joint à la profession de foi dont l'analyse suit), sur la source duquel

elle prétend, entre autres, contre Franchi de'Cavalieri, o.c., faire du *Martyre* la source de l'*Historia* (p. 35) et de Paul rien moins que « l'Ambroise de Constantinople » (p. 89).

1. Cf. le récit de la succession d'Alexandre dans Socrate, II, 6 et Sozomène, III, 3-4. Ils sont tous deux membres du presbyterium d'Alexandre et adhèrent à la même foi par conséquent, bien que Socrate et Sozomène présentent l'un, Paul, comme le champion de l'orthodoxie nicéenne, et l'autre, Macedonius, comme le tenant de l'hérésie arienne, v. G. Dagron, o.c., p. 422.

2. Cf. *supra*, p. 36, n. 3. Macedonius n'est reconnu officiellement qu'après le second exil de Paul entre 344 et 350 (Socrate, II, 16, Sozomène, III, 9) : il est alors intronisé dans l'église épiscopale de Sainte-Irène par le même préfet du prétoire, Philippe (v. *supra*, p. 45, n. 1). Dès 337, il avait été utilisé par Eusèbe de Nicomédie, comme l'a montré Athanase (*Hist. Ar.* 7, 3) : c'est lui qui fournit le motif d'accusation contre Paul nécessaire à son éloignement et à la nomination d'Eusèbe sur le siège de la nouvelle capitale par l'empereur Constance. Eusèbe et Eudoxe sont en effet les évêques de la capitale impériale par opposition à Paul, évêque de la communauté orthodoxe, et à Macedonius, l'évêque de la ville et de sa région (cf. G. Dagron, o.c., p. 424).

3. Cf. *supra*, p. 37, n. 2. L'A. estime que l'enchaînement logique a été détruit par des abréviations, ce qui n'est nullement évident.

4. *Hist. Ar.* 7, 1-6, à laquelle il faut ajouter l'*Ep. Sardic. Orient.*, conservée par Hilaire, *frag. hist.*, III, 9, 11, 13, 20 et 27. G. Dagron, o.c., p. 426-432.

on continuera sans doute de s'interroger longtemps,
s'inscrit dans la stratégie d'ensemble qui consiste à
démontrer que dans la lutte contre l'hérésie en Orient,
Alexandrie l'emporte de loin sur sa rivale.

L'Histoire « acéphale » et les querelles théologiques de son temps la profession de foi anoméenne

On retrouve la même démonstration dans le second
passage consacré à cette histoire[1], qui rapporte une
profession de foi anoméenne d'Aèce et de Patricius de
Nicée, soutenus par Eudoxe devenu alors évêque de la
ville. Le rédacteur reprend à cet endroit le fil de l'histoire
constantinopolitaine là où il l'avait abandonné. La situation, telle qu'elle est présentée est la suivante :

1. A Constantinople où Eudoxe occupe le siège épiscopal,
l'hérésie se partage entre le nouvel évêque et Macedonius.

2. En effet, en communion avec Aèce, Patricius, Eunome,
Héliodore et Étienne, Eudoxe répand l'hérésie anoméenne.

3. Et, avec Euzoios d'Antioche, ils déposent et exilent
Eleusius, Macedonius, Hypatianus et quinze autres
évêques.

4. Suit la profession souscrite par Eudoxe.

Il est aisé de montrer que chacune de ces affirmations
est un tissu de confusions :

1. Eudoxe occupe l'Église de Constantinople après que
Macedonius a été déposé et exilé par le concile de 360.

2. Après avoir soutenu Aèce en 358 à Antioche, Eudoxe
l'abandonne et rallie la position homéenne devenue
officielle entre 359 et 360.

3. Euzoios, avec lequel il communie, selon le texte,
n'occupe le siège d'Antioche qu'en 361. Quant à la dépo-

---

1. *Fol.* 108 b, l. 15 - 109 b, l. 18, *infra* 4, 5-6 (= *Ba* 13 *bis*).

sition des évêques cités avec Macedonius, elle intervient au même concile de Constantinople où Eudoxe fut élu sur le siège de la capitale.

Reprenons les événements en 358, au moment où Eudoxe de Germanicie s'empare du siège d'Antioche, succédant à Léonce qui ordonna, en son temps, Aèce diacre[1]. Il réunit alors un synode en cette ville, comprenant, entre autres, Acace de Césarée et Uranius de Tyr, où la formule de Sirmium II (357), nettement subordinatianiste, appelée « blasphème de Sirmium » par Hilaire[2], est adoptée[3]. Aèce et Eunome assistèrent à ce synode — ils s'étaient connus à Alexandrie et choisirent de s'établir à Antioche plus favorable à leurs idées depuis qu'Eudoxe avait pris possession du siège[4]. Celui-ci ne réussit pourtant pas à rétablir Aèce dans ses fonctions de diacre, dont Léonce, sur la menace des prêtres Flavien et Diodore, avait été contraint de le priver[5]. D'autre part, il est dénoncé par Georges de Laodicée, dans une lettre fort vive, adressée à Basile d'Ancyre[6]. Eudoxe y est présenté comme un défenseur d'Aèce, accueilli avec les plus grands honneurs, et les évêques, alors réunis à Ancyre pour la dédicace, un peu avant Pâques 358[7], sont instamment priés d'enrayer ce « naufrage »[8]. Une délégation d'évêques homéousiens conduite par Basile se rend à la cour, auprès de Constance, juste à temps pour déjouer l'entreprise d'Eudoxe qui y

---

1. Socrate, II, 37, Sozomène, IV, 12.
2. *De Syn.*, 11.
3. Socrate, II, 37, Sozomène, IV, 12.
4. Théodoret, II, 27, cf. Philostorge, III, 20 (par le truchement de Secundus de Ptolémaïs qu'Eunome a rencontré d'abord à Antioche ; et c'est alors qu'E. devint disciple d'Aèce).
5. Théodoret, II, 27.
6. Sozomène, IV, 13, 2-4.
7. Épiphane, *Pan.* 73, 2 ; cf. Sozomène, IV, 13, 1.
8. Τὸ ᾿Αετίου ναυάγιον σχεδόν που πᾶσαν κατείληφε τὴν ᾿Αντιο-χέων, ainsi s'ouvre la lettre de Georges de Laodicée.

avait envoyé un de ses prêtres, Asphalius, à l'issue du synode[1]. Elle obtient, en effet, le retournement de l'empereur en leur faveur, après lui avoir remis la synodale rédigée à Ancyre condamnant l'*anomoios* et affirmant que le Fils est ὅμοιος κατ' οὐσίαν[2]. Un synode est réuni à Sirmium la même année (= Sirmium III), où les Homéousiens font condamner, outre Eudoxe et Aèce, soixante-dix évêques anoméens, au dire de Philostorge[3]. Eudoxe, dont l'empereur Constance n'a pas accepté la prise de possession du siège de la capitale antiochienne, dut se retirer en Arménie, sa terre natale ; Aèce fut envoyé à Pépousa en Phrygie. Eunome, qui avait été élevé à la dignité de diacre par l'évêque d'Antioche[4], et qui, à ce titre, fut envoyé en mission auprès de Constance pour tenter d'annuler les décisions prises, fut kidnappé en chemin par les hommes de main de Basile et conduit à Midéion en Phrygie[5]. Macedonius, évêque de Constantinople, dans le même temps, adoptait les positions homéousiennes de Basile d'Ancyre[6]. Un concile général est enfin projeté, d'abord à Nicée, puis à Nicomédie, mais le tremblement de terre survenu le 28 août 358 repose le problème du lieu. Une réunion préparatoire se tint à Sirmium (= IV), d'où devait sortir la formule du « credo daté » du 22 mai 359, dans laquelle le Fils est dit ὅμοιος κατὰ πάντα selon les Écritures[7]. Entre

1. Sozomène, IV, 13.
2. Épiphane, *Pan.* 73, 5. Cf. J. Gummerus, *Die homöousianische Partei bis zum Tode des Konstantius. Ein Beitrag zur Geschichte des arianischen Streites in den Jahren 356-361*, Leipzig 1900, et M. Simonetti, « Sulla dottrina dei Semiariani », dans ses *Studi sull' Arianesimo*, in *Verba Seniorum*, N.S. 5, Rome 1965, p. 160-186.
3. IV, 8 ; cf. Sozomène, IV, 14, lettre de Constance à l'Église d'Antioche condamnant Eudoxe (cf. Théodoret, II, 26), et IV, 15, mentionne le synode mais non les condamnations.
4. Philostorge, IV, 5.
5. *Ibid.* 8.
6. *Ibid.* 9.
7. Athanase, *De Syn.* 8, 3 et 7. Récit des événements dans Sozomène, IV, 16.

temps, Eudoxe, rappelé d'exil ainsi qu'Eunome[1], et les évêques du groupe d'Acace de Césarée ont réussi à obtenir de l'empereur, sur lequel ils ont repris de l'influence face à Basile, la convocation d'un double concile, l'un à Rimini pour les Occidentaux, l'autre à Séleucie pour les Orientaux[2]. Ce fut la défaite des Homéousiens qui avaient déjà accepté d'abandonner l'ὅμοιος κατ' οὐσίαν pour la formule plus vague du « credo daté » : cette fois la nouvelle formule ne comporte plus que l'ὅμοιος τῷ Πατρί excluant tout rapport à l'*ousia*. Elle sera signée *in extremis* par les deux délégations réunies à Constantinople, sous la pression d'Acace et de l'empereur, dans la nuit du 31 décembre 359 au 1er janvier 360. Au début de janvier, un concile est réuni dans la capitale pour sanctionner définitivement la formule homéenne et interdire l'emploi des termes *ousia, homoousios, homoiousios, anomoios* et *hypostasis*[3]. Les Anoméens sont condamnés : Aèce est déposé du diaconat et relégué par l'empereur à Mopsueste puis à Amblade de Pisidie[4] ; Serras de Paraetonium, Étienne de Ptolémaïs en Libye ; Héliodore de Sozousès en Pentapole, et quelques autres ont six mois pour signer sa condamnation[5]. Les Homéousiens, parmi lesquels Eleusius de Cyzique, Macedonius de Constantinople et Basile d'Ancyre, sont à leur tour déposés et remplacés, à Cyzique par Eunome, à Constantinople par Eudoxe, à Ancyre par Athanase[6]. Eunome, consacré par Eudoxe et Maris de Chalcédoine, n'accepte cette promotion qu'avec la promesse du nouvel évêque de Constantinople

1. Philostorge, IV, 10.
2. *Ibid.*, cf. Sozomène, IV, 17.
3. Socrate, II, 39-41 ; Sozomène, IV, 22 et 23.
4. Sozomène, IV, 24, 1 ; Philostorge, V, 1-2 ; Théodoret, II, 27.
5. Théodoret, II, 28, lettre du concile de Constantinople à Georges d'Alexandrie.
6. Socrate, II, 42 et 43 (cf. IV, 7 situé à tort sous Valens), Sozomène, IV, 24 et 25, Philostorge, V, 1 et 3, Théodoret, II, 27, 21.

d'obtenir l'annulation de la sentence contre Aèce dans les trois mois[1]. Mais Eudoxe, rallié à l'homéisme triomphant et craignant l'exil, abandonne ses deux anciens protégés dès 361[2].

Dans le même temps, poursuivant ses attaques contre les Anoméens, Acace de Césarée fait pression sur l'empereur Constance pour qu'il réunisse un concile à Antioche (fin 361) aux fins de condamner le disciple d'Aèce, sacré évêque illégitimement, selon lui. Eunome se présenta, mais, faute d'accusateurs, l'affaire dut être remise, sur ordre de Constance, à un plus grand concile[3]. Il vécut dès lors retiré dans sa maison de Cappadoce[4] jusqu'à ce que l'amnistie de l'empereur Julien, proclamée peu après son entrée à Constantinople le 11 décembre 361, lui permette de retrouver Aèce dans la capitale, ainsi que le groupe des évêques restés fidèles à celui-ci[5].

A Antioche, où le siège est demeuré vacant depuis le départ d'Eudoxe, les partisans d'Acace de Césarée, parmi lesquels Georges d'Alexandrie, choisissent, durant l'hiver 360/361, Mélèce de Sébaste qui avait signé la formule de Séleucie, pour l'occuper[6]. Mais l'orientation jugée trop tiède de l'exposé doctrinal qu'il prononça devant l'empereur lui valut d'être écarté du siège antiochien et exilé à Mélitina en Arménie, un mois à peine après son installation[7]. Il

1. PHILOSTORGE, V, 3.
2. *Ibid.*, VI, 3 ; SOCRATE, IV, 13, 1-2, qui situe les faits à tort sous Valens ; SOZOMÈNE, VI, 26, THÉODORET, II, 29, 10.
3. PHILOSTORGE, VI, 4.
4. *Ibid.* 3.
5. *Ibid.*, VI, 7 et VII, 6.
6. PHILOSTORGE, V, 1 ; ÉPIPHANE, *Pan.* 73, 28 ; JÉRÔME, *Chron. ad a.* 360 ; SOCRATE, II, 44, 4 ; SOZOMÈNE, IV, 28, 3 ; THÉODORET, II, 31, 3 ; cf. *Hist.* « *aceph.* » 2, 7 (= *Ba* 7). Constance réside à Antioche pendant l'hiver 360/361 à un moment où la guerre contre les Perses est interrompue (AMMIEN, XX, 11).
7. JEAN CHRYSOSTOME, *In Meletium, P G* 50, 516. JÉRÔME, *Chron. ad a.* 360, *post non grande temporis intervallum.*

devait être remplacé par Euzoios, l'ancien diacre d'Alexandrie déposé par l'évêque Alexandre en même temps qu'Arius[1]. Ainsi, en 361, les principaux sièges d'Orient sont occupés par des Ariens ayant signé la formule homéenne imposée finalement par l'empereur le 19 octobre 359 à Nikè : Alexandrie par Georges[2], Antioche par Euzoios, Constantinople par Eudoxe.

La même année, un synode fut réuni à Antioche, où la formule anoméenne faillit être adoptée[3]. L'année suivante, après l'amnistie proclamée par Julien qui permit le retour d'Aèce et des Anoméens à Constantinople, Euzoios, sous la pression d'Eudoxe lui-même poussé par Eunome, convoqua un nouveau synode pour réhabiliter Aèce et annuler le délai de six mois imposé aux évêques qui avaient refusé de signer sa condamnation. Et c'est dans ce contexte qu'Aèce fut élevé à la dignité épiscopale[4]. Mais aucun des deux évêques ne semble avoir mis beaucoup d'empressement dans cette affaire, si bien qu'Aèce et Eunome décidèrent de « prendre leurs affaires en main » ; après la mort de Julien, ils procédèrent à des ordinations

---

1. PHILOSTORGE, V, 5 ; ÉPIPHANE, *Pan.* 73, 34-35 ; RUFIN, I, 25 ; SOCRATE, *ibid.* 5 ; SOZOMÈNE, *ibid.* 10 ; THÉODORET, *ibid.* 10. L'exposé, recueilli par les tachygraphes et concernant le fameux verset des *Proverbes*, 8, 22, a été conservé intégralement par ÉPIPHANE, *Pan.* 73, 29-33. Selon l'*Hist.* « *aceph.* », Euzoios est alors prêtre de Georges, l'évêque arien d'Alexandrie.

2. *Hist.* « *aceph.* » 2, 1-6 ; il occupe le siège depuis février 357.

3. SOCRATE, II, 45, 10-14 ; SOZOMÈNE, IV, 29 (cf. ATHANASE, *De Syn.*, 31) ; il s'agit en fait d'expliciter l'*homoios* dans un sens excluant toute similitude soit de substance soit de volonté, contre l'interprétation de Mélèce reconnaissant, au contraire, une certaine similitude du Fils au Père.

4. PHILOSTORGE, VII, 5-6. Aucun siège ne lui fut attribué, il résida à Constantinople. Il est alors en faveur à la cour à cause de ses anciennes relations avec Gallus, *ibid.*, VI, 7 (cf. III, 27 et SOZOMÈNE, V, 5). Julien lui avait envoyé une lettre pour le rappeler d'exil et lui fournir une voiture publique, *ep.* 46.

épiscopales, rompant ainsi avec leur ancien protecteur,
pour fonder une Église anoméenne[1]. Quant à Eudoxe et
Euzoios, ils s'alignaient définitivement sur l'homéisme
officiel à nouveau proclamé par l'empereur Valens[2].
Cette rapide remise en place des événements et des
personnages ainsi que de leurs relations entre 358 et 365
était nécessaire pour débrouiller les quelques lignes
d'introduction à la profession de foi rapportée par le
rédacteur alexandrin et tenter de comprendre la place
qu'elle occupe dans l'*Historia*. Le passage, tel qu'il se
présente (4, 5-6 = *Ba* 13 bis), s'insère entre le récit du
quatrième exil d'Athanase sous Julien (362/363) et celui du
cinquième sous Valens (365), dans un ensemble regroupant,
d'une part, la politique nouvelle de Julien à l'égard de
l'Église après la mort de Constance[3] et, d'autre part, les
conséquences de la mort de l'empereur païen sur la vie de
l'Église[4]. Le moment le plus favorable à l'élaboration et à
la diffusion d'une profession anoméenne à Constantinople
devrait se situer précisément sous le règne de Julien, à un
moment où Aèce, grâce à ses anciennes relations avec
Gallus, connaît la faveur impériale[5] ; or, curieusement,
dans le même temps, l'évêque de Constantinople ne
soutient plus que mollement son ancien protégé, comme on

---

1. PHILOSTORGE, VIII, 2 ; ainsi à Constantinople sont installés
Poimenos, puis, après sa mort, Florentius, et à Antioche Théophile
l'Indien rompt avec Euzoios.

2. PHILOSTORGE, IX, 3. Eudoxe baptisa Valens en 366 ou 367,
JÉRÔME, *Chron. ad a.* 367, THÉODORET, IV, 12, 4.

3. 3, 1-6 (= *Ba* 9-11), rappel de tous les évêques, puis exil
d'Athanase.

4. 4, 1-4 et 7 (= *Ba* 12-14), retour d'exil d'Athanase et voyage à
Antioche auprès du nouvel empereur chrétien, Jovien, où se préci-
pitent également les « Ariens » qui désirent installer un de leurs
candidats à Alexandrie.

5. V. *supra*, p 54, n. 4. Il reçut même de l'empereur un domaine à
Lesbos (JULIEN, *ep.* 46), où il se retira sous Valens (PHILOSTORGE,
IX, 4).

l'a rappelé (le nom du second auteur de la profession, Patricius de Nicée, parfaitement inconnu par ailleurs[1], ne nous est d'aucun secours pour dater le document). A moins qu'il faille voir là un témoignage de l'émergence de l'anoméisme à Antioche dans les années 358/359[2], quand Eudoxe en occupe encore le siège et accueille avec empressement les auteurs de telles positions doctrinales ? Le caractère particulièrement embrouillé du texte à cet endroit ne permet pas de trancher sans que persistent des contradictions.

Ce qui demeure certain, c'est le contenu nettement anoméen de la profession elle-même. En effet, une brève analyse montre qu'elle renferme les caractéristiques essentielles de l'anoméisme défini par Aèce et Eunome[3].

---

1. Le seul évêque de Nicée attesté à cette date est Eugenius qui communie alors avec l'homéen Georges d'Alexandrie (SOZOMÈNE, IV, 8 : sur l'hostilité de ce dernier à l'anoméisme, v. *ibid.*, 13 et PHILOSTORGE, VII, 2), et qui disparaît vers 370 (PHILOSTORGE, IX, 8). L'évêque Patricius qui figure parmi les Homéousiens, dans la liste des légats de Séleucie (HILAIRE, *frag. hist.*, X, *CSEL* 65, p. 174) est à écarter. Faut-il supposer qu'Eugenius fut déposé avec les Homéousiens dans la fournée de 360 et remplacé par un autre Patricius ? Aucun document ne permet de l'attester.

2. V. *supra*, p. 50, n. 3 et 4. THÉODORET, II, 27, rapporte un affrontement entre les évêques homéousiens et Eudoxe d'Antioche à Constantinople devant l'empereur Constance, à propos d'une profession de foi anoméenne dont l'auteur, dénoncé par Eudoxe, n'est autre qu'Aèce. Ce dernier, en effet, en ayant reconnu la paternité fut exilé sur-le-champ, tandis qu'Eudoxe, menacé du même sort, sut se sortir habilement de l'épreuve et s'empara, à l'occasion, du siège de Constantinople.

3. On connaît d'Aèce le *Syntagmation* cité par ÉPIPHANE, *Pan.* 76 (éd. HOLL, III, 2, *GCS* 37, p. 351-360, reprise par L. R. WICKHAM, dans *J.Th.S*, t. 19, 1968, p. 532-569 suivie d'une traduction anglaise et d'un commentaire ; cf. *PG* 42, 533 C - 545 A) ; v. G. BARDY, « L'héritage littéraire d'Aetius », dans *R.H.E.*, t. 24, 1928, p. 809-826. Des fragments de l'*Apologie* d'Eunome, datée de 360, se trouvent dans le *Contra Eunomium* I et II de GRÉGOIRE DE NYSSE, éd. JAEGER (cf. *PG* 30, 835-868), v. L. R. WICKHAM, « The date of Eunomius'

Elle affirme en effet que : 1. Dieu est ἀγέννητος. 2. Le Fils est la première création de Dieu, il est tiré du néant et non de la nature ou de la substance du Père, et ce par un acte de Dieu. 3. Le Fils ressemble au Père uniquement par son activité créatrice et non par l'essence. C'est pourquoi il est dit « image de Dieu » *(imago Dei)* et non « de Dieu » *(ex Deo)*. La génération « naturelle » du Fils par le Père, impliquant nécessairement une perte, une diminution, une destruction de la nature première, doit être écartée. 4. La Trinité consiste donc en une hiérarchie de trois essences totalement distinctes les unes des autres, dont seule la première est inengendrée et véritablement Dieu. Enfin, les anathèmes visent les défenseurs de l'*homoousios* ainsi que ceux de l'*homoiousios*, les Sabelliens, pour qui le Fils n'est qu'une modalité du Père, et les Manichéens, qui nient la naissance du Fils de Dieu.

Les Anoméens, en faisant de l'ἀγεννησία la seule formulation de Dieu dont elle constitue l'essence même, et en l'opposant catégoriquement à l'ensemble de la création, y compris au Fils qui en constitue la première manifestation, ne font que reprendre l'idée de base qui

---

Apology. A reconsideration », dans *J.Th.S.*, t. 20, 1969, p. 231-240. Enfin, en 383, lors de la Conférence des Sectes réunie par Théodose, Eunome présenta sa profession de foi (cf. *P G* 67, 587-590). Sur les écrits d'Eunome, v. M. ALBERTZ, *Untersuchungen über die Schriften des Eunomius*, Wittenberg 1908 ; J. DE GELLINCK, « Quelques appréciations de la Dialectique et d'Aristote durant les conflits trinitaires du ive siècle », dans *R.H.E.*, t. 26, 1930, p. 5-42 ; E. VANDENBUSSCHE, « La part de la dialectique dans la théologie d'Eunomius ' le technologue ' », dans *R.H.E.*, t. 40, 1945, p. 47-72 ; J. DANIÉLOU, « Eunome l'Arien et l'exégèse du Cratyle », dans *R.E.G.*, t. 69, 1956, p. 412-432 ; A. GRILLMEIER, *Le Christ dans la tradition chrétienne*, 1965, trad. fr., 1973, p. 215-225 ; E. MUEHLENBERG, « Die philosophische Bildung Gregors von Nyssa in den Büchern contra Eunomium », dans les *Actes du colloque de Chevetogne Écriture et pensée philosophique dans la pensée de Grégoire de Nysse*, éd. M. Harl, Leiden 1971, p. 230-244, plus particulièrement p. 230-232.

animait déjà la doctrine d'Arius[1]. Le Fils s'oppose nécessairement au Père en cela qu'il n'est pas ἀγέννητος, *non natus*, sans quoi il y aurait deux ἀγέννητοι, deux êtres incréés, deux principes sans commencement, deux Dieux[2]. De ce monothéisme absolu découlent l'incompatibilité de substance entre le Père et le Fils et une conception de la génération du Fils comme création[3]. Ainsi ce n'est pas la paternité, encore moins la création, qui définit Dieu, mais son essence d'être inengendré, ce qui permet de le qualifier « sans commencement, éternel, soumis à aucune autorité, immuable, voyant tout, infini, sans égal, tout-puissant, connaissant l'avenir sans avoir besoin de le prévoir, sans seigneurie », comme le fait la profession d'Aèce retranscrite par l'Alexandrin[4]. Dieu est par excellence celui qui est, celui qui demeure au-delà du temps et de toute spécification d'existence. Il échappe ainsi totalement au devenir

---

1. Lettre à Alexandre, *ap.* ATHANASE, *De Syn.* 16, 2-5, et surtout ce qui est appelé « Blasphème d'Arius » par Athanase, *ibid.* 15, 3, où tout le raisonnement repose sur l'ἀγέννητος-ἄναρχος, dont découlent l'étrangeté absolue du Père au Fils et la non-connaissance du Père par le Fils ; et les fragments de la *Thalie* cités par ATHANASE dans le *Discours contre les Ariens*, I, 5-6 (*PG* 26, 21 et 24). Cf. la lettre d'Eusèbe de Nicomédie à Paulin de Tyr, *ap.* THÉODORET, I, 6 (éd. Opitz, III, *urk.* 8, p. 15-16).

2. La « profession d'Aèce » est construite sur l'opposition ainsi exprimée : *sic quae sunt aput Deum... haec non sunt Filii* ; le premier est défini par son être, tandis que le second est entièrement et nécessairement, comme Fils, déterminé par le premier.

3. Οὐκ ἀγέννητον, οὐκ ἄνευ γεννήσεως πρὸ τοῦ εἶναι ὀνομαζόμενον Ὑιὸν ... οὐκ ἄναρχον ... οὐχὶ τῷ μερίσαντί συμμερισάμενον τὴν ἀξίαν, οὐκ ἄλλῳ τινὶ τὴν πατρικὴν οὐσίαν ... dit la profession d'Eunome, *PG* 67, 588 C 3-4, 6, 12-14, s'opposant ainsi à la génération éternelle du Fils issu de la substance du Père, théologie propre aux Orthodoxes.

4. *Sine principio, sempiternum, ut non imperetur, immutabilem, omnia uidentem, infinitum, inconparabilem, omnipotentem, sine prouisione futura scientem, sine dominio*, ce dernier terme devant être compris au sens de κυριότης, souveraineté.

et à la contingence qu'entraîne la création : déperdition, amoindrissement, mort[1]. Il n'est pas Père de toute éternité, mais il est éternellement Dieu. Le Fils, au contraire, n'est pas Fils de toute éternité, de même qu'il n'est pas Dieu, car il n'y a pas deux principes inengendrés[2]. « Il existe autant que cela dépend du Père[3]. » Il est donc totalement soumis au Père, son principe, de qui il tient savoir, bonté et perfection, et dont il est l'image parfaite. « Il est tiré du néant, il a une fin », et « c'est par un acte du Père qu'il a été créé Dieu », sinon comme n'importe quelle autre création du moins comme la première : il est « le premier acte de Dieu », qui ainsi se veut Père. Sa génération est une création[4]. Il n'est donc pas Dieu, mais Fils de Dieu, issu

1. C'est pourquoi il ne partage pas sa substance par génération et il n'est ni engendrant ni engendré, comme le précise EUNOME : οὐκ ἐν τῷ γεννᾶν τὴν ἰδίαν οὐσίαν μερίζων καὶ ὁ αὐτὸς γεννῶν καὶ γεννώμενος, PG 67, 588 B 9-10. Dieu est seul sans commencement et sans fin, *sine principio, sempiternum,* ἀνάρχως, αἰδίως, ἀτελευτήτως μόνον (587, D 4).

2. *Si dixerimus Deum Dei filium, duos sine initio inducimus.*

3. *Repperitur quantum pertinet ad Patrem.*

4. C'est la grande obsession depuis Arius que d'établir la totale étrangeté ontologique du Fils, qui n'est Fils que de nom, par adoption, par volonté du Père mais non par essence. Reconnaître la consubstantialité du Père et du Fils, c'est tout simplement détruire le principe même de l'ἀγέννητος unique et principe de tout, en introduisant deux ἀγέννητοι, et faire du Père un être composé, divisible et changeant, en un mot, un être corporel (cf. *lettre d'Arius à Alexandre d'Alex.* déjà citée, *supra*, p. 58, n. 1 ; EUSÈBE, *Démonstration Évang.*, IV, 15), c'est introduire au sein de Dieu l'activité de mort propre aux corps, à la matière ; d'où les comparaisons utilisées dans la « profession de foi d'Aèce », avec la génération du serpent, avec le fer qui rouille, la statue de bronze productrice de vert-de-gris, le corps dévoré de vers ou mourant de ses propres blessures. Une telle conception de la génération du Fils par division de l'essence est un blasphème contre la transcendance de Dieu.

de la volonté de Dieu, « image de Dieu[1] et non de Dieu, créé par Dieu[2] ».

Ainsi, ni égal, ni consubstantiel au Père, il est entièrement dissemblable tant dans sa nature que dans ses attributs[3]. C'est ce que veut démontrer l'essentiel de la profession d'Aèce. Toute ressemblance entre le Père et le Fils n'est qu'apparence extérieure, elle est de l'ordre de l'image, de l'ordre des mots. Ainsi le même mot, blanc, blancheur, sert à caractériser la couleur de deux matières de nature aussi différente que la neige et la céruse ; il en est de même du mot Dieu, qui, lorsqu'il s'agit du Fils, désigne une autre nature que celle du Père[4].

Enfin, le Fils, « Monogène, ne peut comprendre la nature de Dieu inengendré[5] ». Il en est de même du Saint-Esprit à l'égard du Fils, Esprit dont la nature est également totalement distincte de celle du Fils et dont on peut supposer qu'il est une création du Fils, si l'on en croit par ailleurs les écrits anoméens[6]. La transcendance de Dieu

1. Cf. profession d'Eunome : τοῦτον ὅμοιον τῷ γεννήσαντι μόνον κατ' ἐξαίρετον ὁμοιότητα ... ὡς εἰκόνα καὶ ὡς σφραγῖδα πάσης τῆς τοῦ παντοκράτορος ἐνεργείας (588 D 16-18 ; 589 A 7-8).

2. *Imperatur enim, sub imperio est, ex nihilo est, finem habet, non conparatur, transit eum Pater origo Christi... non erat Deus sed Dei Filius, deus eorum qui post eum sunt, et in hoc possidet inuariabilem aput Patrem similitudinem quod omnia uidet quod Pater, quod non mutatur bonitate... ex opere et nouitate operis Filius naturaliter Deus... similiter ut Pater. Imago enim Dei factus est et non ex Deo et a Deo. Si omnia a Deo et Filius tamquam ex aliquo negotio.*

3. *Non similem dealitatem nec naturam... non ex natura sed ex alia natura... non ex Deo, et a Deo.*

4. *Sicut enim nix et simithium quantum ad albidinem similes ad speciem autem non similes, sic et Fili substantia alia est preter Patris substantia, nix autem aliam habet albidinem.*

5. *Nec Unicus naturam non nati Dei (conprehendere).*

6. *Nec Spiritus Sanctus naturam Unici (conprehendere)*, c'est la seule affirmation de la profession concernant le Saint-Esprit. Celle d'Eunome indique nettement : πιστεύομεν εἰς τὸν Παράκλητον, τὸ Πνεῦμα ... γενόμενον ὑπὸ τοῦ Μονογενοῦς (589 B 12-14).

aussi absolument affirmée conduit nécessairement à un schéma trinitaire hiérarchique dans lequel le Fils et l'Esprit sont, chacun, entièrement différents et situés dans un ordre d'infériorité décroissante, laquelle se poursuit à travers l'ordre lui-même trinitaire des anges, distinguant les chérubins, les archanges et enfin les anges[1].

A la limite, nous pourrions dire qu'une telle théologie, fondée sur un être divin totalement simple et solitaire, repose sur une conception purement formelle de la Trinité[2]. Plus qu'à un schéma trinitaire, elle renvoie, à notre sens, à une conception duelle, comportant d'une part un principe

---

1. *Sicut angeli archangelorum naturam non possunt conprehendere uel intellegere nec archangeli naturam cherubin, nec cherubin naturam Spiritus Sancti nec Spiritus Sanctus naturam Unici, nec Unicus naturam non nati Dei.*

2. C'est également ce qui ressort de l'analyse du court traité d'Aèce sur l'ἀγέννητος *(Syntagmation)*, dans lequel Dieu est totalement transcendant, sans cause, totalement simple, l'essence divine ne pouvant comprendre l'altérité qui porte en elle la destruction de l'être. Cette transcendance exclut toute relation d'un ordre à l'autre, de l'Inengendré à l'Engendré, la même οὐσία ne pouvant être à la fois engendrée et inengendrée. Pour Aèce, ἀγέννητος exprime l'être de Dieu dans une parfaite adéquation à sa nature, une, simple, éternelle, et ce terme n'est ni une ἐπίνοια, née d'une réflexion de l'homme, sinon Dieu serait inférieur à celui qui le nomme, ni un attribut extrinsèque de Dieu. Dieu est cela même qui est dit par ce mot. On sait que pour Aèce, à la différence d'Arius et d'Eusèbe, la nature divine est connaissable et que c'est cette connaissance, révélée, qui fonde l'espérance des chrétiens (cf. PHILOSTORGE, I, 2 ; II, 3 ; X, 1-2). Sa théorie de la signification des noms lui permet d'affirmer que les vrais athées sont ceux qui refusent de distinguer l'Inengendré de l'Engendré, faisant ainsi de Dieu un pur énoncé, προφορά, un *flatum vocis*. La supériorité de l'ἀγέννητος est fondée sur l'être et non sur le vouloir, « il est » est supérieur à « ce qui devient ». Dieu est une auto-essence inengendrée, sa supériorité est intrinsèque et s'oppose à l'ἔξωθεν du devenir du Fils. Le texte se trouve dans ÉPIPHANE, *Pan.*, 76, plus particulièrement, les propositions 2, 5, 8, 11, 14, 15, 21. Il est reproduit dans Ps. ATHANASE, *Dial. II de Trinitate, P G* 28, 1173-1201.

absolu, l'Inengendré, l'Être absolu, d'autre part, l'ordre de
la création, de la contingence, de l'existence, allant du
Fils — encore qu'il soit reconnu par Eunome « premier né
de toutes les créatures » — aux anges, qui, ici, constituent
autant de divinités intermédiaires entre Dieu et l'homme,
et dont Dieu est l'ἀρχή. Les racines philosophiques d'une
telle théorie sont à chercher, on le sait, dans le néoplatonisme de tendance mystique propre aux disciplines de
Jamblique dont Aèce et Eunome sont les contemporains[1],
en particulier la théorie de la hiérarchie mystique des
essences, qui est « une explication de la genèse du multiple
à partir de l'Un » et qui ramène la Trinité à « une hiérarchie
d'hypostases[2] ».

La situation à Antioche est également évoquée par un
bref passage de l'*Historia* « *acephala* »[3] placé à l'intérieur
du récit mettant aux prises partisans et adversaires de
l'évêque arien Georges à Alexandrie entre 356 et 361. Il
est fait allusion à des événements qui se déroulèrent dans
les années 360/361, mais, là encore, d'une manière que
démentent les faits. Voici le texte : « Et à Antioche, ceux
de l'hérésie arienne chassèrent Paulin de l'église pour y
établir Mélèce, mais comme celui-ci refusait d'acquiescer à

---

1. Sur les rapports entre l'arianisme et le néoplatonisme en honneur
auprès de l'empereur Julien, v. J. DANIÉLOU, « Eunome l'arien et
l'exégèse néoplatonicienne du Cratyle », dans *R.E.G.* 69, 1956,
p. 428-431. C'est une des raisons qui, avec l'amitié de Gallus, explique
les liens de l'empereur avec Aèce, cf. GRÉGOIRE DE NYSSE, *C. Eunome*
I, 45-51 (= *PG* 45, 261 et 264).

2. *Ibid.* p. 428 ; l'A. insiste sur l'aspect mystique de la doctrine
d'Eunome ; avec lui, explique-t-il, « l'arianisme prend un caractère
quasi ésotérique. Eunome est l'hiérophante d'une gnose… contem-
porain d'un néoplatonisme qui n'est pas seulement une métaphysique
mais aussi une théurgie » (p. 431).

3. 2, 7 (= *Ba* 7), *et aput Antiochiam arrianae hereseos eicientes
Paulinum de ecclesia Melitium constituerunt. Co nolente eorum malae
menti consentire, Euzoium presbyterum Georgii alexandrini eius loco
ordinauerunt.*

leurs mauvais desseins, ils ordonnèrent à sa place Euzoius, prêtre de Georges d'Alexandrie. »

On sait que le siège de la capitale syrienne, demeuré vacant après l'installation d'Eudoxe à Constantinople le 27 janvier 360, fut pourvu par les partisans d'Acace de Césarée qui choisirent Mélèce de Sébaste[1]. Ils voyaient en lui, en effet, le meilleur candidat pour « rallier la majorité des citoyens d'Antioche et des cités voisines à leur opinion, en particulier ceux qu'on appelle Eustathiens[2] », un petit groupe de fidèles attachés à la foi de Nicée, qui se réunissait à l'écart depuis l'exil de leur évêque, Eustathe, au temps de Constantin (v. 330)[3]. Ce sont ces dissidents qu'Athanase, revenant d'exil, visita lors de son passage à Antioche en 346, et pour lesquels il demanda, sans résultat, à Constance une église[4]. Mais les choses ne se passèrent pas comme prévues. Mélèce, par son rapprochement avec l'*homoousios*, devait très vite être exilé par l'empereur qui résidait alors dans la ville, et remplacé par l'homéen Euzoios[5], ce qui provoqua dès 361 une nouvelle scission au sein de la communauté. Ses partisans, fort nombreux, se séparèrent, en effet, du nouvel élu, mais durent faire leurs assemblées à part, « dans l'église apostolique située

---

1. V. *supra*, p. 53 et n. 6.

2. Sozomène, IV, 28.

3. Théodoret, I, 22 ; III, 4 : ils refusaient de communier avec ses successeurs qu'ils jugeaient liés aux Ariens. F. Cavallera, *Le schisme d'Antioche*, Paris 1905, fournit les sources essentielles sur cette question. Contrairement à ce qu'affirme l'A., Théodoret ne précise pas si Paulin a, dès cette date, pris la direction de la communauté nicéenne.

4. Rufin, I, 20 ; Sozomène, III, 20 ; Théodoret, II, 12 ; l'empereur avait commencé par en demander une pour les Ariens d'Alexandrie. Socrate, II, 23, élargit (à tort) la demande d'Athanase à « chaque ville » où il y a une communauté séparée des Ariens.

5. V. *supra*, p. 53 et n. 7.

dans la vieille ville » (la Palée), les Eustathiens refusant de s'unir à eux, bien qu'ils aient accueilli Mélèce « avec joie[1] ».

Malgré la volonté d'union et de paix qui anima le concile d'Alexandrie réuni en 362 autour d'Athanase et d'Eusèbe de Verceil[2], Lucifer de Cagliari, alors à Antioche, contribua lourdement au durcissement de la situation en prenant sur lui d'ordonner évêque Paulin, prêtre d'Eustathe[3], qui dirigeait alors la petite communauté séparée, sans attendre le retour des diacres envoyés pourtant par lui et par Paulin à Alexandrie[4]. Peu après, Mélèce, bénéficiant lui aussi de l'amnistie de Julien, rentrait d'Arménie son lieu d'exil et assemblait ses fidèles dans la Palée[5]. Ceci devait entacher les relations entre les deux cités, car Athanase finit par reconnaître Paulin en 363 lors de sa visite à Jovien dans la capitale syrienne[6], et ne multiplia plus

---

1. SOCRATE, II, 44, 5-7 ; SOZOMÈNE, IV, 28, 9-10 ; THÉODORET, II, 31, 11 ; III, 4, qui, seul, précise le lieu. Selon le *Chron. pasc. ad a.* 362, ce ne serait qu'en 362, au retour d'exil de Mélèce sous Julien, que ses partisans auraient pris possession de la Palée.

2. *Tome aux Antiochiens*, 3 et 4, invite les partisans de Paulin à accueillir « ceux qui se réunissent à la Palée », sans toutefois que soit mentionné le nom de Mélèce (*PG* 26, 797 et 800).

3. JÉRÔME, *Chron. ad a.* 362, *Paulinum Eustathii episcopi presbyterum.*

4. RUFIN, I, 28 ; SOCRATE, III, 6 et 9 ; SOZOMÈNE, V, 12-13 ; THÉODORET, III, 5. Le *Tome aux Ant.* 9, donne les noms des diacres envoyés par Lucifer et par Paulin.

5. RUFIN, I, 31 ; *Chron. pasc. ad a.* 362.

6. ÉPIPHANE, 77, 20 : Paulin signa la synodale de 362 et joignit sa profession de foi ; cf. *Tome aux Ant.* 11. Nous restons mal renseignés sur ce qui se passa à Antioche en 363, malgré BASILE, *ep.* 214, 2 (375), qui semble dire que tout le monde sait « la cause pour laquelle le bienheureux évêque Athanase en est venu à écrire à Paulin ». *Ep.* 258 (375) : « Athanase, venu d'Alexandrie à Antioche, désirait beaucoup entrer en communion avec Mélèce, mais, par la faute de méchants conseillers, ce fut renvoyé à une autre occasion » ; cf. *ep.* 89 (372). Sur la visite d'Athanase à Jovien, v. *Hist.* « *aceph.* » 4, 4 (= *Ba* 13). Mélèce, la même année, réunit un concile où fut reconnu l'ὅμοιος κατ' οὐσίαν (SOCRATE, III, 25, 7-18 ; SOZOMÈNE, VI, 4, 7-9).

guère les démarches pour répondre aux efforts entrepris dès 370 par Basile de Césarée pour unir les communautés orthodoxes de la cité d'Orient[1].

On trouve trace de ce durcissement de la position alexandrine, nous semble-t-il, dans l'*Historia*, qui présente d'emblée Paulin comme l'évêque légitime d'Antioche, avant même qu'il ne soit réellement ordonné. Nouvelle inversion de l'histoire qui utilise, ici, l'hérésie pour justifier *a posteriori* le prêtre d'Eustathe au détriment de l'évêque Mélèce régulièrement élu[2]. On reconnaît là la conception dualiste de l'histoire de l'Église qui anime l'ensemble du texte : les Nicéens y occupent le camp de la légitimité, Athanase à Alexandrie, Paul à Constantinople, Paulin à Antioche, face aux Ariens qui n'ont d'autre but que de les chasser, non sans difficulté, (Grégoire puis) Georges à Alexandrie, Macedonius puis Eudoxe à Constantinople, Mélèce puis Euzoios à Antioche. C'est bien ainsi que, d'Alexandrie, on voit les choses, particulièrement à la fin du IVe siècle, en un temps où Athanase puis Pierre ont rejeté les partisans de Mélèce dans le camp des Ariens[3], les traitant même, pour ce qui est de Pierre, d'hérétiques[4].

1. BASILE, *ep.* 66, 67, 69 (371), 80, 82 (371/372), Athanase envoya le prêtre Pierre en 371 (*ep.* 69,1) ; cf. C. PIETRI, *Roma Christiana*, I, p. 793, n. 1. Depuis quelque temps est venue s'y ajouter une troisième, la communauté apollinariste de Vitalis, prêtre de Mélèce (v. CAVALLERA, *o.c.*, ch. 5).

2. Rappelons que l'élection de Paulin se fit en dehors des règles canoniques. Selon JÉRÔME, *Chron. ad a.* 362, Lucifer s'adjoignit deux confesseurs, dont une glose en marge de deux *mss* précise les noms, Gorgonius de Germanicie et Cymatius de Gabala (CAVALLERA, *o.c.*, p. 115, n. 1), manière de justifier l'élection, qu'aucun évêque en Orient, pas même ceux de la province ecclésiastique d'Antioche, n'a approuvée.

3. A Rome où Pierre, victime de la persécution de Valens, s'est réfugié depuis 373, Damase à la suite d'Alexandrie prit parti pour Paulin, cf. BASILE, *ep.* 214 (375) et 216. Cf. C. PIETRI, *Roma Christiana*, I, p. 807-808 et n. 3.

4. BASILE, *ep.* 266, 2.

N'aurions-nous pas là un indice de datation de l'*Historia*, qui pourrait ainsi avoir vu le jour sous l'épiscopat de Pierre (373-381), en un temps où la lutte contre l'hérésie retrouve toute sa vigueur à Alexandrie et en Égypte ? Depuis son retour d'exil sous Valens, en effet, Athanase n'avait plus été inquiété jusqu'à sa mort, le 3 mai 373. Auparavant, il avait pris soin de désigner son successeur, selon la coutume, en la personne de Pierre, membre du presbyterium de l'Église d'Alexandrie, qui avait travaillé depuis longtemps en étroite collaboration avec lui[1]. Mais l'empereur Valens ne l'entendit pas ainsi. Sur la recommandation d'Euzoios d'Antioche, il fit imposer par la force Lucius, prêtre de Georges, déjà connu des Alexandrins par une première tentative avortée en 367, du vivant d'Athanase[2]. Lucius fit son entrée dans l'église de Théonas, entouré du vieil Euzoios et de Magnus, comte des largesses sacrées, après que le préfet Palladius eut donné l'assaut quelques jours auparavant, et que Pierre se fut caché puis enfui à Rome[3], comme son illustre prédécesseur. Prêtres et diacres d'Alexandrie, évêques et moines dans toute l'Égypte furent arrêtés et condamnés les uns à Héliopolis, les autres aux mines de Phaeno ou en Proconnèse, d'autres à Diocésarée en Palestine, d'où ils reconnurent Paulin[4]. L'*Histoire* « *acéphale* » s'achève, du reste, sur l'évocation de la succession de Pierre, tandis que les noms des deux derniers

---

1. *Hist.* « *aceph.* » 5, 14 (= *Ba* 19) : *Defuncto autem Athanasio VIII pachom mensis, ante dies V dormitionis suae, ordinauit Petrum episcopum de antiquis presbyteris, qui in omnibus eum secutus gessit episcopatum.* Sur l'une des missions dont, comme prêtre d'Alexandrie, il fut chargé par Athanase, v. *Hist.* « *aceph.* » 1, 7 (= *Ba* 3), la dernière en date étant celle de 371 à Antioche (BASILE, *ep.* 69, 1).

2. *Hist.* « *aceph.* » 5, 11-12 (= *Ba* 18), seul témoin.

3. Lettre encyclique de Pierre à tous les évêques, dans THÉODORET, IV, 22 ; cf. RUFIN, II, 3 ; JÉRÔME, *Chron.*, *a.* 375 ; PALLADIUS, *Vie de Mélanie*, 46 ; SOCRATE, IV, 21 et 22 ; SOZOMÈNE, VI, 19 ; THÉODORET, IV, 21.

4. BASILE, *ep.* 265.

évêques précédant Cyrille, Timothée et Théophile, sont seulement cités[1]. Ainsi pendant quelques années, à la fin du règne de Valens (373-378), se reproduit la situation imposée par Constance en 361, où l'unité religieuse de l'Orient se fit au profit des Homéens, avec cette fois, Démophile, successeur d'Eudoxe[2], à Constantinople, Euzoios à Antioche et Lucius à Alexandrie. De Rome, Pierre devait renforcer l'incompréhension entre Damase et l'Orient, en manifestant son soutien à Paulin.

La vision qu'Alexandrie donne de l'Église d'Orient dans l'*Histoire* « *acéphale* » montre bien qu'elle s'en considère toujours comme la métropole religieuse la plus importante, celle qui défend le mieux les intérêts de l'orthodoxie. Or c'est précisément après 381 qu'elle rivalise, pour la domination de l'Église d'Orient, avec Constantinople, lorsque cette dernière est consacrée capitale de l'orthodoxie[3]. Jusqu'à cette date, la référence orthodoxe en Orient reste Alexandrie, comme en témoigne l'édit de Théodose du 28 février 380, ordonnant à tous les peuples dont il est souverain de se rallier « à la foi transmise aux Romains par l'apôtre Pierre et que professent aujourd'hui le pape Damase et l'évêque Pierre d'Alexandrie[4] ».

---

1. 5, 14 (= *Ba* 19). La durée de l'épiscopat de Pierre n'est pas mentionnée. *Post quem Timotheus frater suus suscepit episcopatum annis IV. Post hunc Theophilus ex diacono est episcopus ordinatus papa. Explicit.* Seule celle de l'épiscopat de Timothée est fournie, soit quatre ans (381-385), ce qui peut laisser entendre que ces deux dernières phrases ont été ajoutées sous Théophile, le prédécesseur de Cyrille.

2. En avril 370, v. G. DAGRON, *Constantinople*, p. 445-446.

3. *CTh.*, XVI, 1, 3 ; v. DAGRON, *o.c.*, p. 454-455.

4. *CTh.*, XVI, 1, 2.

CHAPITRE II

L'HISTORIA « ACEPHALA » ET L'INDEX DES LETTRES FESTALES D'ATHANASE : VALEUR HISTORIQUE DES DEUX DOCUMENTS

Les archives de l'Église d'Alexandrie comprenaient, nous l'avons vu[1], des éphémérides rédigés au jour le jour qui ont été utilisés par les rédacteurs des deux ouvrages, l'*Historia « acephala »* et l'*Index* placé en tête des *Lettres festales* d'Athanase, faisant l'objet de cette édition. Cette communauté de source, jointe au fait qu'ils intéressent tous deux la vie d'Athanase, imposait en effet que nous les présentions parallèlement, bien qu'ils ne partagent pas la même fonction dans l'esprit de leurs rédacteurs et qu'ils demeurent totalement indépendants l'un de l'autre. En effet, si l'*Historia* ne s'intéresse qu'au récit des trois derniers exils d'Athanase, sans aucune mention de son activité à Alexandrie ou en Égypte, il n'en est pas de même de l'*Index* qui suit le fil des années depuis 328 jusqu'à 373, embrassant ainsi les quarante-cinq ans d'épiscopat du successeur d'Alexandre. Ce texte fournit pour chacune d'elles, tout d'abord l'indication de la date de Pâques dans les calendriers égyptien et romain, puis les noms des consuls de l'année, celui du préfet d'Alexandrie, l'indiction et l'épacte, enfin des renseignements de nature diverse concernant essentiellement soit la raison pour laquelle il

---

1. *Supra* p. 20.

n'y a pas de lettre festale pour cette année-là, soit l'activité
pastorale de l'évêque.

La coutume alexandrine attestée à partir de Denys[1]
veut que l'évêque envoie chaque année une lettre à l'ensemble des églises dont il a la charge pour leur annoncer la date
de Pâques et la semaine de jeûne qui précède la fête.
Athanase y rattache le jeûne de la quarantaine qui,
jusque-là, était pratiqué après l'Épiphanie, selon la
coutume égyptienne[2]. Le manuscrit syriaque qui contient
l'*Index* a également conservé quinze de ces lettres comportant chacune un en-tête regroupant les données chronologiques reprises dans l'*Index*[3] et correspondant aux

---

1. D'après Eusèbe, *H.E.*, VII, 20 ; cf. Jérôme, *De viris ill.* 69 ;
Cassien, *Coll.*, X, 2.

2. R. G. Coquin, « Les origines de l'Épiphanie en Égypte », dans
Dom Botte, E. Mélia... *Noël, Épiphanie, retour du Christ*, coll. *Lex
Orandi*, n⁰ 40, Paris 1967, p. 139-170. Dès la seconde lettre (330), le
« jeûne des quarante jours » est annoncé pour le 13 phamenôth
(9 mars), et ensuite celui de la semaine précédant la fête de
Pâques fixée au 24 pharmouthi (19 avril). Nous conservons la chronologie transmise par les manuscrits grec, syriaque et copte, à la suite
de Mᵍʳ Lefort, « Les Lettres festales d'Athanase », dans *Bull. de
l'Acad. roy. de Belgique*, t. 39, 1953, p. 643-656, contre E. Schwartz,
« Zur Kirchengeschichte des vierten Jahrhunderts », dans *ZnTW*,
t. 34, 1935, p. 129-213, qui soutenait que les lettres annonçant le
carême étaient postérieures à 337, car ce serait en Occident, lors de
son premier exil à Trèves, qu'Athanase aurait, selon lui, connu ce
temps de jeûne. Lefort a fait remarquer que l'absence de l'annonce
du carême dans certaines lettres est liée non à la chronologie, mais
aux circonstances difficiles qu'a connues l'évêque à plusieurs reprises
et qui l'ont contraint à envoyer ses lettres après le commencement
du carême (en 332, 333, 342, 345, 346, simples billets aux prêtres
d'Alexandrie n'indiquant que le temps pascal). Cf. V. Peri, « La
cronologia delle lettere festali di sant' Atanasio e la quaresima »,
dans *Aevum*, t. 35, 1961, p. 28-86, dont la chronologie, assez proche
de celle de Schwartz qu'il critique, n'est guère plus convaincante.

3. Édition syriaque par W. Cureton, *The festal Letters of Athanasius*,
Londres 1848 ; traduction latine dans A. Mai, *Novae Patrum Bibliothecae*, VI, Rome 1853, reprise dans *PG* 26, 1360-1444. V. *infra*,

années 329 à 335, 338-339, 341-342, 345-348. Le rédacteur de l'*Index* a utilisé l'ensemble des lettres pour préciser les conditions dans lesquelles certaines ont été envoyées, ou indiquer « la raison pour laquelle elle(s) ne fu(ren)t pas envoyée(s) ». Si l'on confronte les indications fournies par l'*Index* aux *Lettres festales* conservées selon l'ordre des manuscrits, on relève que l'absence des huitième et neuvième lettres pour 336 et 337 est justifiée, selon le rédacteur, par l'exil d'Athanase à Trèves, et que les douzième[1], seizième, dix-septième et dix-huitième ne sont que de courts billets indiquant la date de Pâques, destinés aux prêtres d'Alexandrie, à cause des déplacements de l'évêque durant son deuxième exil. On doit corriger l'*Index*, qui indique à tort qu'il n'y a pas eu de lettre ni en 341 ni en 342 à cause de la présence de Grégoire à Alexandrie. Les treizième et quatorzième lettres du manuscrit syriaque, écrites de Rome, démontrent le contraire. Pour 337, la lettre manque et le rédacteur de l'*Index* dit qu'« Athanase n'a pu écrire de lettre » pour cette année-là, car il était à Trèves. Mgr Duchesne a le premier proposé de voir dans le début de la dixième, qui insiste sur l'éloignement à l'autre extrémité du monde de son auteur en proie aux épreuves et aux tribulations[2], un morceau de la neuvième, rattaché malencontreusement à la suivante, qui aurait été écrit de Trèves en 337[3]. Pour le

---

l'édition et la traduction de ces en-têtes par les soins de Mme Albert. Les divergences entre les deux textes sont analysées dans le commentaire.

1. Cette lettre manque, mais les indications ont été données dans la Lettre à Sérapion de Thmuis écrite de Rome, *PG* 26, 1412-1414, qui rappelle aux Égyptiens la nécessité du jeûne quadragésimal.

2. *PG* 26, 1397-1398, § 1 et 2. Cette lettre a été traduite du syriaque par Mme M. Albert, dans les Mélanges F. Graffin, *Parole de l'Orient*, vol. VI et VII, 1975-1976 (Liban), p. 75-89.

3. *Hist. anc. de l'Église*, II, p. 196. Nous ne suivrons pas C. Kannengiesser, « Le témoignage des Lettres Festales d'Athanase sur la date de l'Apol. contre les Païens et sur l'Incarnation du Verbe »,

reste, la lettre a été envoyée régulièrement, soit de l'étranger, comme en 332 de Nicomédie, en 340-342 de Rome, en
343 de Sardique, en 344 de Naïssus, en 345 d'Aquilée, en
346 sur le chemin du retour, soit d'Alexandrie où il se
trouve en 329-331, 333-335, 338-339, 347-348. Pour les
années 349-373, l'*Index* est seul à indiquer l'existence ou
non d'une lettre festale. Ainsi de 357 à 361, il n'y en eut
point, dit-il, à cause de la présence de l'évêque Georges à
Alexandrie. En 363, Athanase l'envoie de Thébaïde où il se
cache pour échapper aux sbires de l'empereur Julien, en
364 d'Antioche où il rencontre le nouvel empereur Jovien.
En 349, 362 et 367, il l'écrit d'Alexandrie et le rédacteur
note qu'en 367 il profite de l'occasion pour fixer le canon
des Écritures. Si rien n'est dit concernant les lettres des
années 350-356, 365-366, 368-373, c'est que leur envoi n'a
rencontré aucun obstacle, comme c'est le cas pour les
années antérieures déjà signalées et auxquelles correspondent les lettres du manuscrit syriaque.

Outre ces dates liturgiques, l'*Index*, pour certaines
années[1], a relevé de précieux renseignements, quoique
toujours brefs, dont quelques-uns recoupent ou complètent
ceux de l'*Historia*. Nous ne retiendrons ici que ceux qui
permettent d'établir avec exactitude les dates d'exil
d'Athanase. Pour le reste nous renvoyons au commentaire
de détail qui suit l'édition. Toutefois nous ferons deux
remarques d'ordre général : 1. quand les événements
rapportés le sont par les deux rédacteurs, ils sont très
fortement abrégés et résumés dans l'*Index*, dans lequel on

---

dans *Rech. Sc. relig.*, t. 52, 1964, p. 96, pour qui la deuxième partie
de la lettre X a été écrite pour 338, quand Athanase était encore à
Trèves, entre le 22 mai et le 17 juin 337. L'évêque est présent à
Alexandrie quand il l'envoie, nous sommes donc au début de l'année
338.

1. Certaines années ne comportent aucune indication après celle
des dates de Pâques, etc. ; ce sont les suivantes : 333, 335, 351, 372,
auxquelles on peut ajouter 354 et 371 pour lesquelles le texte manque.

note certains glissements chronologiques dont nous allons rendre compte plus loin ; 2. si l'*Historia* ne dit rien des événements retenus par l'*Index* de 366 à 370, ceci s'explique par l'optique dans laquelle elle a été volontairement conçue et que nous avons déjà exposée. Seule compte la durée des années passées à Alexandrie.

Les problèmes de calendrier

Les deux rédacteurs utilisent, à la suite des éphémérides d'Alexandrie, deux calendriers : l'égyptien pour les mois, le romain pour l'année. Rappelons que les mois égyptiens comptent trente jours chacun et que le premier mois de l'année est celui de thôth, qui commence le 29 août, soit quatre mois avant le début de l'année romaine. Cinq jours ont été ajoutés par les Grecs à la fin de mésorè correspondant aux 24-28 août, et portent pour cela le nom d'« épagomènes » ; un sixième jour intercalaire est ajouté tous les quatre ans lors des années bissextiles qui commencent alors le 30 août[1]. L'*Index* date les lettres festales de l'année de l'ère dioclétienne qui commence, en Égypte, le 29 août 284, soit la première année du règne de Dioclétien. La première lettre d'Athanase fut ainsi envoyée « la quarante-cinquième année de Dioclétien », soit en 329.

Cet emploi d'un double système de calendrier, dont les éléments ne coïncident que pour huit mois de l'année, de janvier à août, permet d'expliquer un certain nombre de glissements chronologiques d'une année sur l'autre que l'on trouve dans l'*Index*[2]. En effet, quand les événements

1. V. Grumel, *La Chronologie*, Paris 1958, p. 166-167, et 304.

2. H. M. Gwatkin, *Studies of Arianism*, 2e éd., Cambridge 1900, note C, p. 107 ; E. Schwartz, « Die Osterbriefe », dans *Nach. Gött.*, 1904, p. 333-356 (= *GS* 3, p. 1-29) ; O. Seeck, « Die Fälschungen des Athanasius », dans *Zeitschrift für Kirchengeschichte* 30, 1909, p. 339-433, F. L. Cross, *The Study of St. Athanasius*, Oxford 1945, p. 15-18.

retenus se déroulent durant ces huit mois, cela ne fait pas difficulté, mais quand ils s'étalent sur l'ensemble de l'année, cela peut entraîner des confusions de la part du rédacteur qui a tendance à bloquer la même année des événements qui se déroulent sur deux années consécutives, celle annoncée dans le texte et la précédente. De plus la volonté d'expliquer pourquoi en telle année il n'y a pas eu de lettre ajoute à la confusion, car le rédacteur utilise parfois des événements postérieurs à la date de Pâques de ladite année pour expliquer l'absence de lettre.

1. Ainsi en 331, dit l'*Index*, Athanase envoie sa lettre « en chemin, revenant de la cour. Cette année-là, en effet, il était parti pour la cour, auprès du grand roi Constantin... il revint alors que le jeûne était déjà à son milieu. » S'il est vrai que l'évêque fut convoqué par Constantin à Nicomédie, en 331, pour se justifier des accusations portées contre lui par les Mélitiens, la maladie à laquelle s'ajouta la rigueur de l'hiver le contraignit à demeurer loin de ses ouailles et à ne revenir à Alexandrie que dans le courant du mois de mars de l'année suivante, comme l'indique le début de la quatrième lettre festale[1] écrite de la résidence impériale en 332, laquelle ne donne, du reste, que les dates de la semaine pascale et ne dut le précéder que de peu. Athanase a fort bien pu quitter Alexandrie à la fin de l'été 331 ; dans l'esprit du rédacteur, son séjour à la cour et son retour dans la capitale égyptienne se déroulent dans la même année, la quarante-huitième de Dioclétien, et il a bloqué les deux événements qui forment un tout dans son propos en 331.

2. Les événements rapportés en 336, convocation au synode de Tyr, fuite à Constantinople auprès de Constantin et exil en Gaule, se déroulent en réalité en 335. Les dates

---

1. *PG* 26, 1377 A, Athanase s'excuse du retard avec lequel il écrit.

fournies, 17e d'épiphi (11 juillet), 2e d'athyr (30 oct.),
10e d'athyr (6 nov.)[1], sont à cheval sur deux années
égyptiennes, la cinquante-deuxième et la cinquante-
troisième de Dioclétien (335/336). Le rédacteur, prisonnier
du cadre annuel de la chronique, a choisi de bloquer les
événements en 336 pour expliquer l'absence de lettre cette
année-là. Mais ce faisant, il ne se rend pas compte que
l'explication donnée utilise des faits postérieurs à la date
de Pâques de cette même année. On note, du reste, que
l'année 335 n'a fait l'objet d'aucune indication notable,
car la lettre a été régulièrement envoyée.

3. L'année 338 regroupe de même la mort de Constantin
et le retour triomphal d'Athanase ainsi que la descente
d'Antoine à Alexandrie, dont on sait par ailleurs qu'elle
eut lieu en présence de l'évêque[2]. Les deux premières dates
fournies, 27 pachôn (22 mai), 27 athyr (23 nov.), sont
nettement séparées de la troisième, indiquée seulement par
le mois, mésorè (fin juil.-août). De plus on note que le
rédacteur a jugé bon de répéter la formule qui lui sert
d'introduction pour chaque année : « *cette année-là*, comme
Constantin était mort le 27e de pachôn... il revint de Gaule
le 27e d'athyr... *Cette année-là* encore... Antoine
... entra à Alexandrie... Il partit le troisième jour,
au mois de mésoré ». On doit en conclure qu'il s'agit
de deux séries d'événements se déroulant sur deux
années différentes. Enfin pour 337 l'*Index* indique qu'Athanase ne put écrire de lettre festale. Pour 338, rien n'est
formulé à ce sujet. On peut donc estimer qu'elle a été
régulièrement envoyée. Toutefois cela paraît impossible si
Athanase n'est rentré que le 23 nov. de cette même année.
C'est donc bien à l'année précédente, soit 337, qu'il convient
de rapporter la première série d'événements, mort de

---

1. 335 étant une année bissextile, le 2e et le 10e d'athyr correspondent au 30 oct. et au 7 nov.

2. *Vita Ant.* 69-71.

Constantin et retour de l'évêque, la présence d'Antoine à Alexandrie devant être maintenue pour l'année 338. L'écart de deux ans (336/338 pour 335/337) entre l'exil et le retour est cependant à retenir.

4. Pour 346, « Grégoire étant mort le 2e d'épiphi (26 juin), il revint de Rome et d'Italie... le 24e de phaôphi (21 oct.) ». Ici le rédacteur a bloqué la même année deux événements dont l'un est considéré par lui comme la conséquence de l'autre, alors que près de seize mois les séparent, la mort de l'évêque arien étant à placer en 345[1].

5. Si l'*Index* mentionne Gallus César *ad a.* 352 — et non, comme on s'y attendrait, *ad a.* 351, année durant laquelle il fut effectivement proclamé César[2] —, ceci ne doit pas être interprété comme une erreur chronologique de la part du rédacteur. Il s'agit simplement d'expliquer l'origine du nom du Constance César qui, en cette année 352 précisément, a revêtu le consulat aux côtés de l'empereur Constance. C'est pourquoi il prend soin d'indiquer qu'il « *avait été* proclamé César, lui dont le nom avait été changé en celui de Constance » ; on notera, de plus, que la mention

1. V. *Hist.* « *aceph.* », 1, 1, *infra*, p. 171 n. 3.
2. *Chron. pasc. ad a.* 351, le 15 mars (JÉRÔME, *Chron. ad a.* 351 ; cf. *Hist.* « *aceph.* » 1, 8, n. 28. Cousin de Constance, Gallus est, avec son demi-frère Julien, le seul rescapé du massacre familial commis par Constantin. Sa nomination comme César pour l'Orient, ainsi que son mariage avec la sœur de l'empereur, Constantia, furent entraînés par l'usurpation de Magnence et le meurtre de Constant en 350 en Gaule, qui contraignirent Constance à la guerre. La situation est d'autant plus sérieuse pour ce dernier qu'en Orient les Perses manifestent à nouveau leur hostilité, ce qui justifie la présence du César Gallus à Antioche où il devait résider jusqu'à sa condamnation à mort en 354. Sur ces événements, v. ZOSIME, II, 42-45 ; EUTROPE, X, 9 ; AURELIUS VICTOR, *Caes.*, 41, 22-25 ; 42, 1-9 ; A. H. M. JONES, *The later Roman Empire*, I, 113. AMMIEN, XIV, reste la principale source concernant le César Gallus, dont R. C. BLOCKLEY, « Constantius and Julian as Caesars of Constantius II », dans *Latomus* 31, 1972, p. 433-468, a entrepris la critique.

« cette année-là », qui ouvre, généralement, le développement, n'a pas été employée pour l'année 352. Gallus, fils de Flavius Julius Constantius, fut, en effet, proclamé César sous le nom de Flavius Claudius Constantius, le 15 mars 351.

6. Le rédacteur a regroupé pour 363 des événements se déroulant en réalité sur deux années romaines, 362/363, mais formant un tout à l'intérieur d'une même année égyptienne, la soixante-dix-neuvième de l'ère dioclétienne, de phaôphi (oct.) à thôth (à huit jours près). La fin du paragraphe, en indiquant que la lettre festale cette année-là fut envoyée de Thébaïde, alors qu'Athanase était poursuivi, permet de rétablir la date de l'ordre d'exil de Julien apporté par Pythiodoros au 27e de phaôphi 362 et non 363, comme l'indique l'*Historia* 3, 4 (= *Ba* 10). A la mort de l'empereur annoncée « huit mois plus tard » soit en payni (juin 363), Athanase se rend à Alexandrie puis à Antioche le 8e de thôth (6 sept.) de la même année.

7. Enfin la dernière persécution contre Athanase est rapportée à l'année 365. Or l'*Historia* « *acephala* » permet de préciser qu'elle s'est déroulée entre le 10e de pachôn (5 mai) 365 et le 7e de méchir (1er févr.) 366. Mais dans le calendrier égyptien, cela se passe durant la même année, la quatre-vingt-deuxième de l'ère dioclétienne. De plus rien n'est indiqué concernant les lettres festales pour 365 et 366 ; c'est donc qu'elles ont pu être envoyées régulièrement, l'édit d'exil étant en effet postérieur à la date de Pâques 365 et le retour de l'évêque le 1er février lui laissant juste le temps d'envoyer celle de 366 pour annoncer le début du carême et que la fête aurait lieu cette année-là le 21e de pharmouthi (16 avril).

Le rédacteur de l'*Historia* utilise lui aussi les mois égyptiens et l'année romaine, mais son récit, parce qu'il est centré sur le temps passé par Athanase dans ou hors de son Église, demeure indépendant du cadre annuel qui est

celui de toute chronique. Les erreurs décelées ne seront
donc pas de même nature. Il ne se contente pas en effet de
dater chaque événement rapporté, mais encore il notifie
souvent le temps écoulé entre celui-ci et le précédent ou
le suivant. Le passage concernant la prise et la reprise
des églises entre partisans et adversaires d'Athanase, après
son départ précipité la nuit du 8 au 9 février 356, jusqu'en
juin 359 où l'arrivée du notaire Paul tranche brutalement
en faveur de Georges, doit être cité comme un modèle de
méticulosité en la matière[1]. De même, la durée exacte du
séjour de tel ou tel acteur du récit est en général consignée.
En dehors de la récapitulation finale sur laquelle nous
allons revenir, le texte comprend vingt-six mentions de
calculs sur lesquelles on ne compte que sept erreurs, encore
convient-il d'ajouter que parmi elles l'une porte sur un
jour, une autre sur deux, une sur cinq et une autre sur
six jours[2]. Tous ces calculs sont faits à partir des mois
égyptiens de trente jours, rappelons-le[3].

Étude comparée : les dates des deux premiers exils

Le principal objectif de l'*Historia*, avons-nous dit, est
de rapporter le déroulement des trois derniers exils
d'Athanase et de calculer le temps exact que l'évêque a
passé dans cette situation durant l'ensemble de son
épiscopat, ainsi que celui durant lequel il a séjourné à
Alexandrie. Deux séries de renseignements nous sont donc

---

1. 2, 1-6 (= *Ba* 5-7).
2. 2, 2 (= *Ba* 6) : 8 mois 11 j. au lieu de 9 ; 2, 5 (= *Ba* 7) : 9 mois
entiers au lieu de 8 m. 24 j. ; 2, 6 : 3 ans 2 m. au lieu de 3 a. 1 m. 25 j. ;
5, 5 (= *Ba* 16) : 4 mois entiers au lieu de 3 m. 29 j. Sur les trois autres
erreurs, voir *infra*, les notes 6, 7 et 31 de l'édition de l'*Historia*.
3. Ceci est facile à vérifier. Le calendrier romain donne des
décalages de plusieurs jours que nous avons signalés au fil de
l'édition.

fournies : 1. la première dans le corps du récit, concernant les dates de retour et de départ et le laps de temps qui s'est écoulé entre les deux ; 2. la seconde, à la fin du texte, comme récapitulatif de l'ensemble des années passées hors d'Alexandrie. Le calcul établi porte sur les années 328-368 pour la commodité, comme nous l'avons montré[1], et permet au rédacteur d'en déduire la durée globale de présence à Alexandrie, sans que celle-ci fasse à son tour l'objet d'un décompte détaillé[2]. Une comparaison avec l'*Index* permet d'établir, à l'aide du tableau suivant, que les dates de départ et de retour (quand elles sont fournies par ce dernier) coïncident généralement avec celles de l'*Historia*, sauf dans un cas (le retour du quatrième exil), l'*Index* fournissant en plus celles du premier et du deuxième exil que nous discuterons plus loin :

Index			*Historia*
			données corrigées
1er exil	17 épiphi	336 *(sic)* 335	
retour	27 athyr	338 *(sic)* 337	
2e exil	23 phamenôth	339	
retour	24 phaôphi	346	24 phaôphi 346
3e exil	14 méchir	356	14 méchir 356
retour	en méchir	362	27 méchir 362
4e exil	27 phaôphi	363 *(sic)* 363	27 phaôphi 362
retour	25 méchir *(sic)*	364	19 méchir 364
5e exil		365	8 phaôphi 365
retour		365 *(sic)* 366	7 méchir 366

Nous avons rendu compte précédemment des glissements chronologiques de l'*Index* (336 pour 335, 338 pour 337). Le

---

1. V. *supra*, p. 24.
2. Pourtant à deux reprises dans le corps du texte figure la mention d'une durée de séjour à Alexandrie, 1, 11 (= *Ba* 5) entre le 2e et le 3e exil, 3, 4 (= *Ba* 10) entre le 3e et le 4e exil.

parallèle avec l'*Historia* a permis de rétablir l'année du quatrième et celle du retour du cinquième exils. La date du 25 méchir 364 est erronée comme permet de l'affirmer la durée du quatrième exil telle qu'elle est rapportée par l'*Historia* (v. le tableau suivant).

Ces données concernant les dates d'exil et de retour doivent être confrontées avec la seconde série de renseignements exprimant la durée écoulée entre les deux événements et fournie, cette fois, uniquement par l'*Historia*. C'est l'objet du présent tableau :

Index		Historia			
date de départ	date de retour	durée de l'exil	présence à Alexandrie	récapitulatif à Alexandrie	exils
328					
1er exil : 17 épiphi 335					
	27 athyr 337				< 28 m. 11 j. >
2e exil : 23 phamenôth 339					
Index + Historia					
	24 phaôphi 346 }	6 a. *(sic)*			90 m. 3 j.
			{ 9 a. 3 m. 14 j.		
3e exil : 14 méchir 356					
	27 méchir 362 }	< 72 m. 14 j. >			72 m. 14 j.
			{ 8 m.		
4e exil : 27 phaôphi 362					
	19 méchir 364 }	1 a. 3 m. 22 j.			15 m. 22 j.
			{ —		
5e exil : 8 phaôphi 365					
	7 méchir 366 }	4 m.			4 m.
			{ —		
368					
TOTAL :				22 a. 5 m. 10 j. + 17 a. 6 m. 20 j.	
40 ans				**40 ans**	

1. On remarque tout d'abord l'exactitude des calculs concernant la durée des trois derniers exils, telle qu'elle est exprimée à la fois dans le cours du récit et dans le

récapitulatif, à un jour près pour celle du cinquième (trois mois et vingt-neuf jours au lieu de quatre mois).

2. Le récapitulatif permet de combler par lui-même la lacune qu'il contient concernant la durée du premier exil à Trèves. Si l'on s'en tient en effet à l'addition de celle des quatre autres, on obtient 15 ans 2 mois et 9 jours, il reste donc *28 mois et 11 jours*. Toutefois quand on reprend les dates fournies par l'*Index* pour le premier exil, 17 épiphi 335 et 27 athyr 337 (date corrigée, v. plus loin), on constate un écart de cinq jours dont nous rendons compte ci-dessous, le total s'élevant à 28 mois et 16 jours, et non 11. Le récapitulatif autorise de même à restituer la durée du troisième exil, *72 mois et 14 jours*, dans le passage correspondant de l'*Historia*[1].

3. Si nous procédons de la même manière, à partir des dates données par l'*Index* pour le deuxième exil, 23 phamenôth 339 et 24 phaôphi 346, pour vérifier la durée du deuxième exil telle qu'elle est exprimée dans l'*Historia*, nous obtenons non pas *90 mois et 3 jours*, mais *91* mois et *6* jours, soit trente-six jours supplémentaires. Comment expliquer cette différence ? En rapprochant la durée d'exil telle qu'elle est exprimée dans l'*Historia* — 90 m. et 3 j.[2] — de la date du retour, 24 phaôphi 346, nous obtenons comme date de départ le *21 pharmouthi* 339 et non le 23 phamenôth comme l'indique l'*Index*. Nous n'avons pas tenu compte dans notre calcul des cinq jours épagomènes compris entre pharmouthi et phaôphi 346, tout de même que le rédacteur de l'*Historia* qui les néglige chaque fois que la même situation se présente[3]. Ainsi pour la durée du premier exil

---

1. 3, 4, et n. 81 de l'édition.

2. Les « six ans » indiqués au début de l'*Historia* (1, 1) sont une erreur manifeste, v. la n. 6 de l'édition.

3. 1, 9 (= *Ba* 4), Diogénès « s'accrocha quatre mois, du mois de mésorè ou du jour des intercalaires (29 août 355) jusqu'au 26e jour

où ces mêmes jours se retrouvent normalement entre épiphi et athyr, comme ce tableau le fait mieux comprendre :

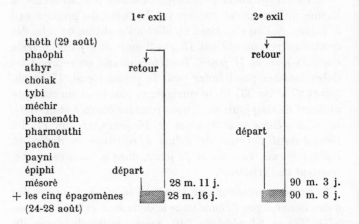

	1er exil		2e exil
thôth (29 août)			↓
phaôphi	↓		retour
athyr	retour		
choiak			
tybi			
méchir			
phamenôth			
pharmouthi			départ
pachôn			
payni			
épiphi	départ		
mésorè		28 m. 11 j.	90 m. 3 j.
+ les cinq épagomènes		28 m. 16 j.	90 m. 8 j.
(24-28 août)			

C'est donc bien le *21 pharmouthi* 339 qu'Athanase quitte Alexandrie et non le 16, comme on aurait pu le croire en ne se fiant qu'au simple calcul mathématique.

L'*Index* fournit de plus une précieuse indication qui vient étayer notre démonstration : « cette année-là encore, précise-t-il, alors qu'il y avait des troubles, le 22e de phamenôth (18 mars), il (Athanase) fut poursuivi de nuit et au jour du lendemain il s'enfuit de l'église de Théonas *après avoir baptisé beaucoup de monde*. A la suite de quoi, quatre jours plus tard, le Cappadocien Grégoire entra dans la ville comme évêque. » Ceci fait manifestement allusion à la fête de Pâques fixée pour cette même année au 20e de

de choiak (23 déc.) ». Les quatre mois sont établis sans tenir compte des épagomènes, du 26 mésorè au 26 choiak. 2, 3 (= *Ba* 6), la durée du séjour de Georges à Alexandrie, du 30 méchir au 5 phaôphi, est arrondie à « dix-neuf mois entiers », v. *infra*, p. 184, n. 48 de l'édition.

pharmouthi (15 avril). Athanase s'est donc caché dans
Alexandrie après une première attaque dans l'église le
dimanche 18 mars, pendant un mois[1], pour pouvoir
célébrer la fête avec ses fidèles et procéder aux baptêmes
des catéchumènes selon la coutume chrétienne. Et c'est
seulement le lendemain, 21e de pharmouthi, lundi 16 avril,
qu'il quitte Alexandrie « en secret[2] » pour Rome. L'évêque
arien Grégoire, pendant ce temps, fut installé par le préfet
d'Égypte Philagrios[3], le 22 mars.

Ainsi la seule confrontation des deux documents permet
d'établir avec certitude les dates exactes de départ et de
retour des deux premiers exils d'Athanase. Or l'on sait que
celle du retour de Trèves a fait et continue de faire l'objet
de multiples contestations, les uns défendant l'année 337[4],
les autres tenant pour 338[5], confirmant, pour les premiers,

1. C'est alors qu'il rédige sa *lettre encyclique aux évêques*, éd. Opitz,
II, p. 169-177 (= *PG* 25, 221-240).

2. *et clam exul de ciuitate occulteque profugit* (*epist. Sardic. orient.*,
8, *ap.* Hilaire, *frg. hist.* III, *CSEL* 65, p. 54-55).

3. Sur ces événements, outre l'*encyclique* déjà citée, voir *Apol. c.
Ar.* 30 et 33 (lettre de Jules de Rome aux Eusébiens), *Hist. Ar.* 9-14,
où Athanase précise que ce serait sous la pression des Eusébiens que
l'empereur Constance aurait nommé Philagrios préfet pour la
seconde fois ; pour les dates (après le 28 mars 338 - 31 déc. 340), v.
Cl. Vandersleyen, *Chronologie des Préfets d'Égypte*, p. 14, et
J. Lallemand, *L'administration civile de l'Égypte*, p. 243. Pourtant,
Grégoire de Nazianze, *Or.*, 21, 28, fait état de la requête d'une
ambassade alexandrine auprès de l'empereur, le réclamant à nouveau
pour préfet ; et sa popularité lui valut une entrée triomphale dans la
ville lors de sa reprise de fonction.

4. H. G. Gwatkin, *Studies of Arianism*, p. 107, note 100 ;
Mgr Duchesne, *Hist. de l'Église*, II, p. 196 ; E. Schwartz, « Zur
Geschichte des Athanasius », dans *Nach. Gött.*, 1911, p. 473 et n. 1
(= *GS*, 3, p. 270) ; H. G. Opitz, *Athanasius Werke*, II, 1, Berlin,
1935-1941, p. 101, 12 ; G. Bardy, *Hist. de l'Église*, coll. Fliche et
Martin, 1936, 3, p. 116 ; A. Piganiol, *L'empire chrétien*, Paris 1947,
p. 74, n. 6 et p. 81-82 ; C. Pietri, *Roma Christiana*, I, p. 188, n. 1.

5. O. Seeck, *Geschichte des Untergangs der antiken Welt*, Berlin
1913, IV, p. 52-53 et *Regesten*, p. 136. N. Baynes, « The return of

ou infirmant, pour les seconds, les données de l'*Index*,
mais sans jamais recourir à la confrontation avec l'*Historia*[1].
Le point de départ de la discussion est fourni par la lettre
de Constantin le Jeune, envoyée de Trèves au peuple
d'Alexandrie, lui annonçant le retour de son évêque et
datée seulement du 15 des kalendes de juillet (= 17 juin)
sans mention des consuls de l'année[2]. La lettre est écrite
après la mort de Constantin, le 22 mai 337, et placée sous
son patronage, alors que son fils, d'après l'en-tête, est encore
César, soit en 337[3]. Les trois frères, Constantin, Constant et
Constance se font proclamer Augustes le 9 septembre de
la même année[4]. C'est sans doute à cette occasion qu'Athanase, sur le chemin du retour, rencontre une première fois
Constance, responsable de l'Orient, à Viminacium en
Mésie supérieure. Il le revoit une seconde fois à Césarée de
Cappadoce[5], au moment où le nouvel empereur se débarrasse

Athanasius from his first exile », dans *Journal of Egyptian Archeology*,
1925, t. 11, p. 58-69 ; W. TELFER, « Paul of Constantinople », dans
Harvard Theological Review, t. 43, 1950, p. 75 ; H. NORDBERG,
Athanasius and the emperor, Societas Scientiarum Fennica, t. 30, 3,
Helsinki 1963, p. 33 ; G. DAGRON, p. 428 et n. 2.

1. E. SCHWARTZ, *o.c.*, le signale toutefois en note.

2. *Ap.* ATHANASE, *Apol. c. Ar.*, 87, 4, cf. *Hist. Ar.*, 8, 2, repris
par SOCRATE, II, 3, 1-4 ; SOZOMÈNE, III, 2, 3-6 ; THÉODORET, II,
2, 1-4. Datée de 338 par NORDBERG, *o.c.*, p. 34, après la rencontre de
Viminacium, v. *infra*, n. 4.

3. Tous les actes publics rendus entre la mort de Constantin et la
proclamation de ses fils comme Augustes le 9 sept. 337 sont mis sous
le nom de l'empereur mort, PIGANIOL, *o.c.*, p. 74.

4. *Chron. min.* I, éd. Mommsen, p. 235 ; PIGANIOL, *o.c.*, p. 74 et
n. 6. Pour Seeck, suivi par Nordberg, la rencontre de Viminacium
n'a pu avoir lieu qu'en juin 338, date à laquelle Constantin le J. s'y
trouve (*C.Th.*, X, 10, 4).

5. *Apol. ad Const.* 5, πρῶτον μὲν ἐν Βιμιναχίῳ δεύτερον δὲ ἐν
Καισαρείᾳ τῆς Καππαδοκίας καὶ τρίτον ἐν τῇ ᾿Αντιοχείᾳ. Certains
historiens ont interprété ce passage comme s'il concernait le retour
du premier exil et ont donc considéré que l'évêque avait rencontré
l'empereur Constance une troisième fois à Antioche. Ils en tirèrent
argument pour fixer le retour en 338. Or Athanase y évoque l'ensemble

de son cousin Hannibalianus, roi du Pont, et s'apprête à intervenir en Arménie, puis contre les Perses de Sapor[1]. Il n'y eut jamais, au dire d'Athanase, aucune allusion contre les Eusébiens responsables de son exil dans la capitale gauloise. Ce n'était pas dans son intérêt d'évoquer le concile de Tyr et les accusations, pour certaines, justifiées dont il avait été l'objet[2]. Et, toujours en 337, le 23 novembre, il rentre « triomphalement[3] » dans la capitale égyptienne.

On peut s'interroger sur ces deux rencontres successives à quelques semaines d'intervalle, la seconde en dehors de la route normale du retour. Elles manifestent combien, très tôt, le nouvel empereur fut l'objet de pressions de la part des différents acteurs et courants religieux. Les Eusébiens, à la mort de Constantin, n'ont-ils pas cherché à influencer en leur faveur le jeune Constance alors seul présent à Constantinople, en utilisant au besoin le concours de certains eunuques du palais[4] ? Athanase n'est-il pas en droit de craindre un éventuel retournement de la décision impériale au fil des semaines qui le séparent, depuis Viminacium, de la protection de l'empereur d'Occident ? Le siège d'Alexandrie est resté vacant sur la volonté de Constantin, ne l'oublions pas[5]. Or il y a une communauté arienne dans la capitale égyptienne, qui gravite autour d'un certain Pistos, compagnon de la première heure, prêtre,

des entrevues qu'il eut avec lui, soit les deux premières fois en 337 et la troisième lors de son retour du second exil (Sozomène, III, 20, cf. *Hist. Ar.* 22, 1, *Apol. c. Ar.*, 54, 1, cf. *supra*, p. 63 et n. 3-4.

1. A. Piganiol, *o.c.*, p. 75. La date du siège de Nisibis a été établie par P. Peeters (« La légende de Jacques de Nisibe », dans *Anal. Boll.*, 38, 1920, p. 285 s.) au printemps 338.

2. V. notre article, « Athanase et les Mélitiens », dans *Politique et Théologie chez Athanase d'Alexandrie*, coll. *Théologie hist.*, 27, Paris 1974, p. 31-61, plus particulièrement, p. 52-53.

3. *Index* des Lettres festales *ad a.* 338, v. *infra* édition.

4. Socrate, II, 2 ; Sozomène, III, 1.

5. Athanase, *Hist. Ar.* 50, 2 ; cf. *Apol. c. Ar.* 29, 3.

déposé avec Arius par Alexandre, consacré évêque par
Sekundos de Ptolémaïs on ne sait quand et que ne tarderont
pas à proposer, pour remplacer Athanase légalement déposé
à Tyr selon eux, les Eusébiens dont l'hostilité à son égard ne
s'est jamais démentie[1].

En même temps qu'Athanase, les autres évêques exilés
sous Constantin avaient également bénéficié de la clémence
des trois empereurs[2]. Leur retour entraîna des troubles, car
de nouveaux évêques avaient été installés, à Andrinople,
Constantinople, Ancyre et Gaza, lesquels troubles allaient
être sanctionnés par de nouveaux décrets de bannissement[3].
Athanase lui-même, qui cherchait sans doute à renforcer
son camp, fut accusé par ses ennemis de les avoir favorisés
avant d'en provoquer à Alexandrie : chacune des villes
citées ne se trouve-t-elle pas sur son chemin de retour ?
« Tout au long de la route de son retour, il subvertissait les
Églises en restaurant des évêques condamnés, en laissant
espérer à d'autres qu'ils recouvreraient leur siège, en
établissant des évêques recrutés parmi les infidèles... par la
force, l'assassinat et la guerre, il prive les Alexandrins de
leurs églises[4]. » C'est dès la fin de l'année 337, une fois
Athanase rentré à Alexandrie, que les Eusébiens, ne
pouvant accepter qu'il reprît possession de son siège sans

---

1. Lettre d'Alexandre aux prêtres et diacres d'Alexandrie et de
Maréote, éd. Opitz, III, 1, *Urk.* 4 a, p. 6 ; lettre des prêtres et diacres
partisans d'Arius à Alexandre, *ibid.*, *Urk.* 6, p. 13, 5 ; *Apol. c. Ar.* 24,
1-2 ; *encyclique* d'Athanase à tous les év., 6, 2.

2. *Hist. Ar.* 8, 1 ; cf. PHILOSTORGE, II, 18.

3. *Epistula syn. orient. Sardic.*, *ap.* HILAIRE, *frg. hist.*, III, 9.
Athanase est présent à Constantinople lors de l'attaque lancée par
Makédonios contre Paul, l'évêque fraîchement élu, attaque qui
permit à Eusèbe d'occuper le siège de la capitale, v. *supra*, p. 38
et n. 3.

4. *Ibid.*, 8 : *per omnem viam reditus sui ecclesias subuertebat,
damnatos episcopos aliquos restaurabat, aliquibus spem ad episcopatus
reditum promittebat, aliquos ex infidelibus constituebat episcopos... per
uim, per caedem, per bellum Alexandrinorum basilicas depraedatur.*

la décision d'un concile, reconnaissent en Pistos l'évêque légitime d'Alexandrie. Ils le font savoir en particulier à Jules de Rome, à qui ils demandent de communier avec le nouvel évêque[1]. Ils envoient également une lettre aux empereurs, véritable acte d'accusation contre Athanase[2]. Constance, impressionné, crut devoir demander des explications à celui-ci, particulièrement au sujet du blé destiné aux veuves par son père Constantin et qu'Athanase aurait vendu à son profit[3]. Athanase se défend en réunissant un concile à Alexandrie où une centaine d'évêques égyptiens, unanimes, souscrivent à la synodale adressée à tous les évêques pour défendre leur chef, rejeter Pistos, dénoncer les évêques mélitiens qui le soutiennent et vilipender les calomniateurs eusébiens. Cette synodale fut apportée à Rome, accompagnée de pièces justificatives, par des prêtres alexandrins[4]. Les Eusébiens s'assemblèrent de leur côté à Antioche et, alors que leurs envoyés, subissant à Rome l'assaut des prêtres d'Athanase, « concédaient la possibilité de revoir les sentences rendues à Tyr »[5], ils se mirent d'accord sur l'élection de Grégoire de Cappadoce,

---

1. *Apol. c. Ar.* 24, 1, lettre des Eusébiens à Jules portée à Rome par un prêtre et deux diacres, au début de l'année 338. Les documents constituant le dossier d'accusation à Tyr y avaient été joints, *ibid.*, 27, 4.

2. *Hist. Ar.* 9, 1 ; cf. *Apol. c. Ar.* 3, 5, 7 et 18.

3. *Apol. c. Ar.* 18. Une accusation concernant l'annone destinée au ravitaillement de Constantinople avait été le prétexte utilisé par les Eusébiens auprès de Constantin pour obtenir l'exil d'Athanase en 335, v. notre art. « Athanase et les Mélitiens », p. 56.

4. *Apol. c. Ar.* 3-19, Schwartz, *o.c.*, p. 482-483 (= *GS*, 3, p. 282-283). Les prêtres d'Athanase y rencontrèrent la délégation eusébienne déjà présente (v. *supra*, n. 1) et la confondirent devant Jules de Rome *ibid.* 22, 3-4 ; 24, 1-2 ; cf. *Hist. Ar.* 9, 1.

5. Cf. Lettre de Jules aux Orient., *ap. Apol. c. Ar.* 21, 3 ; 22, 1 ; 23, 4 ; 25, 3 ; 30, 1, « ils nous (= Jules) demandèrent un synode », et celui-ci devait se tenir « là où nous (= l'accusé Athanase) le voudrions », *Hist. Ar.*, 9, 1. C. Pietri, *Roma Christiana*, I, p. 189-195 et plus particulièrement, p. 194.

après le refus d'Eusèbe d'Émèse, pour remplacer Pistos trop compromis[1]. Et selon Athanase, ils auraient dans le même temps fait pression sur Constance résidant alors à Antioche[2] pour obtenir la nomination de Philagrios pour la seconde fois à la préfecture d'Égypte afin de faciliter l'installation du nouvel évêque[3]. Ce dernier est attesté dans cette fonction après le 28 mars 338 et jusqu'au 1er décembre 340[4]. Ce n'est pourtant pas avant le 22 mars 339 que le Cappadocien, annoncé peu auparavant par un édit impérial[5], prend possession du siège d'Alexandrie grâce à la force armée, obligeant finalement Athanase à prendre la fuite un mois plus tard, nous l'avons vu, malgré la résistance acharnée de ses partisans[6].

1. SOCRATE, II, 8-10, SOZOMÈNE, III, 5-6 (qui commettent une confusion avec le concile des Encénies de 341) ; cf. ATHANASE, *Apol. c. Ar.*, 29, 3 ; 30, 1 ; *epist. syn. orient. Sardic.*, *ap.* HILAIRE, *frg. hist.*, III, 8, *CSEL* 65, p. 54-55, *constituto iam in eius loco* (Alexandrie) *ex iudicio concilii sancto et integro sacerdote*. La date exacte n'en est pas connue, hiver 338-début 339 (avant mars).

2. A partir de 338 à cause de la guerre perse, cf. *supra*, p. 85, n. 1 et DAGRON, *Constantinople*, p. 81 et n. 1. Un certain nombre d'évêques orientaux prennent l'habitude de se rassembler autour de l'empereur en un « synode permanent » (v. J. HAJJAR, *Le synode permanent dans l'Église byzantine des origines au XIe s.*, Rome 1962).

3. *Hist. Ar.*, 9, 3 et 10, 1, cf. 51, 3. Cf. *supra*, p. 83, n. 3. Philagrios était déjà préfet d'Égypte lors de l'enquête en Maréote menée par les Eusébiens en sept. 335 pour instruire le dossier de l'accusation. Sur sa carrière, v. *infra*, éd. *Index ad a.* 336, p. 283, n. 17.

4. C. VANDERSLEYEN, *Préfets d'Égypte*, p. 15-16 ; J. LALLEMAND, *L'adm. civile de l'Ég.*, p. 243. Cette procédure de nomination en cours d'année n'a rien d'exceptionnel, *ibid.*, p. 125-128 et pour d'autres exemples au temps d'Athanase, avant et après Philagrios, p. 14-19. Ce qui l'est davantage c'est l'itération : mission de confiance oblige !

5. *Encyclique* 2, 1-2.

6. *Supra*, p. 82-83. Sur ces événements, outre l'*encyclique*, *Apol. c. Ar.* 30 et 33 (lettre de Jules aux Orientaux), cf. *Index* des Lettres festales *ad a.* 339, *Hist. Ar.* 9-14.

Il est clair que l'ensemble des événements que nous venons de rapporter succinctement n'auraient pu trouver place entre novembre 338 et mars-avril 339. De plus l'on comprendrait mal, toujours dans l'hypothèse d'un retour en 338, qu'Athanase ait mis plus de dix-sept mois à rentrer à Alexandrie[1]. Nous avons déjà rendu compte des décalages chronologiques de l'*Index* et de la dixième *Lettre festale* pour 338, à laquelle a été rattaché par erreur un morceau de celle de 337[2]. Nous pensons avoir ainsi définitivement réfuté l'argumentation qui s'appuie sur ces deux documents pour dater de 338 le retour du premier exil.

Le troisième exil

L'impérial protecteur d'Occident disparu — Constant est tué le 18 janvier 350 —, l'hostilité des évêques orientaux contre Athanase se donne à nouveau libre cours. Depuis la réunion d'Arles en 353, où la condamnation de l'évêque d'Alexandrie est exigée des évêques occidentaux, ce dernier n'occupe plus le siège de la capitale égyptienne qu'en sursis. Le 8 février 356, il doit fuir d'Alexandrie devant les troupes du *dux* Syrianus. L'Histoire pourtant ne se reproduit qu'en apparence. L'*Histoire « acéphale »*, secondée par l'*Index*, permet d'établir les étapes qui ont conduit à ce troisième exil. Elle fournit en effet une chronologie précise des faits suivants :

1, 7 (= *Ba* 3) : 19 mai 353, envoi par mer d'une mission alexandrine auprès de l'empereur Constance à Milan, conduite par Sérapion de Thmuis.

---

1. La comparaison avec le retour du second exil où Athanase attendit plus d'un an pour s'exécuter (v. DAGRON, *o.c.*, p. 428, n. 2) ne se justifie pas : la situation politique est en effet tout à fait différente et Athanase a tout lieu de craindre un mauvais coup de la part de Constance.

2. *Supra*, p. 71 et n. 3.

1, 8 (= *Ba* 3) : 23 mai 353, arrivée d'un fonctionnaire impérial, Montanus, chargé de remettre à Athanase une convocation au palais.

1, 9 (= *Ba* 4) : août 355, mission du notaire Diogénès pour obliger l'évêque à quitter la ville.

4 sept. 355, attaque de l'église.

23 déc. 355, échec et départ du notaire.

1, 10-11 (= *Ba* 5) : 6 janv. 356, entrée des troupes du *dux* Syrianus accompagné du notaire Hilarius à Alexandrie.

8/9 févr. 356, attaque de nuit de l'église de Théonas ; fuite d'Athanase.

Pour prendre tout son sens, ce déroulement des faits doit être mis en rapport avec les événements extérieurs qui les expliquent, mais qui ne figurent pas dans l'*Historia*. La confrontation avec les écrits apologétiques d'Athanase et les « histoires ecclésiastiques » plus tardives y aideront. Toutefois ce n'est pas le lieu de retracer l'histoire de la politique religieuse des années 350-361, Constance une fois devenu l'unique maître de l'empire. Que cette politique ait consacré la rupture entre l'Orient et l'Occident déjà sensible à Sardique, l'*Histoire*, qu'on ne peut décidément plus appeler « acéphale », *de la vie d'Athanase* en est un témoignage éloquent. L'unité politique recréée consacre la défaite de l'union religieuse dans l'empire. Athanase isolé, sans plus rien attendre d'un Occident tout entier aux mains d'un empereur manipulé par ses ennemis, s'enferme désormais en Égypte.

La mission alexandrine qu'il envoie à la cour en 353 avait pour objet de le défendre devant l'empereur contre les accusations reprises (sans doute dès 347) par les Orientaux. Les évêques égyptiens furent-ils même reçus par l'Auguste ? Le dossier était jugé d'avance, les formes n'avaient même plus besoin d'être respectées depuis que l'accusé avait perdu ses derniers appuis politiques. Ce fut un échec, explicite l'*Index*. Un édit impérial obligeant à le

condamner est présenté aux évêques occidentaux réunis à
Arles à l'occasion des *tricennalia* fêtés à la fin de la même
année. Ces évêques sont invités à reconnaître, à sa place,
Georges de Cappadoce et à le faire en union avec leurs
collègues orientaux ainsi qu'à souscrire à une formule de
foi subtilement hérétique[1].

La lettre impériale apportée par Montanus en mai 353
est-elle une convocation à cette même réunion d'Arles ?
Athanase, qui en fait également état dans sa défense
(*Apol. ad Const.* 19-21) comme d'un faux fabriqué par ses
détracteurs, dément avec force qu'elle ait contenu le
moindre ordre de Constance. De toute manière, l'évêque
d'Alexandrie n'est nullement décidé à retourner en Italie,
désormais à la botte de ses ennemis. Quitter l'Égypte
serait non seulement priver son peuple d'un pasteur, mais
encore un véritable suicide. L'exemple de Paul de Constantinople, récemment étranglé par ses geôliers dans la prison
de Cucuse, demeure dans sa mémoire (*Hist. Ar.* 7)[2]. Aussi
l'évêque, tel un renard des sables, se retranche-t-il à partir
de ce moment dans le seul bastion qui lui reste, son peuple,
sa terre.

Quand, vingt-six mois plus tard, le notaire Diogénès
entre à Alexandrie, il a pour mission de faire appliquer
l'édit de Milan : « il usa de menaces sur tout le monde pour
obliger l'évêque à quitter la ville », précise l'*Historia*,

1. Sulpice Sévère, *Chron.*, II, 39. V. M. Meslin, *Les Ariens d'Occident, 335-430*, Paris 1967, p. 77, et la critique de K. M. Girardet,
« Constance II, Athanase et l'édit d'Arles (353) », dans *Politique et
Théologie chez Athanase d'Alexandrie*, coll. *Théol. hist.* n° 27, Paris
1974, p. 63-91.

2. V. *supra*, p. 46, n. 2. La lettre de Constance, écrite après la
mort de son frère en 350 pour rassurer l'évêque son protégé, fait
directement allusion aux menaces que faisait alors peser sur lui le
préfet du prétoire Philippe, celui qui mit fin aux jours de Paul,
Hist. Ar. 51, 4. Athanase ne se rendit pas plus au synode romain
convoqué par Libère (v. C. Pietri, *Roma Christiana*, Paris 1976,
p. 239-240).

« pour s'en prendre à l'évêque », dit l'*Index*. Ceci invite à
proposer pour le concile de Milan une date antérieure au
mois d'août 355, date d'arrivée du notaire[1]. Sans le témoignage de l'*Historia*, nous n'aurions rien su de cette première
tentative, opérée le 4 sept., pour s'emparer de l'évêque par
la force dans son église, coup manqué grâce à la résistance
populaire, explique-t-elle, mais sans doute aussi à l'insuf-
fisance des effectifs stationnés au camp de Nikopolis à
l'est d'Alexandrie. Seules les légions des quatre provinces
qui se partagent le territoire égypto-libyen, sous la conduite
du *dux* Syrianus et du notaire Hilarius auront, quelques
mois plus tard, raison de la ville[2]. Athanase donne deux
versions de ces événements. Dans la première, écrite dès
356, il feint de nier l'ordre impérial apporté par les notaires
Diogénès et Hilarius, auquel il oppose avec l'énergie du
désespoir une lettre antérieure de Constance l'assurant qu'il
peut conserver sans crainte son siège malgré la mort de
son frère Constant (*Apol. à Constance* 22-23)[3]. Ultime
effort pour fléchir l'intraitable adversaire ? Dans la
seconde, d'un an postérieure, le ton, on le sait, n'est plus
le même. Athanase ne cherche plus à nier l'évidence, il
attaque. Les lettres impériales peuvent alléguer « le
jugement des évêques » (*Hist. Ar.* 52, 2), elles démasquent
l'autorité arbitraire de leur auteur, dénonce-t-il (*ibid.*
49-50), découvrant brutalement, à ses dépens, l'intérêt de
la séparation des deux pouvoirs (*ibid.* 52, 3). Et il renvoie
aux mesures d'exécution de l'édit : la première a trait au
blé de l'annone qui depuis Constantin sert à la subsistance
de l'Église ; le préfet Maximus est chargé de le retirer à

1. S. Sévère, II, 39 et Jérôme, *Chron. ad a.* 355, n'indiquent que
l'année. L'*Historia* permet de proposer le début de l'été.
2. Pour plus de précisions nous renvoyons aux notes de l'édition,
infra.
3. Elle est évoquée dans l'*Index ad a.* 350.

l'évêque et de le donner aux Ariens (*ibid.* 31, 2)[1]. La seconde concerne l'expulsion d'Athanase : c'est au *dux* Syrianus et à ses troupes, secondés par les deux notaires, que revient cette tâche (*ibid.* 48, 1-2)[2]. La troisième a pour objet de donner les églises aux Ariens et de recevoir le nouvel évêque Georges ; c'est le comte Heraclius qui l'affiche[3] à Alexandrie. Le peuple et les magistrats de la ville sont invités à collaborer avec les autorités civiles et militaires, des sanctions seront prévues en cas de désobéissance : exil pour les magistrats municipaux, suppression des distributions de pain à la plèbe et menace aux païens de détruire leurs lieux de culte (*ibid.* 54). Enfin, d'Alexandrie la répression est étendue un peu plus tard à l'ensemble de l'Égypte et de la Libye par les soins du nouveau *dux*, Sebastianus (*ibid.* 72, cf. *Apol. ad Const.* 27 ; *Apol. de fuga* 7).

La fuite d'Athanase n'a pas rendu la tâche des autorités plus facile à Alexandrie. Ses partisans en effet s'accrochent au terrain et continuent d'occuper les églises. Les autorités civiles et militaires qui ont échoué dans leur mission sont sanctionnées : en juin 356, Cataphronius a remplacé Maximus à la préfecture d'Égypte et Sebastianus succède au *dux* Syrianus. Et après Montanus, Diogénès et Hilarius, l'empereur est obligé d'envoyer sur place, pour la troisième fois en dix mois, un nouveau délégué, le comte Heraclius.

1. Maximus est préfet en 355 et jusqu'en juin 356 d'après l'*Index* des Lettres festales. Il n'est pas cité par l'*Historia* 1, 10, bien qu'il ait été présent et témoin des événements de janv. et févr. 356, cf. ATHANASE, *Apol. ad Const.* 22 et 24, *Hist. Ar.* 81, 5 et 11. Sans doute n'a-t-il pas directement participé à l'attaque de l'église de Théonas. Sur l'édit lui-même, v. notre art. « L'Église et la khôra égyptienne au IVe s. », dans *Rev. Ét. Aug.*, 1979, p. 23 et n. 126-127, dont il faut corriger la date erronée de 351 en 355.

2. L'*Historia* permet de la dater (v. *supra*), ainsi que la seconde protestation du clergé d'Alexandrie rédigée le 12 févr. 356 et dénonçant les événements du 9 (*Hist. Ar.* 81).

3. Datée là encore par l'*Historia*, v. *infra*.

C'est ainsi, nous semble-t-il, qu'il faut interpréter les indications prosopographiques fournies par l'*Historia* et par Athanase. Ce n'est pas un des moindres intérêts de l'*Historia* que de montrer cette résistance populaire se concrétisant autour des églises :

2, 1 (= *Ba* 6) :	févr. à juin 356,	occupation des églises par les Athanasiens.
	10 juin,	entrée du préfet Cataphronius et du comte Heraclius à Alexandrie.
2, 2	: 14 juin,	les Athanasiens sont chassés des églises.
	15 juin,	celles-ci sont livrées aux partisans de Georges.
	24 février 357,	arrivée de Georges à Alexandrie.
2, 3	: 29 août 358,	attaque de l'église de Denys par les Athanasiens.
	2 oct.,	Georges est chassé d'Alexandrie.
2, 4	: 11 oct.,	les Athanasiens réoccupent les églises.
	24 déc.,	arrivée du *dux* Sebastianus, expulsion des Athanasiens, réoccupation des églises par les partisans de G.

Athanase a longuement raconté la manière dont les autorités présentes à Alexandrie, le comte Heraclius en tête[1], avaient pris possession des églises. Les scènes de violences et de déprédations qu'il décrit se sont déroulées

---

1. Il est accompagné non seulement du nouveau préfet, Cataphronius, venu prendre ses fonctions en même temps que lui, mais encore du *katholikos* Faustinus qualifié d'« hérétique » en la circonstance (*Hist. Ar.* 55, 2). La présence de ce dernier peut s'expliquer, outre ses convictions personnelles, par les fonctions financières qu'il exerce : les biens confisqués au profit du trésor sont en effet gérés par lui, v. J. LALLEMAND, *L'administration civile de l'Égypte...*, p. 84-87. Enfin, le *dux* Sebastianus apporte aussi son concours (*ibid.* 59, 1).

dans la « grande église » un vendredi, précise-t-il (*Hist.Ar.*
55,2), le 14 juin (cf. *supra*). L'*Apologie pour sa fuite* 6
apporte, de plus, un complément d'information sur les
événements qui suivirent l'entrée de Georges à Alexandrie
et sur lesquels, curieusement, l'*Historia*, dont le récit est
pourtant entièrement centré sur la capitale égyptienne,
ne dit mot. Toutefois la chronologie ne peut en être fournie
que grâce à elle qui, seule avec l'*Index*, indique la date
d'arrivée du Cappadocien (cf. *supra*), ce qui autorise la
reconstitution suivante : 24 février 357, Georges est à
Alexandrie, un mois avant Pâques qui, cette année-là, est
célébrée le 23 mars ; dès le lendemain de la fête, les partisans
d'Athanase sont pourchassés dans toute la ville ; et le
jour de l'octave de la Pentecôte, le dimanche 18 mai,
réunis, faute d'églises, près du cimetière à l'ouest de la ville,
ils sont brutalement dispersés par le *dux* Sebastianus et
ses troupes (cf. *Apol. ad Const.* 27). L'évêque « recherché
dans toute la ville » depuis sa fuite la nuit du 8 février 356,
a choisi la clandestinité grâce aux multiples complicités
dont il sait pouvoir disposer. Après avoir quitté Alexandrie
quelque temps pour le désert[1], il se cache à nouveau dans
la ville, si l'on en croit le témoignage de l'*Index*, en 357 et
358. C'est durant ces deux années que la répression s'étend
à l'ensemble du pays, visant particulièrement le clergé
resté fidèle à l'évêque ; elle est menée par le même *dux*
Sebastianus (*Hist.Ar.* 72). Et c'est à cause de l'absence de
ce dernier que le peuple d'Alexandrie put envahir l'église
de Denys où, le samedi 29 août, officiait Georges (cf. *supra*).
L'évêque hétérodoxe ne fut pourtant pas, malgré l'*Historia*
et l'*Index*, « chassé d'Alexandrie après... l'émeute ». La
police préfectorale veillait sur sa sécurité. Il quitta la ville
plus d'un mois plus tard pour se rendre à Sirmium rejoindre
les membres de la commission chargée d'élaborer le
« pro-schéma » qui devait être prochainement soumis aux

---

1. *Apol. ad Const.*, 27.

conciles de Rimini et de Séleucie[1]. Les Athanasiens en profitèrent pour récupérer les églises, avant d'en être à nouveau chassés par le *dux* Sebastianus, la veille de Noël 358. La répression devait s'abattre à nouveau sur la ville quelques mois plus tard, en juin 359, et le notaire Paul, de triste mémoire, en être le bras (2,5 = *Ba* 6).

Athanase avait mis l'accent sur l'ampleur sans précédent de la persécution décidée par un empereur chrétien. Les faits rapportés se déroulent comme un torrent de malheurs et d'horreurs qui submerge Alexandrie et l'ensemble du pays, toutes les autorités devant pourchasser l'évêque proscrit et ses partisans. Le récit, postérieur, de l'*Historia* est celui de la résistance populaire dans la capitale, face à un adversaire imposé du dehors qu'elle finit par abattre (2, 8-9 = *Ba* 8). Les témoignages non égyptiens (de Julien à Socrate) mettent en lumière le rôle fondamental joué par les païens dans le massacre de Georges[2]. Ce sont eux qui ont eu l'initiative. Le zèle de l'évêque hétérodoxe à débarrasser la cité des dieux de ses idoles — annonçant celui de l'illustre Théophile — n'a d'égal que son acharnement à persécuter les fidèles d'Athanase. Les chrétiens ne firent rien pour le défendre, écrit Ammien (XXII, 11, 10), y compris sans doute ceux qui en se soumettant à son autorité n'avaient fait que céder à la peur.

En Égypte, Athanase se sait en sécurité. Si l'*Historia* demeure silencieuse sur ses déplacements clandestins durant son troisième exil, l'*Index* ainsi que certains témoignages de caractère hagiographique aident à en repérer la trace. Ses fréquentes navettes entre Alexandrie et le désert, où les monastères sont autant de caches, lui permettent de brouiller les pistes et de déjouer les coups de filet de la police. Ainsi en 360, le *dux* Artemius chargé

---

1. V. *infra*, n. 50 de l'édition. Sur les préliminaires des deux conciles, M. MESLIN, *Les Ariens d'Occident...*, p. 80.

2. V. *infra*, n. 63 de l'édition.

de l'arrêter arrive... trop tard dans la modeste maison qui sert de cellule à la vierge Eudémonias aux environs d'Alexandrie. L'évêque a eu le temps de fuir, sa complice n'en est pas moins torturée, sans résultat (*Index ad a.*, cf. Sozomène, V, 6). Une autre fois, le même Artemius, le croyant caché au monastère de Phbôou (Pabau), remonte le Nil à sa poursuite, investit de nuit le monastère, perquisitionne, en vain[1]. Athanase est déjà redescendu à Alexandrie. Et c'est à nouveau du désert qu'il ressurgit pour rentrer dans son église après la proclamation de l'édit de l'empereur Julien, le 21 février 362[2].

Le quatrième exil

On sait que Julien, qui commença par rappeler tous les évêques exilés par Constance (édit affiché à Alexandrie le 9 février 362, *Historia* 3, 2 = *Ba* 10), interdit à nouveau à Athanase de demeurer dans la cité d'Alexandrie (*ep.* 110)[3]. Le changement de préfet survenu entre février et juillet ou septembre 362 n'est sans doute pas étranger à l'appli-

---

1. *Vies coptes* de Pakhôme, § 185 (éd. Lefort, p. 197), *Vie grecque*, § 137-138 (éd. Festugière, p. 235), qui est seule à préciser que l'épisode se déroule sous Constance. Lefort (p. 199, n. 7) a émis des doutes sur le nom de l'empereur, soulevant une controverse avec D. J. Chitty qui, dans « Pachomian sources reconsidered », *The Journal of Eccl. History*, 5, 1954, p. 42, défend la supériorité de la Vie grecque, ce que conteste L. Lefort, dans *Le Muséon*, 67, 1954, p. 217-229. Cet épisode est à l'origine du récit remanié qu'en donne Rufin, I, 35, repris par Socrate, III, 14 et Sozomène, IV, 10, qui le situe, à tort, sous Julien. Rufin a en effet substitué au nom de Théodore qui figure dans les vies de Pakhôme celui d'Athanase ; l'évêque, qui n'apparaît pas dans le récit pakhômien, nargue le *dux* et ses sbires, ce qui corse celui de Rufin.

2. 3, 3 (= *Ba* 10), il lui faut douze jours pour être à Alexandrie.

3. V. *infra*, édition note 84. La lettre est écrite d'Antioche où Julien réside à partir de juillet 362.

cation de cette nouvelle décision[1]. L'interdit, accompagné
de la menace d'une amende de 100 livres d'or pour les
autorités responsables, fut étendu à l'Égypte tout entière
après que les Alexandrins lui aient envoyé une pétition
demandant son rappel (*ep.* 111). Athanase, déjà banni
d'Alexandrie, doit avoir quitté le territoire égyptien
avant le 1er décembre, le nouvel empereur, païen, ne
supporte pas que « ce misérable ait osé sous son règne
baptiser des femmes grecques de distinction » (*ep.* 112)[2].

L'*Historia* ne fait référence qu'au premier édit, apporté
par Pythiodorus, le messager de Julien, le 24 octobre 362,
« ordonnant à l'évêque de s'éloigner d'Alexandrie », lequel
obtempéra sur-le-champ (3, 5 = *Ba* 11)[3]. Mais avec
l'appui de l'*Index*, elle permet de constater la mise en
application du second. D'Alexandrie, l'exilé gagne Chairéon
d'où il s'embarque pour la Thébaïde.

« Pourchassé » par la police « de Memphis à Thèbes »,
il trouve refuge dans les monastères de la région d'Hermopolis et d'Antinoé (4, 3 = *Ba* 13, *Index ad a.* 363).
C'est de là qu'il envoie sa lettre festale pour 363, et à

---

1. V. *infra*, note 86 de l'édition. L'*ep.* 107 de Julien, adressée à
Ecdicius Olympus, est écrite d'Antioche, sans date ; la suivante,
108, est du 20 sept. 362.

2. Ce qui laisse entendre qu'Athanase a célébré la Pâque à
Alexandrie le 31 mars 362, un mois après son retour.

3. Contrairement à ce qu'ont affirmé J. Bidez, *Iuliani imperatoris
epistulae et leges*, Paris 1922, p. 173, C. B. Armstrong, « The Synod
of Alexandria and the schism at Antioch in 362 », dans *J.Th.S.* 22,
1921, p. 206-221 et 347-357, et W. Ensslin, « Kaiser Julians Gesetz-
gebungswerk und Reichsverwaltung », dans *Klio*, 18, 1922, p. 162.
Pour ces deux derniers, le 1er édit daterait de fin mars 362 et celui
apporté par Pythiodorus serait le second. Nous pensons, avec
O. Seel, « Die Verbannung des Athanasius durch Julian », dans
Klio, 32, 1939, p. 175-188, qu'Athanase a déjà quitté Alexandrie
(comme l'atteste l'*Historia*) quand le second édit envoyé à Olympus
(*ep.* 112) est publié.

Hermopolis qu'il célèbre la Pâque cette même année[1]. Et c'est encore de là qu'il apprend, par l'édit du préfet Olympus, la mort du païen et l'avènement à l'empire du chrétien Jovien (4, 3). La nouvelle, connue à Alexandrie le 19 août (4, 1 = *Ba* 12), lui parvient avant la fin du mois. Il se rend aussitôt, incognito, dans la capitale, d'où il s'embarque dès le 6 septembre pour Hiérapolis d'Orient où se trouve alors le nouvel empereur qu'il suit jusqu'à Antioche[2]. Il s'agit de doubler de vitesse les évêques d'Orient qui comptent bien tirer profit de la situation pour installer Lucius, le successeur de Georges, à Alexandrie (4,7 = *Ba* 14)[3]. L'opération fut un plein succès : l'évêque put réintégrer en toute sécurité son siège, les pétitions de Lucius et de ses partisans pourtant soutenus par les eunuques de la cour ne sont pas parvenues à influencer la décision impériale[4]. De retour à Alexandrie le 14 février 364 (4,4 = *Ba* 13), il fêta la Pâque, dont il a envoyé la date d'Antioche, au milieu de son peuple.

---

1. Les *Vies de Pakhôme*, coptes, § 200-203 (éd. LEFORT, p. 220), grecque, 143-144 (éd. FESTUGIÈRE, p. 239), font état de la présence d'Athanase en Thébaïde « pour confirmer toutes les Églises dans la foi », au temps de Théodore et d'Orsisios ; A. demande à T. de passer quelques jours à Šmoun (Hermopolis) « parce que les jours de la sainte Pâque approchent ». Il semble que l'on puisse rapprocher ces textes de nos deux documents, v. P. LADEUZE, *Étude sur le cénobitisme pakhomien pendant le IV* s. et la première moitié du V* s.*, Louvain 1898, p. 223.

2. V. *infra*, n. 94, 97 et 99 de l'édition. Jovien est à Antioche en octobre 363 (AMMIEN, XXV, 10, 1).

3. Jovien fut l'objet d'une série de démarches de différents groupes d'évêques, anoméens (qu'il reçoit à Édesse, en sept., PHILOSTORGE, VIII, 6), homéousiens (à Antioche, SOCRATE, III, 25 ; SOZOMÈNE, IV, 4). V. *infra*, note 123 de l'édition. La délégation de Lucius est éconduite par l'empereur, le 31 oct. 363, v. note suivante.

4. V. *supra*, p. 30, et *infra*, note 125 de l'édition.

Le cinquième exil

Une nouvelle fois, la dernière, l'évêque Athanase est contraint de quitter la ville sur ordre impérial, malgré la résistance des chrétiens (5, 1-2 = *Ba* 15). L'édit de Valens du 5 mai 365 renoue avec la politique suivie par Constance après 350. Après cinq mois de tergiversations pendant lesquels le Cesareum fut réoccupé par les chrétiens[1], Athanase, prévenu à temps, retourne dans la clandestinité, plantant là le préfet Flavianus et les sbires du *dux* Victorinus qui, la nuit du 5 octobre, en furent pour leurs frais. Cette nuit-là, en effet, l'église de Denys où il résidait alors, fouillée de fond en comble, était vide (5, 4). Cette fois, pourtant, l'empereur a préféré céder : le notaire Brasidas est envoyé dans la capitale égyptienne pour rendre son siège à l'évêque (5, 6), lequel s'était replié dans une villa de la banlieue. Il est réintronisé avec toute la pompe officielle (5, 6-7 = *Ba* 16), le premier février de l'année suivante.

Ces mêmes autorités civiles et militaires, préfet Tatianus et *dux* Traianus en tête, durent en septembre 367 protéger la retraite de Lucius revenu à Alexandrie pour assurer la succession de Georges (5, 11-12 = *Ba* 18). L'heure n'est pas à imposer de force l'évêque hétérodoxe qui n'a pas bonne presse dans la ville[2] et les autorités savent jusqu'où peut conduire la violence du peuple d'Alexandrie quand elle se déchaîne. C'est que la situation générale a changé. Valens n'est pas seul à régner, et son frère Valentinien, empereur d'Occident, soutient les Nicéens. De plus, depuis l'automne 365, il est aux prises avec

---

1. D'après l'*Index* pour 365 ; v. *infra*, note 93 de l'édition.
2. Les païens se souviennent du zèle de son prédécesseur à détruire leurs lieux de culte ; les Juifs semblent également le rejeter si l'on en croit l'*Historia* 5, 13 (= *Ba* 18).

l'usurpateur Procope[1]. Ainsi mieux vaut pour l'empereur d'Orient que l'ordre règne à Alexandrie.

Alexandrie la violente

L'histoire « acéphale » vient rejoindre les témoignages abondants et connus sur la promptitude de la population alexandrine à se révolter[2]. Population nombreuse et cosmopolite où races et religions se mêlent sans toujours se tolérer. Le petit nombre des « notables » se recrute parmi les propriétaires fonciers, les fonctionnaires et les riches marchands qui fournissent les curiales, responsables sur leurs biens de l'application des édits impériaux[3]. Mais la ville attire surtout à côté des artisans, ouvriers et boutiquiers une masse d'« oisifs » parmi lesquels les fellahin, venus chercher dans l'énorme agglomération l'anonymat et le refuge après avoir abandonné la terre dont ils ne peuvent plus payer l'impôt, côtoient les dockers et les marins réduits au chômage, arrivé l'hiver. La misère suffit à expliquer la réputation « subversive » des Alexandrins tant redoutée des gouverneurs[4]. Philon le savait bien qui, décrivant les massacres des Juifs en 38 ap. J.-C., en rejetait la responsabilité sur « la foule, non pas l'élément calme des honnêtes citoyens, mais cette masse habituée à tout remplir de vacarme et de trouble par goût de l'agitation, par rancœur de son existence invivable et par l'habitude du désœuvrement et de l'oisiveté, une

---

1. V. *infra*, n. 143 de l'édition.

2. Sénèque, *Dial.*, XII, 196 ; Philon, *In Flaccum* 41 ; *Scrip. Hist. Aug.*, *Saturninus*, 8, *Aemilianus* 22, 1-4 ; Ammien, XXII, 11, 4 et 16, 23 ; *Expositio totius mundi*, 37 ; v. A. Calderini, *Dizionario...*, p. 201-203. Cf. les Antiochiens, P. Petit, *Libanius*, p. 245.

3. *Hist.* « *aceph.* » 5, 1 et 2 (= *Ba* 15).

4. *Expositio totius mundi*, 37, « les gouverneurs font leur entrée dans cette ville avec crainte et tremblement, car ils ont peur de la justice du peuple » (trad. J. Rougé, éd. *SC* 124, p. 174).

engeance à mauvais coups[1] ». Cette misère, ferment
d'intolérance et de haine, accentue les clivages entre les
communautés et éclate fréquemment en émeute. Guerres
civiles et pogroms — Grecs contre Juifs, païens contre
chrétiens — ont laissé des traces depuis le premier siècle
et réduit considérablement le nombre des Juifs vivant
traditionnellement dans le quartier *delta*[2]. Avec le triomphe
du christianisme s'ajoutent les déchirements entre chrétiens
dont l'*Historia* est une bonne illustration.

Or quand ces différentes communautés apparaissent
dans l'*Historia*, c'est pour montrer leur unanimité face à
Georges puis à Lucius[3]. Athanase mentionne à plusieurs
reprises au contraire comment les Ariens s'appuyèrent
sur les païens et les Juifs contre ceux qu'il appelle les
chrétiens[4]. L'*Histoire des Ariens* par exemple dénonce
violemment le fait que Constance ait cherché à s'assurer
le soutien des païens (parmi lesquels continue de se recruter
la grande majorité des curiales d'Alexandrie) en leur
garantissant « l'inviolabilité de leurs idoles ». Et la mise à
sac de la « grande église » (l'ancien Cesareum) le vendredi 14 juin 356 fut le fait, dit-il, des païens excités par
les autorités civiles et militaires (54-56), tout comme celle
du baptistère et de l'église de Denys en 339, pour laquelle
ils furent aidés par les Juifs (*Ep. encycl.* 3, 2). Les motifs
de l'animosité particulière des païens contre Georges,

---

1. *In Flaccum*, 41 (trad. A. Pelletier, « Œuvres de Philon » 31,
p. 72-73).

2. Sur l'antisémitisme alexandrin, H. I. Bell, « Antisemitism in
Alexandria », dans *J.R.S.* 31, 1941, p. 1-19 ; A. Tcherikover, *Corpus
Papyr. Jud.*, I, 1957, p. 93-111. Flavius Josèphe faisait état de
100.000 Juifs à Alexandrie de son temps. Il faut attendre la fin du
IIIe s. pour les voir à nouveau en nombre et exerçant des professions
variées.

3. 2, 8-9 et 5, 11-13 (= *Ba* 8 et 18).

4. *Ep. encycl.* 3, 2 (339), *Apol. ad Const.*, 28 (356), *Hist. Ar.*
54 et 71.

attestés par ailleurs[1], ne sont pas mentionnés dans l'*Historia* ; ce sont pourtant eux qui provoquèrent la mort de l'évêque hétérodoxe, dont le récit aurait pu devenir une *passion*.

L'*Index*, de son côté, permet de constater que les païens profitent de la situation de faiblesse dans laquelle se trouve Athanase à la suite de l'édit de Valens en mai 365 pour tenter de reprendre le Cesareum, rendu sous Julien, perdu sous Jovien[2]. C'est à nouveau l'émeute, le temple est incendié, les responsables condamnés et exilés[3].

Ainsi, les événements rapportés dans les deux documents s'inscrivent dans une topographie religieuse de la ville avec ses points chauds : à l'ouest, près de l'ancienne porte de la Lune, l'église de Théonas, au centre, près du port, face au phare, l'ancien temple d'Auguste, protecteur de la navigation, dédié au culte impérial, transformé en église, non sans résistance de la part des païens, et l'église de Denys dont on ignore l'emplacement.

L'objectif apologétique de l'Histoire « acéphale »

L'Histoire « acéphale » est tout entière centrée, nous l'avons vu, autour des trois derniers exils d'Athanase, eux-mêmes liés à la politique religieuse des empereurs. Ce sont les édits impériaux en effet qui y déterminent les départs et les retours de l'évêque, objet d'une compta-

1. Cf. *supra*, p. 96 et n. 2.
2. Cet ancien temple construit sous Cléopâtre, puis dédié au culte impérial par Auguste, avait été transformé en église au temps de Constance (ÉPIPHANE, *Pan.*, 69, 2-3), et baptisé « la grande église » (ATHANASE, *Apol. ad Const.*, 14, *Hist. Ar.* 74, 2, cf. 55, 2), v. A. CALDERINI, *Dizionario*, p. 171-172. En 362 il fut rendu à sa fonction première conformément à l'édit de Julien (*Hist.* « aceph. » 3, 1 = Ba 9 ; *P. Oxy.* 1116, 363). La mort de Julien et le retour d'Athanase au début de 364 durent entraîner la reprise des locaux par les chrétiens qui, en 365, sont dans la place (*Index ad a.* : « nous tenions le Cesareum »).
3. *Index ad a.* 366. Le préfet Flavianus est limogé.

bilité minutieuse. Dans ces conditions, le découpage du texte en quatre ou cinq tranches chronologiques s'impose de lui-même :

1. de 346 à 356, l'empereur Constance commence par rappeler Athanase puis le persécute à nouveau. A l'intérieur de cette période on peut distinguer successivement :

a) le retour d'Athanase le 21 oct. 346,

b) les événements de Constantinople (datés en bloc de 349),

c) à Alexandrie, les missions successives des notaires impériaux, Montanus (353), Diogénès (355) et Hilarius (356) et la fuite d'Athanase ;

2. de 356 à 361 (toujours sous Constance), à Alexandrie pendant l'absence d'Athanase : installation, par la force et malgré la résistance acharnée des Athanasiens, des partisans de Georges puis de Georges lui-même ; son massacre par la population alexandrine à l'annonce de la mort de l'empereur Constance ;

(ces deux premières tranches, qui couvrent la période 346-361, se déroulent sous le règne du même Constance et n'ont été séparées que pour la clarté de la présentation) ;

3. en 362, avec Julien, de nouveaux édits se succèdent : restitution aux temples, rappel des évêques antérieurement exilés, rappel puis nouvel exil d'Athanase ;

4. de 363 à 364, avec le chrétien Jovien, nouveau règlement des affaires religieuses : Athanase rentre officiellement à Alexandrie muni d'un édit impérial, tandis que l'hérésie règne à Constantinople ; pour preuve, la profession de foi anoméenne de Patricius et Aèce soutenus par Eudoxe ;

5. 365-378, le nouvel empereur, Valens, commence par renvoyer en exil les évêques revenus sous Julien — Athanase fuit donc à nouveau malgré la résistance popu-

laire — puis rappelle l'évêque à Alexandrie (mission du notaire Brasidas) où il demeurera jusqu'à sa mort le 3 mai 373.

Quatre empereurs, quatre politiques différentes, déterminées en réalité par des événements extérieurs à l'Égypte, qui ne figurent pas dans le texte et dont l'absence contribue à renforcer le caractère arbitraire des édits dont Athanase, victime, subit les effets. C'est un des aspects qui, joint au ton apparemment neutre, objectif, de la rédaction, en fait un des meilleurs documents apologétiques concernant l'évêque d'Alexandrie. C'est aussi pourquoi il fut joint au dossier demandé par Carthage. Les marques qui le manifestent restent pourtant discrètes : aucun adjectif de louange, point de ces descriptions de retour triomphal[1]. Mais Athanase a, selon les expressions employées au fil du texte, « tout le peuple », « le peuple d'Alexandrie », « tout le monde », « les chrétiens », « la foule des chrétiens » derrière lui. Magnifique unanimité qui se suffit à elle-même ! La vraie force est là, au cœur de la cité, face aux fonctionnaires impériaux, à l'armée, à l'administration, aux « partisans de Georges ». Il est « l'évêque » face à l'intrus dont le nom n'est jamais précédé du titre épiscopal. Et la victoire définitive lui revient. L'arien Lucius, sans édit impérial, sans préfet, sans *dux*, ne peut rien contre l'évêque que tout un peuple reconnaît pour sien. Tout ceci sans doute renvoie implicitement aux accusations lancées à Tyr contre lui et qui déterminèrent l'hostilité tenace d'une bonne partie des évêques orientaux à son égard. La lettre de ces derniers, envoyée de Sardique aux évêques d'Afrique, en est la preuve. Pourtant le principal mobile d'une telle

---

1. Cf. *Index ad a.* 338, « il revint *triomphalement* » ; 346, « il fut jugé digne d'une *réception triomphale* avant le centième mille... » ; Grégoire de Nazianze, *Or.* 21, 29, compare le « triomphe » fait par le peuple à Athanase après son troisième exil (362) à celui de Jésus à Jérusalem le jour des Rameaux.

« Histoire ecclésiastique », dont l'*Historia* n'est qu'un élément, en cette fin du IVe siècle, n'est plus tant la défense d'Athanase qu'à travers elle, celle de la primauté de l'Église d'Alexandrie en Orient face à Antioche et surtout à Constantinople, primauté justifiée par son combat ininterrompu et victorieux contre l'hérésie arienne. Commencée avec Pierre contre Mélitios, achevée avec Pierre, successeur d'Athanase, ne constituait-elle pas le meilleur témoignage que Cyrille pouvait envoyer à Carthage ?

Du *Liber Pontificalis*, L. Duchesne, en 1877, écrivait qu'il était « le premier essai d'histoire pontificale qui ait jamais été tenté », en dehors de listes épiscopales ne comprenant que des noms et des dates plus ou moins exactes[1]. Nous pouvons dire, à notre tour, de l'Histoire « acéphale » — témoignage le plus ancien sur la vie d'Athanase, lui-même inscrit dans une « Histoire ecclésiastique » remontant au premier évêque martyr, Pierre — qu'elle marque, un siècle et demi plus tôt, la naissance de l'Histoire d'une Église, celle d'Alexandrie.

1. *Étude sur le Liber Pontificalis*, Paris 1877, p. 213.

CHAPITRE III

LES CARACTÉRISTIQUES LINGUISTIQUES DU MANUSCRIT
DE VÉRONE

L'*Histoire* « *acéphale* », traduction latine d'un clerc africain du début du vᵉ siècle, a fait l'objet, au viiᵉ ou au viiiᵉ siècle, à Bobbio ou à Vérone, nous l'avons vu, d'une recension manuscrite unique sur huit folios (105a-112a), celle du *codex Veronensis* LX, copie en une très belle onciale par le diacre Théodose. Aucune étude linguistique n'en a encore été faite. La nature même de cet écrit, dénué de tout caractère littéraire, et de ceux qui l'entourent explique sans doute cette lacune. Nous n'avons pas voulu donner ici une édition diplomatique, mais seulement une édition critique qui permette au lecteur non habitué aux manuscrits latins de se faire une idée précise du texte tel qu'il se trouve dans le codex.

1. Phonétique et orthographe

Nous ne reviendrons pas sur les fameux « pièges de l'orthographe tardive », « en ces siècles où l'on reste fidèle aux théories orthographiques de la grammaire traditionnelle, mais où la pression de la langue parlée rend les scribes de moins en moins aptes à observer ces règles[1] ». Rédigé en grec par un clerc alexandrin, traduit en latin par un Africain dont la culture ne devait pas être inférieure à celle d'un honnête clerc de presbyterium, notre texte reflète à la fois le latin dit classique des écoles et celui de la langue parlée dans l'Afrique de S. Augustin.

---

1. Fontaine, p. 86-87. (Bibliographie et abréviations des principaux ouvrages cités dans cette étude figurent à la fin du chapitre III, p. 122 s.).

L'altération   particulière   aux   différentes   voyelles

E/AE : E est régulièrement employé pour *ae* (qu'on ne
rencontre que deux fois et dans deux noms propres,
Italiae et *Caesare*), ceci en toute position, initiale
(prĕceptum, pēne, quĕrentes, ĕruginem, Cĕsaris),
dans les syllabes finales de désinence (génitif et
datif singuliers, nominatif pluriel) de la première
déclinaison, dans les noms propres d'origine grecque
(Egyptum, Chereon, Niceni, αι < *ae* > *e*). Le phénomène, qui remonte au premier siècle, s'explique par
l'absence de distinction entre les sons qui leur
correspondaient[1].

E/I : E se trouve à la place du *ĭ* dans *ostea*[2] et dans
le nom propre *Neuette* ; il se substitue au *ī* dans
defenitioni[3] et dans l'abl. *sequente* (seul cas sur cinq
occurrences de cet ablatif)[4].

I/E : I se trouve dans la syllabe initiale *(Triberis)*[5],
dans la syllabe tonique *(albidinem, dirixit,* une fois
sur deux occurrences[6], *Cesarium),* dans la syllabe
finale de désinence *(similis* pour *similes,* cas unique)[7].

O/U : *Ŭ* a laissé la place à o exceptionnellement dans
l'adverbe *nocto/noctū* (une occurrence), dans *nontia-
uit/nūntiauit* (une sur quatre)[8] et dans *consolato/*

---

1. *Id.,* p. 90, VÄÄNÄNEN, § 59 ; VIELLIARD, p. 38. Il en est de
même de *œ/e* dans *Armenia* transcrit *Armœnia* par le copiste (1, 4 =
Ba 2).

2. Cf. *Appendix Probi,* 61, *ostium non osteum* (BAEHRENS, p. 6).

3. A rapprocher de *defenita/defīnīta,* où l'*ī* antétonique, suivi de *ī*
tonique, s'affaiblit en *e* (VIELLIARD, p. 29 ; LÖFSTEDT, p. 66).

4. BONNET, p. 106 ; FONTAINE, p. 106.

5. Ce cas doit être considéré à part, car il s'agit d'une transcription
littérale du grec Τριβέροις ; cf. ATHANASE, *Apol. ad Const.* 15, ἐν
Τριβέροις, et SOCRATE, *H.E.* I, 35, ἐν Τριβέρει.

6. LÖFSTEDT, p. 22-28 ; BONNET, p. 107.

7. LÖFSTEDT, p. 39, la confusion des timbres en syllabe atone
entraîne ici une confusion entre les cas.

8. Forme ancienne, cf. *CIL,* I², 586, cité par ERNOUT et MEILLET,
Dict. étymol. de la langue latine, Paris, 4e éd. 1959, p. 451-452.

consolatū (deux sur huit occurrences dont deux en
-*u* et quatre confusions de cas), l'ablatif de la
quatrième déclinaison étant partout ailleurs respecté ; plus qu'une confusion avec celui de la deuxième
déclinaison, comme cela se produit assez fréquemment en latin tardif, cette transformation est sans
doute appelée ici par celle du *ŭ* en *o* fermé qui la
précède dans le même mot. *Ŭ* cède la place à *o*
en effet devant le *l* à influence ouvrante dans
consolatus, consoluisse[1], ainsi que dans quelques
syllabes finales de désinence où -*os* est employé
pour -*us* dans *populos/populus* (deux fois sur sept
occurrences), *annos/annus* (unique occurrence), et
-*om* pour -*um*, dans *preceptom* (une occurrence
sur les six) et *deducendom* (un seul emploi), ceci
pouvant entraîner des confusions de cas comme dans
post consolato < post consolatom < -um, et *omnis
populo < -os < -us*[2]. Comme on peut le constater,
aucune de ces graphies n'est toutefois systématique.
Sur les onze occurrences de *consolatus* (à tous les
cas), on compte neuf *consolatus* et deux *consuolatus*
(métathèse pour -*ou-*?) manifestant l'hésitation
entre les deux graphies, tandis que les trois occurrences de *consulibus* ont au contraire respecté
l'orthographe traditionnelle.

U/ŏ   :   On rencontre une fois (sur trois occurrences)
Constantinupolis au lieu de *Constantinŏpolis* et
deux fois (sur deux) la forme adjectivée *Constantinupolitanus* pour *Constantinŏpolitanus* sans doute
sous l'influence du grec ου > *u* ; et de même une
fois (sur trois occurrences) *mensure*, nom de mois
égyptien, pour *mensore*.

I/Y   :   Cette transformation ne concerne que la transcription des noms propres d'origine grecque sur
laquelle on note, comme c'est souvent le cas chez
les auteurs latins, une certaine hésitation[3]. Ainsi

1. BONNET, p. 133.
2. 1, 10 (= *Ba* 5) et 2, 9 (= *Ba* 8), LÖFSTEDT, p. 89-94 et 226-233.
A noter la conservation, au contraire, du *u* de la syllabe intérieure,
populus, dans les treize occurrences du mot.
3. FONTAINE, p. 107-108, en donne l'exemple chez Isidore.

on trouve *Dionisios* (une occurrence sur trois), *Egiptus* (trois sur quatre). Mais on rencontre aussi le cas inverse du *y* employé au lieu du *i* dans *methyr* pour *methir*, autre nom de mois égyptien (quatre sur douze occurrences) ; le cas de *Lybiam* pour *Libyam* peut être dû à une simple inversion des voyelles, assez fréquente encore aujourd'hui.

Signalons enfin l'emploi, unique, du *e* prothétique dans *espiritu* abrégé en *epu* (5, 13 = *Ba* 18).

Les consonnes

L'affaiblissement en position faible à la fin d'un mot, phénomène fort ancien[1], a entraîné soit la disparition de la consonne, c'est le cas du *t* (dans *post, et*) une fois sur de nombreuses occurrences, à la troisième personne du singulier de quelques verbes *(est, domuit, ueniret, transmisit, suscripsit)*, du *m* de l'accusatif des première et troisième déclinaisons, bien que dans certains cas il puisse y avoir confusion grammaticale ou perte simplement du tilde[2], du *s* (dans *Brasidas*, dans les finales de désinence *annos, annis, litteras, menses, ciuitatis, populos*), du *h* (accidentellement dans le cas du mois égyptien *toth*, une fois sur six occurrences), du *d* (dans la préposition *ad* quand elle précède un mot commençant lui-même par un *d* comme *diem*[3] ; soit le remplacement de la sonore *d* par la sourde *t* dans *aput/apud* (douze occurrences sur douze)[4].

Autres cas d'affaiblissement : la transformation par assimilation de degré du *m* en *n* devant le *d*

1. BONNET, p. 150.

2. HOPPENBROUWERS, p 5 ; LÖFSTEDT, p. 226-233.

3. 2, 8 (= *Ba* 8), c'est bien ainsi en effet qu'il faut lire *usque ad XXVII* du ms., pour *ad diem XXVII* et non *ad XXVII* comme l'ont fait nos précédesseurs. Un autre cas d'amuissement, devant le *p*, peut également être relevé, *a predictam uillam* (5, 7 = *Ba* 16). Ils demeurent toutefois exceptionnels (2 sur 23 occurrences), v. VÄÄNÄNEN, § 132.

4. Ce phénomène, attesté dès la fin de la République, s'accentue sous l'Empire (FONTAINE, p. 97 ; VÄÄNÄNEN, § 72).

dans *eundem/eumdem* (unique occurrence), devant
le *p* dans *senpiternum/sempiternum (id.)* et devant
le *q* dans *tanquam/tamquam* (une occurrence sur
deux)[1] ; la disparition des occlusives *c* dans *multa/
mulcta* et *p* dans *simithium* pour *psimithium*[2],
ainsi que du s dans *ospitium* écrit *opitium*, de même
qu'à l'intérieur du groupe des trois consonnes *exs*
dans *exspectantibus* écrit *expectantibus*[3] et du *n*
dans *adstrixit* pour *adstrinxit*, forme analogique
non classique du supin *adstrictum*[4], *ingrederetur*
pour *ingrederentur*[5] et dans les formes *faciēs* pour
faciens, *secūdi/secundi*[6]. La substitution de consonnes
simples aux consonnes doubles, et inversement, est
un phénomène également fréquent : on relève ainsi
quantité de fausses omissions comme dans *apellantur, interpelare, combuserunt, posidet, Salustio,
Loliani, Catulino*, et, inversement, des redouble-
ments abusifs du *r (arriana)*[7], du *m (nicommedensem,
immago, consummetur, commitatum, commeditur),*
du *s (occassione, propossite, Cessaris, intermissimus)*
(forme analogique du supin), du *d (addo/a deo)* et
du l dans *Illarius/Ilarius*. Si dans certaines positions
le *n*, nous l'avons vu, disparaît, il peut aussi être
ajouté, à tort, ainsi dans *mensore* au lieu de *mesore*,

---

1. Bonnet, p. 153, sauf *senpiternum* rencontré nulle part ailleurs,
fantaisie orthographique du copiste n'impliquant pas de différence
dans la prononciation.

2. Mot d'origine grecque, cf. *sallentium* et *salterium*, signalés chez
Grégoire de Tours (Bonnet, p. 151).

3. Employé ici dans son sens classique, « attendre ». Sur cette
simplification graphique, Fontaine, p. 96. Cf. *exē/ex se* utilisé deux
fois (4, 6 = *Ba* 13 *bis*).

4. Cf. Grégoire de Tours, *Vit. patr.* 8, 6, *adstrixerant*, cité dans
TLL, s.v., II, col. 960, 1.

5. 2, 1 (= *Ba* 5), ce cas cependant peut s'expliquer par l'accord
avec le sujet le plus rapproché (cf. *infra*, p. 118, n. 6), nous l'avons donc
respecté dans notre édition.

6. 4, 6 (= *Ba* 13 *bis*), 5, 8 (= 17) ; sur ce trait fréquent en latin
vulgaire, Väänänen, § 121 ; Bourciez, § 56 *a* ; Löfstedt, p. 121.

7. Cinq fois sur les cinq occurrences de ce mot ; la forme est très
courante aux IVe et Ve s., v. *TLL, s.v.*, col. 508, 5-34. Sur ces phénomènes de gémination, Löfstedt, p. 164-165.

peut-être appelé par la proximité de *mense,* qui ne
se prête jamais ici à la transformation inverse
pourtant fréquemment signalée dans le latin tardif[1],
et dans deux formes verbales *ducerentur/duceretur* et
incusabant/incusabat, quoique dans ce cas il puisse
s'agir d'un accord avec un sujet collectif[2].

Également pratiquée, la permutation entre les
trois groupes de consonnes, fortes, aspirées et douces,
t/d, dans *aput* déjà signalé, *u/b* à l'intervocalique
dans *liueratus* et *uocauatur, b/u* dans *connibentes*[3]
et *Triberis*[4]. On relève encore la chute du *h* initial,
qui n'était déjà plus qu'un simple signe graphique
dès l'époque classique[5], dans le mot grec h*aeresis*
transcrit sous la forme *eresis* (deux fois sur six
occurrences), dans les noms propres *Illarius/*
H*ilarius, Eraclius/*H*eraclius, Ermopolim/*H*ermopolim,* et exceptionnellement dans h*ospitium* transcrit
opitium (un emploi), dans le pronom féminin ha*e*
écrit *e* (nous reviendrons plus loin sur la confusion
possible entre les pronoms *hic* et *is*) — seul cas sur
les vingt-deux occurrences de ce pronom — et dans
la forme *abentur/habentur,* cas unique sur les quatre
occurrences du verbe *habere* dans le texte. Au
contraire, on note l'aspiration fautive de certaines
voyelles, ainsi dans h*ac/ac*[6] et dans les noms d'origine
grecque comme *neochoris/neocoris, pahyni/payni*
(deux fois sur huit occurrences), *Hypathios/Hypatios.*

S/X :   [*Ks*] réduit à [*s*] devant consonne, courant en
latin vulgaire tardif, est à relever dans *esterno/
externo* (4, 6 = *Ba* 13 *bis*).

---

1. Hoppenbrouwers, p. 3 ; Löfstedt, p. 121.

2. 5, 11 (= *Ba* 18), cf. *infra,* p. 119, n. 1.

3. Cf. Grégoire de Tours (Bonnet, p. 159-166). Cinq exemples
de cette confusion sont fournis par l'*Appendix Probi* 9, 91, 93, 198,
215 (Baehrens, p. 5, 6, 8 ; Väänänen, § 89).

4. V. *supra,* p. 108, n. 5.

5. Fontaine, p. 95-96 ; Väänänen, § 101 ; Bourciez, § 54 a.

6. Phénomène également signalé chez Grégoire de Tours par
Bonnet, p. 169. A noter que les trois occurrences sont groupées dans
le même folio à quelques lignes d'intervalle, dont deux sur la même,
fol. 106 b, *l.* 3 et 11.

C/QU :   Cette graphie, qui reflète une réalité phonétique, se rencontre dans quelques cas, rares il est vrai (trois occurrences), mais intéressante pour cette raison, *corum/quorum* (un emploi pour une seule occurrence du relatif à ce cas), *alico/aliquo* (un pour une), *co/quo* (un sur cinq). Elle correspond à l'amuïssement, déjà ancien en latin vulgaire, du phonème [w] devant *o* entraînant la réduction de [kw] à [k], que l'on retrouve dans les textes mérovingiens[1].

L'abréviation [ⓠ], employée à deux reprises[2], montre bien l'étape intermédiaire entre les deux graphies.

Un phénomène d'amuïssement comparable de [w] devant *i* rend compte de la graphie *fluium/fluuium* (5, 8 = *Ba* 17)[3].

Les préfixes

In-, *ad-* et *con-* sont régulièrement non assimilés, sauf deux exceptions, devant le *p* pour *ad-* dans ap*ellantur*, l'absence de redoublement du *p* relevant de l'incertitude orthographique caractéristique du latin tardif, et devant le *l* pour *con-* dans col*ligere*. *Ob-* est au contraire assimilé dans op*tinentes*. Ceci correspond parfaitement bien à la tendance à la non-assimilation dans le latin tardif, relevée dans plusieurs travaux récents[4].

Les abréviations

Nous regroupons ici celles utilisées dans le manuscrit et qui relèvent de la graphie. Elles n'ont pas été retenues dans

---

1. VIELLIARD, p. 44-45, *condam, cotidie, alicus* et p. 65, *qondam, qod*. Sur ce phénomène déjà ancien puisqu'on le trouve à Pompéi (*comodo/quomodo*), VÄÄNÄNEN, § 91.

2. 3, 6 (= *Ba* 11) et 4, 3 (= *Ba* 13).

3. Plus fréquent devant *o* et *u*, *Appendix Probi* 29, 62, 174, *auus non aus, flauus non flaus, riuus non rius* (BAEHRENS, p. 6 et 8).

4. P. PRINZ, « Zur Präfixassimilation im antiken und im frühmittelalterlichen Latein » dans *ALMA*, t. 21, 1951, p. 107 ; LÖFSTEDT, p. 195-196 ; FONTAINE, p. 101. BONNET, p. 176, notait déjà : « on serait tenté d'intituler ce chapitre de la dissimilation plutôt que de l'assimilation ».

l'apparat, conformément aux règles en vigueur dans cette collection. Elles peuvent être classées de la manière suivantes :

1. systématiques, les datifs et les ablatifs des trois dernières déclinaisons *(mensib., consulib., reb.,* etc.*)*, ainsi que *deus* et *episcopus (ds̅, dm̅, dī, dō, ep̅s̅, ep̅m̅, ep̅ı, ep̅o̅, epo̅s̅, epo̅r̅, epīs)* ;

2. fréquentes, le *m* final de l'accusatif des cinq déclinaisons, du pronom *isdem*, de *cum* et de *autem* ; la finale *-que* dans (*ubiq., itaq.*, etc.) et la conjonction *que* (dans *neque* transcrit *ncq, cognitoq.*, etc.) ; les prépositions *per* (ꝑ), *pro* (ꝓ), *prae* (p̅) et leurs composés (*superuenientem, ꝓpositum, p̅cipiens, p̅dicti*, etc.), *praefectus (prf., pr̅f̅, p̶rfi)* ; *imperator* (*imp* ou *imper*) ; *consulatus (cons., con., consol.)* ; *mensis (me̅n̅, men, mens., me̅n̅s̅, me̅n̅^{ss}), dies (d, dii)*, tous ces mots faisant partie de ceux qui sont le plus employés.

3. fréquentes par rapport au faible nombre des occurrences *christus* et *christianus (chs, xp̅i xpīanum, xpīanorù), spiritus sanctus (sp̅s̅, sc̅s̅, sp̅m̅, sc̅m̅, sp̅s̅, sc̅i), et presbyter (pr̅b, prbb, presb̅y̅)* ;

4. exceptionnellement, la finale de la troisième personne du pluriel *(uenerʼ, ordinauerʼ)* ; *facie̅s̅/faciens* ; *secu̅d̅i/secundi* ; *ter̅t̅/tertio* ; *q̅d̅/quod*, *q̅m̅/quoniam*, *q/qui*, ꝗ */quo*, ꝗ̶ */quae* ; *ecclà/ecclesiam* ; le *s* en forme de crochet dans *Tatianu^{s} Montanu^{s}, Paulino^{s}* et *ex^{s}e*, transcrit aussi une autre fois *e̅x̅e̅/ex se* ; *ep̅u̅/espiritu* ; *F/frater* ; *P/papa.* Nous avons traduit en italique leur développement dans le texte afin de les faire apparaître.

2. Morphologie

D'une manière générale, elle reste régulière. Les déclinaisons sont respectées : on ne note qu'un passage tout à fait accidentel de la deuxième à la troisième, et inversement, dans *consolatu Iulianis Caesari II* pour *Iuliani Caesaris II*, mais ce peut être une inversion graphique du type de celles que nous faisons machinalement en recopiant un texte (les désinences ont, du reste, été respectées quelques lignes auparavant[1]). La forme contracte du génitif *i* au lieu de *ii* des noms en *-ius*, régulière depuis longtemps se rencontre six fois sur dix-huit noms *(fili, Constanti, Florenti)*[2]. Le singulier est de même accidentellement employé pour le pluriel, et inversement *(omnes populum/omnem populum, eos/eum, episcopos/episcopum)*.

La forme pronominale mixte *hii*, croisement de *hi* et *ii*, déjà signalée chez Grégoire de Tours comme chez Isidore de Séville[3], est employée une fois, dans l'unique occurrence du pronom à ce cas.

Les nombres sont la plupart du temps exprimés en chiffres. Quand ils le sont en lettres, on note une certaine confusion entre l'ordinal et le cardinal. Ainsi, dans l'expression de la datation, le xe consulat de..., ou le xe jour du mois de ..., sur les six cas rencontrés, on relève deux emplois du cardinal au lieu de l'ordinal *(consulatu...Iuliani Caesaris duo* pour *secundo* et *tybi decem die* pour *decimo*[4]). D'ordinaire l'erreur est évitée, car la transcription en chiffres est de beaucoup la plus fréquente[5]. C'est pourquoi nous avons choisi de les transcrire en chiffres, l'erreur ayant fort bien pu provenir d'une transcription en lettres d'un archétype en chiffres.

La transcription des noms propres en grec dans le texte original est parfois une simple translittération, comme dans *Triberis Gallias* où, si la finale de désinence a été latinisée dans le premier nom, le génitif partitif du second a été conservé[6]. Les noms de mois égyptiens ont été respectés, à quelques variantes près[7], ainsi que les noms de villes :

1. 2, 2 (= *Ba* 6), *fol.* 106 b, *l.* 17-23.

2. Fontaine, p. 105.

3. Bonnet, p. 387-388 ; Fontaine, p. 107.

4. 2, 2 (= *Ba* 6) et 1, 10 (= *Ba* 5).

5. Quarante-neuf emplois, pour six en lettres ; on relève en particulier une transcription en chiffres du deuxième consulat de Constance (1, 8 = *Ba* 3) et trois exprimant « le dixième jour de... », *mechir X die mensis, toth X die, pachom die X* (3, 1 ; 4, 1 ; 5, 1 = *Ba* 9, 12 et 15).

6. 5, 8 (= *Ba* 17), cf. Socrate, I, 35, 4, ἐν Τριβέρει τῆς Γαλλίας, de même en 4, 3 (= *Ba* 13), *Hermopolim superiorem Thebaidos.*

7. On relève les noms suivants : *phao* (1 fois), *phaoph* (3)/*phaophi* (3) ; *pachym* (1), *pachom* (2)/*pachon* (1) ; *mensure* (1), *mensore* (2), le nom grec étant *mésorè* ; *tot* (1), *toth* (5), pour *thoth* ; *cya* (1), *cyac* (3), pour *choiak* ; *tybi* (1) ; *methyr* (4), *methir* (5)/*mechir* (3) ; *pahyni* (2)/*payni* (6) ; *athy* (1)/*athyr* (1). Nous avons respecté ces hésitations

quand ils accompagnent un nom propre, ces derniers sont
souvent adjectivés, comme dans *Serapionem Tuitanum/
Thmuitanum, Triadelphum Niciotanum, Ammonium Pache-
monensem/Pachnemunensem*, la désinence de l'adjectif étant
latinisée[1]. La ville de Χαιρέου a fait l'objet d'une hésitation
de la part du traducteur qui tantôt transcrit littéralement
T*hereon/Chereon*[2], tantôt la latinise (comme dans la graphie
de l'*Itinéraire Antonin, Chereu*[3], qu'il persiste à écrire
Th*ereu*[4]). On retrouve là l'indécision des écrivains latins
devant la transposition des mots grecs, déjà signalée par
J. Fontaine[5].

3. Syntaxe

La nature même du texte invite à étudier en priorité
l'expression du temps et du lieu. L'emploi de l'ablatif pour
exprimer la datation de l'action est généralement respecté
(sur trente-cinq cas, on relève seulement quatre accusatifs)[6],
et on le trouve douze fois sur dix-huit pour exprimer la
durée, chiffrée ou non. On sait qu'il concurrence fortement
l'accusatif dans cette fonction depuis l'époque classique,
concurrence dont le texte porte, du reste, la marque dans
le passage suivant : *annos XXII et mensibus V diebus X*[7].

La distinction entre *ubi* et *quo* est également généralement
respectée. Le lieu où l'on est *(ubi)* est, en effet, exprimé
le plus souvent par la préposition *in* suivie de l'ablatif

dans l'édition (sauf *pachym*, faute évidente pour *pachom* et *athy*
pour *athyr*).

1. 1, 7 (= *Ba* 3), cf. Sozomène, IV, 9, Σεραπίων ὁ Θμουαῖος. Ce
phénomène concerne, remarquons-le, uniquement les noms égyptiens ;
ailleurs on lit *Patricius Niceni, Eudoxius Germaniciae*, 4, 5 (= *Ba*
13 *bis*).

2. 4, 3 (= *Ba* 13).

3. 154, 4 et 155, 1. Sur cette ville, v. *infra*, p. 193, n. 85.

4. Ce qui nous vaut la lecture, charmante certes mais totalement
incongrue, *Cithereu*, de l'édition Batiffol, 11 (= 3, 5).

5. Cf. *supra*, p. 109, n. 3.

6. On notera qu'ils se trouvent tous les quatre, à quelques lignes
d'intervalle, dans le *fol.* 107 a, 6, 11, 17 et 24 et concernent le même
mot, *dies*.

7. 5, 8 (= *Ba* 17), v. Bonnet, p. 555 ; Blaise, § 110 ; Ernout
Thomas, § 133.

(treize fois), mais aussi par des prépositions comme *apud* et l'accusatif, en particulier pour les noms de ville (neuf sur dix emplois), préposition fréquemment employée dans le latin tardif, et *circa* (une fois). Pour les noms de ville, en dehors de ces deux prépositions, on relève deux locatifs, un ablatif seul[1] et un autre avec *in*. Autrement on ne compte qu'un seul emploi de *in* suivi de l'accusatif, *mansit in quamdam domunculam* (5, 11 = *Ba* 18). La direction vers un lieu *(quo)* est exprimée en priorité par la préposition *ad* suivie de l'accusatif, rarement par l'accusatif seul (cinq fois dont deux *domum*), sauf pour les noms de ville[2], et exception-nellement par *in* et l'accusatif (une fois). La confusion avec *ubi* n'est relevée que dans sept cas sur quarante et un, dont quatre noms de ville (trois *in*+abl. et un locatif)[3].

Le lieu d'où l'on vient *(unde)* est régulièrement exprimé par les prépositions *de* (quatorze fois) et *ex* (deux) suivies de l'ablatif, ou bien encore par l'ablatif seul (sept dont trois noms de ville). A relever la substitution de l'accusatif à l'ablatif après *egredior* (trois fois sur quatre emplois) — la littérature latine n'en fournit-elle pas d'illustres exemples depuis Salluste et César[4]? — et *expello* (une occurrence)[5].

Quelques particularités à noter dans l'utilisation de certaines prépositions. Ainsi on relève, deux fois sur trois emplois, l'ablatif après *extra* et, une fois sur deux occurrences, ce même cas après *ob*, transformation déjà notée en latin tardif[6]. De même pour *propter* (unique occurrence). La chute du *m* final à la première et à la troisième déclinaisons peut en être responsable. A relever également la substitution du génitif à l'accusatif après *secundum*, explicable ici par un

1. Il s'agit en effet du datif grec Τριβέροις latinisé in -*is*, cf. *supra*, p. 108, n. 5.

2. Douze occurrences sur seize dans cette catégorie. L'accusatif grec, *Tyron*, a été conservé par le traducteur (5, 9 = *Ba* 17).

3. ERNOUT THOMAS, § 135 en donne des exemples.

4. *TLL*, V, 2, col. 285, 53 ; SZANTYR, p. 33, § 42 c.

5. 1, 10 ; 3, 5 ; 5, 4 ; 1, 3 (= *Ba* 4, 11, 16 et 2). Le passage à la construction transitive (tendance constante en latin, quoique plus rarement quand le préverbe régit comme préposition l'ablatif, v. ERNOUT THOMAS, p. 20-21) s'explique ici par une confusion avec l'accusatif de mouvement.

6. *Extra ecclesia*, 4, 6 (= *Ba* 13 *bis*), *extra ciuitate*, 5, 13 (= 18), *ob uindicta*, 2, 5 (= 7), *TLL*, V, 2, col. 2060 et IX, 2, 1, col. 33.

hellénisme, *secundum autem reuersionis eius* reproduisant ὕστερον δὲ τῆς αὐτοῦ καθόδου (1, 2 = *Ba* 2). Enfin, toujours suivi de l'ablatif, *praeter*, dont c'est la seule occurrence, prend le sens de *quam* après *alius*, construction analogique du comparatif[1], *sic et Fili substantia alia est praeter Patris substantia* (5, 6 = *Ba* 13 *bis*).

En ce qui concerne les verbes, les voix sont respectées. On notera seulement l'emploi de *colligere* au sens réfléchi de « se rassembler », sans pronom (deux occurrences)[2]. Au sujet des temps et des modes verbaux, deux remarques s'imposent : la substitution, dans de nombreux cas, du participe présent au participe passé et l'usage particulièrement fréquent du participe présent utilisé parfois avec un sens circonstantiel, tendances déjà relevées dans le latin de Grégoire de Tours[3]. Dans le second cas, il s'agit d'un hellénisme, ce dont témoigne par exemple l'emploi suivant : *remanserunt optinentes ecclesias* (2, 1 = *Ba* 5)[4].

Le système des subordonnées ne présente au contraire aucune des innovations pourtant fréquentes dans le latin tardif. Les infinitives continuent de l'emporter largement sur les conjonctives, qui, elles, demeurent introduites par *ut* plutôt que par *quod*[5], après les verbes d'opinion, de déclaration, de perception et de sentiment. On notera cependant deux constructions particulières, dont la présence s'explique par le texte grec original, *incubuit omnibus expellens egredi episcopum ciuitate* (1, 9 = *Ba* 4), et *inminebant egredi episcopum ciuitate* (5, 2 = *Ba* 15)[6].

---

1. ERNOUT THOMAS, § 198 b et 202 ; BLAISE, § 123.

2. *TLL*, *s.v.*, col. 1611, 39-40, donne déjà trois exemples pris à Tertullien, Irénée (trad.) et Optat, auxquels on ajoutera *C. Th.*, 16, 1, 4 ; 4, 1 ; 5, 21 ; 5, 14 ; 9, 33.

3. BONNET, p. 636-637 et 649-651, et BLAISE, § 361 et 353.

4. Cf. SOZOMÈNE, IV, 10, διέμεινεν ὁ ὑπ' αὐτοῦ κλῆρος καὶ λαὸς τὰς ἐκκλησίας κατέχοντες.

5. Deux *quod* suivis de l'indicatif sur sept conjonctives, contre vingt et une infinitives. Sur la tendance contraire en latin tardif, BLAISE, § 246 et 261, BOURCIEZ, § 254, comme déjà en latin vulgaire, VÄÄNÄNEN, § 374.

6. Cf. SOZOMÈNE, IV, 9, κατήπειγεν αὐτὸν ἐξιέναι τῆς πόλεως, et VI, 12, ταῖς ... ἀρχαῖς σπουδὴ γέγονεν ... Ἀθανάσιον ... τῆς πόλεως ἀπελάσαι.

La syntaxe de l'accord suit les règles du latin classique, accord avec le sujet le plus rapproché[1], ou selon le sens[2].

Autem, mot de liaison qui sert à introduire presque tous les paragraphes de l'*Historia*, a perdu la plupart du temps son sens classique pour devenir un simple signe de liaison, renforcé même parfois par *et*; il traduit la particule δέ[3]. *Tamen* subit le même sort au moins une fois[4]. On ne relève que deux phrases ne comportant aucune liaison entre elles. Quand plus de deux noms se succèdent dans une énumération, seuls sont souvent coordonnés les deux derniers, sans que cet usage, courant chez Isidore[5] et plus tard dans les langues romanes, soit cependant systématique[6].

---

1. 2, 1 (= *Ba* 5), *ingrederetur...praefectus...et comes* ; 5, 3 (= *Ba* 15), *remansit haec contradictio et turba*.

2. 1. Nom de sens collectif entraînant l'accord au pluriel : 1, 4 (= *Ba* 2), *populus...amantes* ; 2, 9 (= *Ba* 8), *omnis populus...produxit... et occiderunt* (cf. Sozomène, IV, 9, ὁ δῆμος ἐπέστη ... καὶ διεχρήσαντο) ; 5, 11 (= *Ba* 18), *populus collectus incusabant.* Blaise, § 203, fait état de son développement dans le latin tardif, cf. Fontaine, p. 122. 2. Deux sujets singuliers unis par la préposition *cum* et suivis du verbe au pluriel : 1, 4 (= *Ba* 2), *exiliauerunt eum ... uolens Eudoxium ... Theodorus cum ceteris ... inponere* ; 5, 6 (= *Ba* 16), *Brasidas cum duce V. et praefecto F. conuenientes in palatio nuntiauerunt*, v. Ernout Thomas, § 165 et Väänänen, § 345. Un participe passé au masculin non accordé avec le nom neutre dont il dépend est à joindre à ce dossier : 2, 9 (= *Ba* 8), *occiderunt ambos et eorum corpora circumduxerunt ... et sic iniuriis adfectos ... utriusque corpora combusserunt*, ainsi que cet adjectif ordinal accordé avec le nom le plus proche et non avec *in consuolatu* dont il dépend pourtant il dépend : *et Valentis secundi ... in consuolatu*, 5, 8 (= *Ba* 17).

3. Fontaine, p. 113.

4. 1, 11 (= *Ba* 5), *Id.*, « *tamen* est employé au sens de *autem* », cf. Éthérie, *Journal de Voyage* 7, 2, éd. H. Pétré, *SC* 21, p. 122.

5. Fontaine, p. 123.

6. Par exemple dans le même paragraphe, 4, 5, on trouve successivement *Eunomio, Heliodoro et Stephano*, et un peu plus loin, *Eleusium et Macedonium et Hypatianum et alios XV ... episcopos* ; de même en 5, 12-13 (= *Ba* 18), *ipsi iudices, dux Traianus et praefectus T.*, et *christianorum ac paganorum ad diuersarum religionum*. Ces remarques nous autorisent à restituer *annos XXII et menses V ‹ et › dies X* en 5, 9 (= *Ba* 17). A noter également une énumération sans aucune liaison, 1, 2 (= *Ba* 2), *Theodorus, Narcissus, Georgius cum ceteris*.

La construction de la phrase reste classique. On note seulement une anacoluthe[1] et un solécisme, l'ablatif absolu servant de sujet à la proposition[2]. Dans quelques cas également, le traducteur a fait interférer deux constructions ; ainsi quand il écrit : *direxit ad comitatum nauigium cum episcopis V, Serapionem Thmuitanum...Apollonem Cynopolitanum superioris...et presbyteros III* (1, 7 = *Ba* 3), suivant en cela l'original grec, συμπέμπει δὲ αὐτοῖς καὶ ... πρεσβυτέρους τρεῖς (Sozomène, IV, 9). De même dans *Apollonem Cynopolitanum superioris*, le nom de la ville a été en partie adjectivé (le Cynopolitain), mais *superioris*, qui sert à la situer par rapport à *Cynopolis inferior*, est resté au génitif comme dans la construction *A. Cynopolis superioris*, tandis qu'on lit ailleurs : *Hermopolim superiorem Thebaïdos* (4, 3 = *Ba* 13). Enfin, les deux constructions classiques, *consulatu* suivi des deux noms au génitif (la plus employée dans le texte) et *consulibus* suivi des deux noms à l'ablatif, ont été fusionnées dans la traduction suivante : *consolatu Constantini VI Aug. et Constante Caesare II*[3]. Dans deux autres cas très proches l'un de l'autre, on retrouve cette même interférence combinée avec une construction transcrite directement du grec : *consolante* (ὑπατεύοντος) *Eusebio et Hypatio, ... consolante Tauri et Florenti*[4].

Cette rapide analyse linguistique permet de conclure au caractère original de notre texte. Il reflète, en effet, une bonne culture latine. Le respect de la grammaire traditionnelle résiste assez bien aux innovations du latin tardif, telles qu'on peut les rencontrer chez un Grégoire de Tours au siècle suivant, mais il n'en laisse pas moins apercevoir les marques d'une évolution caractéristique de ce qu'on pourrait déjà appeler un latin préroman[5]. L'intérêt linguistique

---

1. 1, 1 (= *Ba* 2), *et factum est post Gregorii mortem, Athanasius reuersus est.*

2. 5, 14 (= *Ba* 19), *Defuncto autem Athanasio ... ordinauit.* L'ablatif absolu, d'usage fréquent dans notre texte, ne se trouve dans cette position sujet que dans ce cas cité. Cette innovation, propre au latin tardif, est signalée par exemple chez Grégoire de Tours, Bonnet, p. 559 ; chez Augustin, Blaise, § 363.

3. 1, 8 (= *Ba* 3), sur la confusion des noms des empereurs, *Constantinus/Constantius, Constans/Constantius*, v. n. 5 de l'*Historia*.

4. 2, 5-6 (= *Ba* 7), à quatre lignes d'intervalle, *fol.* 107 a, *l.* 13 et 17.

5. Nous avons exclu de cette étude les fautes mécaniques telles que les phénomènes de dittographie, *etet exiliatos, eodedem, sineine initio,*

d'un tel document réside précisément dans sa situation de transition. Loin de pouvoir prétendre le restituer dans son état du début du ve siècle, nous avons choisi, en le maintenant tel que sa copie est sortie du scriptorium de Bobbio ou de Vérone, d'apporter notre pierre, modeste certes, à la connaissance de la culture italienne antérieure à la renaissance carolingienne[1]. Il peut rejoindre désormais les autres textes latins tardifs non littéraires, encore trop rarement étudiés. Aussi, sans ignorer les risques d'une telle entreprise[2], nous sommes-nous donné pour seule règle dans notre édition de respecter cet état transitoire, en écartant par conséquent toute normalisation « nivelante », fût-ce à partir du texte lui-même, et en essayant de veiller à ne pas pour autant égarer inutilement le lecteur. Ainsi donc, nous avons restitué *ae* au lieu de *e*, *us* au lieu de *os* dans les finales de désinences, les consonnes finales, le *h* dans *hae*, et supprimé celui de *ac*. Ont été, au contraire, conservées les autres graphies qui reflètent à la fois l'évolution phonétique de la langue et le caractère variable de l'orthographe, propre au latin tardif, plus encore qu'au latin classique. Les quelques confusions syntaxiques, tout comme les innovations en ce domaine, également communes à notre texte et aux autres tardifs, ont été respectées. On se reportera, pour chaque cas, au présent chapitre, dans lequel il a été mentionné.

ou d'haplographie, *occurre/occurrere*, *Etii/et Aetii*, les métathèses, *permittentes/premittentes*, *perfectus/prefectus*, les répétitions comme dans ce passage : *ex eius fuga e temporibus Syriani et Hilarii temporibus facta*, 3, 4 (= *Ba* 10) ou encore, *quod omnia uidet quod omnia Pater*, 4, 6 (= *Ba* 13 *bis*), ou encore la suppression de la lettre finale, *m*, *s*, *e*, *a*, *c*, quand celle du début du mot suivant est la même, *Alexandriamense/Alexandriam mense*, *omnesatis/omnes satis*, *in ecclesiamethir/in ecclesiam methir*, *ex ipserugine/ex ipse erugine*, *recessisseum/recessisse eum*, *extr Alexandriam/extra Alexandriam*, *necherubin/nec cherubin*, ou au contraire l'ajout à la fin du mot précédent de la première lettre du mot suivant, *m*, *s*, *manummilitari/ manumilitari*, *episcopatus Athanasiissicut/episc. Athanasii sicut*, *de Alexandriammulto tempore/de Alexandria multo tempore*, *patrissimilem/patri similem*.

1. Sur l'humanisme de Bobbio, v. P. Riché, *Éducation et culture dans l'Occident barbare*, Paris 1962, et C. A. Robson, « L'Appendix Probi et la philologie latine », dans *Le Moyen Age*, t. 69, 1963, p. 37-54.

2. Fontaine, p. 86-87 et n. 2 ; p. 147 et n. 3.

Bibliographie et abréviations des principaux ouvrages cités dans l'étude linguistique

BAEHRENS = W. A. Baehrens, *Sprachlicher Kommentar zur Vulgärlateinischen Appendix Probi*, Groningen 1967 (rééd. Halle 1922).

BLAISE = A. Blaise, *Manuel du latin chrétien*, Strasbourg 1955.

BONNET = M. Bonnet, *Le latin de Grégoire de Tours*, Paris 1890.

BOURCIEZ = E. Bourciez, *Éléments de linguistique romane*, 4e éd., Paris 1946.

ERNOUT THOMAS = A. Ernout et F. Thomas, *Syntaxe latine*, 2e éd., Paris 1953.

FONTAINE = J. Fontaine, *Éd. Isidore de Séville. Traité de la nature*, Bordeaux 1960.

HOPPENBROUWERS = H. Hoppenbrouwers, *La plus ancienne version latine de la vie de S. Antoine par S. Athanase, Étude de critique textuelle*, Nimègue 1960.

LÖFSTEDT = B. Löfstedt, *Studien über die Sprache der longobardischen Gesetze. Beitrag zur frühmittelalterlichen Latinität*, thèse d'Upsal, 1961.

SZANTYR = Leumann, Hofmann, Szantyr, *Lateinische Grammatik*, t. 2, *Syntax und Stilistik*, München 1965.

TLL = *Thesaurus linguae latinae*, Leipzig 1900 s.

VÄÄNÄNEN = V. Väänänen, *Introduction au latin vulgaire*, 2e éd., Paris 1967.

VIELLIARD = J. Vielliard, *Le latin des diplômes et des chartes privées de l'époque mérovingienne*, Paris 1927.

Note sur les éditions et traductions

Depuis la réunion des 126 feuillets en un seul codex à Vérone entre le VIIIe et le Xe siècles, notre texte est resté sans utilisation jusqu'au XVIIIe siècle[1]. Il faut attendre 1738, date de l'*editio princeps* due à Scipione Maffei, pour qu'il sorte enfin de l'oubli. C'est à Vérone en effet, dans les *Osservazioni Letterarie*, 3, qu'il est publié pour la première fois en même temps que les autres feuillets se rapportant à l'histoire ecclésiastique d'Alexandrie[2], sous le titre général : *Monumenti Ecclesiastici del quarto secolo cristiano non piu venuti in luce : conservati in codice antichissimo del Capitolo Veronense*, et, pour ce qui est du texte lui-même, *Historia acephala ad Athanasium potissimum ac res Alexandrinas pertinens*. Il est édité en treize paragraphes suivis d'un bref commentaire[3], et fait l'objet d'une réédition en 1742 par le même auteur dans son *Istoria Teologica* publiée à Trente[4] et reproduite dans l'édition des œuvres d'Athanase réalisée à Padoue en 1777 par les frères Giustiniani, ainsi que dans la *Bibliotheca veterum Patrum antiquorumque scriptorum ecclesiasticorum greco-latina* de Galland éditée à Venise en 1788[5].

Cette première édition a été elle-même reprise par Angelo Mai dans la *Nova Patrum Bibliotheca*, publiée à Rome en 1853 mais avec deux coupures, la première concernant l'épisode consacré à Paul de Constantinople,

---

1. Il est ignoré de l'édition de 1627 des œuvres d'Athanase utilisée par Le Nain de Tillemont dans son *Histoire ecclésiastique*, tout comme de celle des Bénédictins en 1698.

2. *Historiae fragmentum de schismate Meletiano* (= n° 26), *Concilii Sardicensis ad Mareoticas Ecclesias Epistola* (= n° 20), *S. Athanasii ad easdem Ecclesias Epistola* (= n° 21), *Item S. Athanasii* (= n° 19).

3. P. 60-83, commentaire, p. 84-92.

4. P. 254-272.

5. V, p. 222-225, également précédée des lettres du concile de Sardique et d'Athanase.

la seconde la profession de foi anoméenne, ces deux passages n'ayant, selon lui, aucun rapport avec l'histoire d'Athanase. L'*Historia* ainsi écourtée fut jointe par le savant cardinal au texte syriaque des *Lettres festales* et de l'*Index* qui les précède[1], ces deux derniers étant parvenus à sa connaissance grâce à leur édition, pour la première fois, à Londres par les soins de W. Cureton en 1848[2]. Il changea la numérotation primitive en treize paragraphes pour une nouvelle en dix-neuf qui sera adoptée par les éditeurs postérieurs, à l'exception de Turner. C'est cette édition qui figure à la suite des œuvres d'Athanase dans la *Patrologie grecque* de Migne (t. 26, col. 1443-1450), ainsi que la traduction latine du texte syriaque (col. 1351-1444). C. R. Sievers allait à nouveau reproduire, intégralement cette fois, l'édition de Maffei en en conservant la numérotation et en l'accompagnant d'une introduction et de notes publiées après sa mort dans *Zeitschrift für die historische Theologie*, 1868, sous le titre *Athanasii vita acephala, ein Beitrag zur Geschichte des Athanasius*[3].

La première édition française est due à Mgr Batiffol qui, le premier après Maffei, collationna le manuscrit de

1. VI, *pars* 1, p. 1-168. L'*Index*, qu'il appelle « *Chronicon* », est suivi d'une traduction latine qu'il a faite à partir d'une première transcription en italien due à un prêtre Maronite du collège de la Propagation de la foi.

2. *The Festal Letters of Athanasius*. Cureton y a ajouté trois citations repérées par lui dans l'œuvre de Sévère d'Antioche. Dix-sept citations, tirées de onze lettres festales, figurent, par ailleurs, dans la *Topographie chrétienne* de Cosmas, et Mgr Lefort a édité et traduit les fragments coptes de dix-sept de ces lettres dans le *CSCO*, t. 150-151. Traduction allemande (mauvaise selon E. Schwartz, *Nach. Gött.*, 1904, p. 334, n. 1 = *GS*, 3, p. 2) de F. Larsow, *Die Festbriefe des heiligen Athanasius am Bischofs von Alexandria*, Leipzig 1852. Traduction anglaise de H. Burgess, *The Festal Epistles of S. Athanasius*, Oxford 1854. Pour plus de détails voir l'Avertissement, p. 217 s.

3. Introduction et notes p. 89-148, texte p. 148-162.

Vérone en 1892. Mais un incident survenu à sa copie allait l'obliger à recourir aux soins d'un autre, M. Labourt, pour relire les paragraphes 2 à 12. Et c'est en 1899 qu'il publie à Paris le texte, sans notes ni commentaire, sous le titre *Historia Acephala Arianorum, édition diplomatique d'après le Ms. Veronensis LX*, dans les *Mélanges de littérature et d'histoire religieuse, Mélanges de Cabrières*[1]. Il conserve la numérotation de Mai, adoptée à son tour par Migne dans la *PG*. Cette édition sert souvent de référence aux historiens français et étrangers. Nous y avons relevé une bonne quarantaine d'erreurs de lecture.

En 1914, une nouvelle édition, critique cette fois et avec notes, paraît sous la plume de H. Fromen avec le titre *Athanasii historia acephala*, dans les *dissertationes* de Münster ; elle est précédée d'une introduction d'une soixantaine de pages. L'auteur y reprend, pour les discuter, les hypothèses de E. Schwartz parues dans les *Nachrichten von der Wissenschaften zu Göttingen*, 1904[2], et utilise les restitutions proposées par lui et par O. Seeck dans sa *Geschichte des Untergangs der antiken Welt*[3].

Enfin C. H. Turner, s'intéressant à l'histoire ancienne du droit canon, a consacré une part importante du premier tome des *Ecclesiae Occidentalis Monumenta Juris Antiquissimi* publié à Oxford en 1939 au *Codex Veronensis* LX (Nicée, Sardique). Et c'est dans ce cadre qu'a trouvé place l'édition critique due à H. G. Opitz de l'*Historia* sous le titre *Vitae Athanasii Historia Acephala*[4]. Celle-ci

---

1. T. I, p. 100-108.
2. P. 333-391 = *GS*, 3, p. 1-72.
3. IV, Berlin 1911, Anhang, p. 493, 31 ; V, 1913, Anhang, p. 78, 10.
4. T. I, *fasc. 2, pars 4, supplementum Nicaeno Alexandrinum*, p. 663-671. Elle doit être incessamment publiée dans l'édition de Berlin des *Athanasius Werke* due à H. G. OPITZ et à ses successeurs, v. les rapports de M. TETZ et de W. SCHNEEMELCHER dans *Politique et Théologie chez Athanase d'Alexandrie* (colloque de Chantilly, sept. 1973), coll. *Théol. hist.* 27, Paris 1974, p. 181-191.

fait suite, comme dans l'*editio princeps*, aux trois lettres de Sardique qui la précèdent dans le manuscrit. Bien qu'elle soit la meilleure de celles que nous avons citées, elle comprend cependant, dans les corrections adoptées, un certain nombre d'incohérences qui justifient une nouvelle démarche.

Nous n'avons retenu pour constituer l'apparat critique de la présente édition que les interprétations de Maffei, de Fromen et de Turner-Opitz, toutes les autres ne faisant que reproduire celle de Maffei. Et nous avons jugé bon de signaler la lecture de Batiffol quand elle diffère du manuscrit. Nous avons cru devoir introduire une numérotation des paragraphes conforme à la structure du texte, telle que nous en avons rendu compte dans l'analyse de son objectif apologétique. Celle-ci étant différente des éditions précédentes, nous avons pris soin de conserver la numérotation de l'édition Batiffol, la plus souvent citée, en marge du texte, et nous donnons un tableau de concordance en appendice à la fin de l'ouvrage.

Il n'existe jusqu'à ce jour qu'une seule traduction, anglaise, celle de A. Robertson, publiée en 1892 dans le quatrième volume de la *Select Library of Nicene and Post-Nicene Fathers of the Christian Church* éditée à New-York[1]. Sur le conseil de H. I. Marrou, nous avons donc entrepris de combler cette lacune en proposant au lecteur une traduction française appuyée sur notre propre édition critique du manuscrit de Vérone, à laquelle, suivant en cela la judicieuse présentation du cardinal Mai, il nous a semblé utile de joindre l'édition et la traduction de l'*Index* syriaque pour les raisons exposées dans notre introduction. Notre traduction suit de très près le texte avec ses répétitions et ses lourdeurs, l'intérêt d'un tel document résidant d'abord dans sa valeur historique.

---

1. P. 496-499.

BIBLIOGRAPHIE

1. *Éditions*

a) *Historia « acephala » :*

S. Maffei, *Monumenti Ecclesiastici del quarto secolo cristiano non piu venuti in luce conservati in codice antichissimo del Capitolo Veronese, Osservazioni letterarie* 3, Verone 1738, p. 60-83.

— *Istoria Teologica*, Trente 1742, p. 254-272.

A. Galland, *Bibliotheca veterum patrum antiquorumque scriptorum ecclesiasticorum greco-latina*, Venise 1788, vol. 5, p. 222-225.

A. Mai, *Epistolae Festales, syriace et latine, cum chronico et fragmentis aliis*, dans *Nova Patrum Bibliotheca*, Rome 1853, t. VI, *pars* 1.

J. P. Migne, *Patrologie grecque*, t. 26 (1857), 1443-1450.

C. R. Sievers, « Athanasii vita acephala, ein Beitrag zur Geschichte des Athanasius », dans *Zeitschrift für die historische Theologie*, 1868, p. 89-162.

P. Batiffol, « Historia Acephala Arianorum, édition diplomatique d'après le ms. Veronensis LX », dans les *Mélanges de littérature et d'histoire religieuse, Mélanges de Cabrières*, Paris 1899, t. 1, p. 100-108.

H. Fromen, *Athanasii Historia Acephala*, Münster 1914.

C. H. Turner, *Ecclesiae Occidentalis Monumenta Juris Antiquissimi*, t. 1, fasc. 2, pars 4, Oxford 1939, p. 663-671.

b) *Index syriaque des Lettres festales :*

W. Cureton, *The Festal Letters of Athanasius*, Londres 1848.
A. Mai, *o.c. supra.*
J. P. Migne, *Patrologie grecque*, t. 26, 1351-1360.

2. *Traductions*

a) *Historia « acephala »* :

A. ROBERTSON, dans *Select Library of Nicene and Post-Nicene Fathers of the Christian Church*, New York 1892, p. 496-499.

b) *Index syriaque :*

F. LARSOW, *Die Festbriefe des heiligen Athanasius am Bischofs von Alexandria*, Leipzig 1852.
H. BURGESS, *The Festal Epistles of S. Athanasius*, Oxford 1854.

3. *Ouvrages et articles* utilisés dans l'introduction et dans les notes

ALBERT, M., « La 10ᵉ Lettre Festale d'Athanase d'Alexandrie, traduction et interprétation », dans *Parole de l'Orient*, vol. 6 et 7 (Mélanges Graffin), Kaslik, Liban 1975-1976, p. 69-90.
ALBERTZ, V. M., *Untersuchungen über die Schriften des Eunomius*, Wittenberg 1908.
AMMAN, E., art. « Urbain de Sicca Veneria », *DTC*, XI, 2, 1950.
ARMSTRONG, C. B., « The Synod of Alexandria and the schisme at Antioch in 362 », *J.Th.S.*, 22, 1921, p. 206-221 et 347-356.
ARNHEIM, M. T. W., « Vicars in the Later Roman Empire », *Historia* 19, 1970, p. 593-606.

BABELON, E., « L'iconographie monétaire de Julien l'Apostat », *Mél. numismatiques*, 4ᵉ série, Paris 1912, p. 36-69.
BARDY, G., « L'Héritage littéraire d'Aétius », *R.H.E.* 24, 1928, p. 809-825.
— « La crise arienne », dans *Hist. de l'Église*, coll. Fliche et Martin, 3, 1936.
— « La papauté de S. Innocent à S. Léon le Grand », *ibid.* 4, 1937.
— art. « Macedonius et les Macédoniens », *DTC*, IX, 2, 1927, col. 1464-1478.
BATIFFOL, P., « Le Synodicon d'Athanase », *Byzantinische Zeitschrift*, 10, 1901, p. 128-143.

BAYNES, N., « The return of Athanasius from his first exile », *Journal of Egyptian Archeology* 11, 1925, p. 58-69.

— C. r. de Stein, « Geschichte des spätrömische Reiches », dans *J.R.S.* 18, 1928, p. 220-222.

BELL, H. I., *Jews and Christians in Egypt*, Londres 1924.

— « Antisemitism in Alexandria », *J.R.S.* 31, 1941, p. 1-19.

— « Alexandria ad Aegyptum », *J.R.S.* 36, 1946, p. 130-132.

BERNAND, A., *Le Delta égyptien d'après les textes grecs*, Le Caire 1970 (Mémoires publiés par l'Institut français d'archéologie orientale du Caire, t. 91), 1. Les confins libyques.

BIDEZ, J., *Iuliani imp. epistulae, leges, poematia, fragmenta varia*, Paris 1922.

— *Vie de l'empereur Julien*, 2e éd., Paris 1965.

BIONDO, B., « Il peculium dei palatini costantini », *Labeo* 19, 1973, p. 318-329.

BLOCKLEY, R. C., « Constantius and Julian as Caesars of Constantius II », *Latomus* 31, 1972, p. 433-468.

BOWMAN, A. K., *The Town Councils of Roman Egypt*, Toronto 1971.

BRECCIA, E., *Alexandria ad Aegyptum*, Bergame 1922.

CALDERINI, A., *Dizionario dei nomi geografici e topografici dell'Egitto greco-romana*, t. 1, fasc. 1, Le Caire 1935 ; fasc. 2, Madrid 1966 (= *Dizionario*).

CAVALLERA, F., *Le schisme d'Antioche*, Paris 1905.

CHITTY, DERWAS J., « Pachomian Sources reconsidered », *Journal of Eccl. History* 5, 1954, p. 38-77.

COQUIN, R. G., « Les origines de l'Épiphanie en Égypte », dans Dom BOTTE, E. MÉLIA..., *Noël, Épiphanie, retour du Christ*, coll. *Lex Orandi*, no 40, Paris 1967, p. 139-170.

CROSS, F. L., *The Study of St. Athanasius*, Oxford 1945.

— « The Collection of African Canons in Madrid University (Noviciado) Ms. 53 », *J.Th.S.* 50, 1949, p. 197-201.

— « History and Fiction in the African Canons », *J.Th.S.* 12, 2, 1961, p. 227-247.

CRUM, W. E. and RIEDEL, W., *The Canons of Athanasius of Alexandria. The Arabic and Coptic versions, edited and translated, with introductions, notes and appendices*, Londres 1904 (Text and Translation Society).

DAGRON, G., *Naissance d'une capitale, Constantinople et ses institutions, de 330 à 451*, Paris 1974 (= *Constantinople*).

DANIÉLOU, J., « Eunome l'Arien et l'exégèse du Cratyle », *R.E.G.* 69, 1956, p. 412-432.

DE GELLINCK, J., « Quelques appréciations de la Dialectique et d'Aristote durant les conflits trinitaires du IVe s. », *R.H.E.* 26, 1930, p. 5-42.

DOSSETI, G. L., *Il symbolo di Nicea e di Constantinople*, Bologne 1967 (coll. *Testi e ricerche di scienze religiose*).

DOWNEY, G., *A Study of the « Comites Orientis » and the « Consulares Syriae »*, Diss. Princeton 1939.

DUCHESNE, L., *Histoire ancienne de l'Église*, 2e éd., Paris 1910-1911, t. 2.

DUMNER, J., « Flavius Artemius dux Aegypti », *Archiv für Papyrusforschung* 21, 1971, p. 121-144.

ENSSLIN, W., art. « Modestus », *RE*, XV, 2 ; art. « Pythiodorus », *RE*, XXIV, 1.

FESTUGIÈRE, A. J., *Les moines d'Orient, IV, 2, La première vie grecque de S. Pachôme*, introd. critique et traduction, Paris 1965.

FRANCHI DE' CAVALIERI, P., « Una pagina di storia bizantina del secolo IV, il martirio dei santi notari », *Anal. Boll.* 64, 1946, p. 132-175.

GAUTHIER, H., *Les nomes d'Égypte*, Paris 1935.

GEPPERT, F., *Die Quellen des Kirchenhistorikers Sokrates Scholastikus. Studien zur Geschichte der Theologie und Kirche*, III, 4, Leipzig 1898.

GIARDINA, A., *Aspetti della burocrazia nel basso impero, con una Prosopographia degli agentes in rebus, Filologia e critica XXII*, Univ. di Urbino, 1977.

GIRARDET, K. M., « Constance II, Athanase et l'Édit d'Arles (353) », dans *Politique et Théologie chez Athanase d'Alexandrie*, Paris 1974 (coll. *Théol. hist.*, no 27), p. 63-91.

GRIILLMEIER, A., *Le Christ dans la tradition chrétienne, de l'âge apostolique à Chalcédoine (451)*, Paris 1973 (trad. fse).

GRUMEL, V., *Traité d'études byzantines. I. La Chronologie*, Paris 1958 (= *Chronologie*).

GUMMERUS, J., *Die homöousianische Partei bis zum Tode des Konstantius. Ein Beitrag zur Geschichte des arianischen Streites in den Jahren 356-361*, Leipzig 1900.

GWATKIN, H. M., *Studies of Arianism*, 2e éd., Cambridge 1900.

HAJJAR, J., *Le Synode permanent dans l'Église byzantine des origines au XIe s.*, Rome 1962.

HALKIN, F., *Sancti Pachomii Vitae graecae, Subsidia hagiographica* 19, Bruxelles 1932.

HEFELE-LECLERCQ, *Histoire des conciles*, Paris 1907-1952.

HESS, H., *The Canons of the Council of Sardica*, Oxford 1958.

JONES, A. H. M., *The Later Roman Empire*, Oxford 1964.

JONES, A. H. M., MARTINDALE, J. R., MORRIS, J., *The prosopography of the Later Roman Empire*, I, 260-395, Cambridge 1971 (= *Prosopography*, I).

KANNENGIESSER, C., « Le témoignage des Lettres Festales d'Athanase sur la date de ' L'Apol. contre les Païens ' et ' Sur l'Incarnation du Verbe ' », dans *Rech. de Sc. relig.* 52, 1964, p. 91-100.

KRUSCH, B., *Studien zur christlich-mittelalterlicher Chronologie. Der 84 jährige Osterzyclus und seine Quellen*, Leipzig 1880.

LABRIOLLE, P. DE, « Une esquisse de l'histoire du mot ' papa ' », *Bull. d'anc. litt. et d'archéol. chrétienne* 1, 1911, p. 215-220.

LADEUZE, P., *Étude sur le cénobitisme pakhomien pendant le IVe s. et la première moitié du Ve s.*, Louvain 1898.

LALLEMAND, J., *L'administration civile de l'Égypte, de l'avènement de Dioclétien à la création du diocèse (284-382)*, Bruxelles 1964 (= *L'adm. civile*).

LAMINSKI, A., *Der Heilige Geist als Geist Christi und Geist der Glaübigen. Der Beitrag des Athanasius von Alexandrien zur Formulierung des Trinitarischen Dogmas im vierten Jahrhundert*, Leipzig 1969.

LECLANT, J., « Per Africae sitientia. Témoignages des sources classiques sur les sites menant à l'oasis d'Ammon », *Bull. Inst. Fr. Archéol. Orient.*, 49, 1950, p. 193-253.

LECLERCQ, H., art. « Liber canonum Africae », *DACL*, IX, 1, 1930.

LEFORT, L. Th., *Les vies coptes de S. Pakhome et de ses premiers successeurs*, Louvain 1943.

— « Les Lettres festales d'Athanase », dans *Bull. de l'Ac. royale de Belg.* 39, 1953, p. 643-656.

LEHMANN, B., « Das Peculium castrense der palatini », *Labeo* 19, 1977, p. 49-54.

LÉVÊQUE, P., « Observations sur l'iconographie de Julien dit l'Apostat d'après une tête inédite de Thasos », *Mon. et Mém. Fondat. Piot*, 1960, p. 105-128.

— « De nouveaux portraits de l'empereur Julien », *Latomus* 22, 1963, p. 74-84.

LIPPOLD, A., art. « Paulus », *RE*, suppl. X, 1965.

LOWE, E. A., *Codices latini antiquiores*, IV, Oxford 1937.

LUMBROSO, G., *L'Egitto al tempo dei Greci e dei Romani*, 2e éd., Rome 1895.

MANDOUZE, A., *Prosopographie de l'Afrique chrétienne (303-533)*, Paris, 1981.

MARTIN, A., « Athanase et les Mélitiens », *Politique et Théol. chez Athanase d'Alexandrie*, Paris 1974 (coll. *Théol. hist.*, no 27), p 31-61.

— « L'Église et la khôra égyptienne au ive s. », *Rev. Ét. Aug.* 25, 1979, p. 3-26.

MEINHOLD, P., art. « Pneumatomachoi », *RE* 21, 1, 1951, col. 1066-1101.

MESLIN, M., *Les Ariens d'Occident, 335-430*, Paris 1967.

MILLER, K., *Itineraria romana*, Stuttgart 1916 (reprint, Rome 1964).

MOHRMANN, Ch., « Les dénominations de l'église en tant qu'édifice », *Rev. Sc. Rel.* 36, 1962, p. 155-174.

MUEHLENBERG, E., « Die philosophische Bildung Gregors von Nyssa in den Büchern contra Eunomium », Actes du colloque de Chevetogne *Écriture et pensée philosophique dans la pensée de Grégoire de Nysse*, éd. M. Harl, Leiden 1971, p. 230-244.

NEROUTSOS-BEY, *L'Ancienne Alexandrie*, Paris 1888.

NORDBERG, H., *Athanasius and the emperors*, Helsinki 1963.

ORLANDI, T., « Ricerche su una storia ecclesiastica alessandrina del IV sec. », *Vetera Christianorum* 11, 1974, p. 269-312.

PEETERS, P., « La légende de Jacques de Nisibe », *Anal. Boll.* 38, 1920, p. 285-373.

— « L'épilogue du synode de Tyr en 335 », *Anal. Boll.* 63, 1945, p. 131-144.

PERI, V., « La cronologia delle lettere festale di sant'
    Atanasio e la Quaresima », *Aevum* 35, 1961, p. 28-86.
PIEPER, M., « Zwei Blätter aus dem Osterbrief des Athanasius
    vom Jahre 364 (Pap. Berol. 11948) », *ZnTW* 1938,
    p. 73-76.
PIETRI, C., « La question d'Athanase vue de Rome (338-
    360) », dans *Politique et Théol. chez Athanase d'Ale-
    xandrie*, Paris 1974 (coll. *Théol. hist.*, n° 27), p. 93-126.
—   *Roma Christiana, Recherches sur l'Église de Rome,
    son organisation, sa politique, son idéologie, de
    Miltiade à Sixte III (311-440)*, Paris 1976 (BEFR)
    (= *Roma Christiana*).
PIGANIOL, A., *L'Empire chrétien*, Paris 1947 (2e éd. 1972).
PINCHERLE, A., « Ancora sull' arianesimo e la Chiesa
    Africana nel IV secolo », *Studi e Materiali di Storia
    delle Religioni* 39, 1968, p. 169-182.

RÉMONDON, R., « Papyrologica », *Chron. d'Ég.* 41, 1966,
    p. 167-172.
RICHARD, M., « Le comput pascal par Octaétéris », *Le
    Muséon* 87, 1974, p. 307-339.

SCHOO, G., *Die Quellen des Kirchenhistorikers Sozomenus*,
    Berlin 1911.
SCHWARTZ, E., « Zur Geschichte des Athanasius », dans
    *Nachrichten von d. k. Gesellschaf der Wissenschaften
    zu Göttingen, phil.-hist. Klasse*, 1904, p. 333-356,
    357-391 ; 1911, p. 469-522 (= *Gesammelte Schriften
    (GS)* 3, p. 1-29, 30-72, 265-334).
—   « Zur Kirchengeschichte des vierten Jahrhunderts »,
    dans *ZnTW* 34, 1935, p. 129-213 (= *GS* 4, p. 1-110).
—   « Über die Sammlung des Cod. Veronensis LX »,
    ZnTW 35, 1936, p. 1-23.
—   « Die Kanonessamlungen der alten Reichskirche »,
    ZSS. Kan. 25, 1936, p. 1-114 (= *GS* 4, p. 159-275).
SEECK, O., *Die Briefe des Libanius*, Leipzig 1906.
—   *Zeitschrift f. Kirchen Geschichte* 30, 1909, p. 399-433.
—   *Geschichte des Untergangs der antiken Welt*, t. IV et V,
    Berlin 1911-1913.
SEEL, O., « Die Verbannung des Athanasius durch Julian »,
    Klio 32, 1939, p. 175-188.
SIMONETTI, M., « Sulla dottrina dei Semiariani », *Studi
    sull'Arianesimo, Verba Seniorum*, N.S. 5, Rome
    1965, p. 160-186.

SINNINGEN, W. G., « Two branches of the late Roman secret service », *Am. Journal of Philology* 70, 1959, p. 238-254.
— « The Roman secret service », *The Classical Journal* 57, 1961, p. 65-72.

TELFER, W., « The codex Verona LX (58) », *Harvard Theological Review* 36, 1943, p. 169-246.
— « St Peter of Alexandria and Arius », *Anal. Boll.* 67, 1949, p. 117-130.
— « Paulus of Constantinople », *Harvard Theological Review* 43, 1950, p. 31-92.
TURNER, C. H., « The Verona Ms. of canons : The Theodosian Ms and its connection with S. Cyril », *The Guardian*, 11 dec. 1895.
— « The Genuineness of the Sardican Canons », *J.Th.S.* 3, 1902, p. 370-376.
— « E. Schwartz and the Acta Conciliorum Oecumenicorum », *J.Th.S.* 30, 1929, p. 115-116.

VAN BERCHEM, D., *L'armée de Dioclétien et la réforme constantinienne*, Paris 1952.
VANDENBUSSCHE, E., « La part de la dialectique dans la théologie d'Eunomius le technologue », *R.H.E.* 40, 1945, p. 47-72.
VANDERSLEYEN, C., *Chronologie des préfets d'Égypte, 284-395*, Bruxelles 1962 (coll. *Latomus* 55) (=*Préfets d'Égypte*).

WALLIS, F., « On some Mss of the writings of S. Athanasius », *J.Th.S.* 3, 1902, p. 97-110, 245-258.
WICKHAM, L. R., « The Syntagmation of Aetius the Anomean », *J.Th.S.* 19, 1968, p. 532-569.
— « The date of Eunomius' Apology. A reconsideration », *J.Th.S.* 20, 1969, p. 231-240.

ZEILLER, J., « Donatisme et arianisme. La falsification des documents du concile arien de Sardique », *Comptes rendus de l'Ac. des Inscr.* 1933, p. 65-73.

Nota: Les volumes 299 et 305 de *SC*, consacrés à l'*Apologie* d'EUNOME et à sa réfutation par BASILE DE CÉSARÉE, ont été publiés alors que cet ouvrage était déjà sous presse.

Principales abréviations utilisées

Anal. Boll.	Analecta Bollandiana.
Ba	édition Batiffol (cf. Bibliographie).
CC	Corpus Christianorum, séries latina, Turnhout.
Chron. d'Ég.	Chronique d'Égypte.
CSCO	Corpus Scriptorum Christianorum orientalium.
CSEL	Corpus scriptorum ecclesiasticorum latinorum.
DACL	Dictionnaire d'Archéologie chrétienne et de liturgie.
DTC	Dictionnaire de Théologie catholique.
EOMJA	Ecclesiae Occidentalis Monumenta Juris Antiquissimi.
GS	E. Schwartz, Gesammelte Schriften 3, Berlin 1959.
J.R.S.	Journal of Roman Studies.
J.Th.S.	Journal of Theological Studies.
Nach. Gött.	Nachrichten von der k. Gesellschaft der Wissenschaften zu Göttingen.
PG	Patrologie grecque.
PL	Patrologie latine.
RE	Real-Encyclopädie der classischen Altertumswissenschaft.
R.E.G.	Revue des Études Grecques.
Rev. Ét. Aug.	Revue des Études augustiniennes.
Rev. Sc. rel.	Revue des Sciences religieuses.
R.H.E.	Revue d'Histoire ecclésiastique.
SC	Sources chrétiennes.
ZnTW	Zeitschrift für neutestamentliche Wissenschaft.
ZSS. Kan.	Zeitschrift der Savigny-Stiftung. Kanonische Abteilung.

Les œuvres d'Athanase utilisées ont été citées d'après l'édition de H. G. Opitz, *Athanasius Werke*, Berlin 1935-1941, pour les suivantes :

Apologia de fuga sua	*(Apol. de fuga).*
Apologia contra Arianos	*(Apol. c. Ar.).*
Epistula encyclica	*(Ep. encycl.).*
Historia Arianorum	*(Hist. Ar.).*
De Synodis	*(De Syn.).*

Les autres sont citées d'après la *Patrologie grecque*, 25 et 26 :

Apologia ad Constantium	*(Apol. ad Const.).*
Epistula ad Dracontium	*(Ep. ad Drac.).*
Tomus ad Antiochenos	*(Tomus ad Ant.).*
Epistula ad Iouianum	*(Ep. ad Iouianum).*
Vita Antonii	*(Vita Ant.).*
Orationes adversus Arianos	*(Or. adv. Ar.).*
Epistulae heortasticae	*(Lettres festales).*

Conspectum siglorum

V   = Codex Veronensis LX, saec. VIII.
Ba   = Batiffol, 1898.
Ma   = Maffei, editio princeps, 1738.
Fr   = Fromen, 1914.
Tu   = Opitz-Turner, 1939.
edd   = Ma Fr Tu.
Seeck = O. Seeck, Geschichte des Untergangs der antiken
        Welt, IV, Berlin 1911, Anhang p. 493 (304, 31) ;
        V, 1913, Anhang p. 458 (78, 10).
[Δ]   = interpolation.
<Δ>   = addition ou conjecture.

La numérotation entre parenthèses dans la marge renvoie à l'édition Batiffol.

L'italique permet de mettre en valeur le développement des abréviations ainsi que les corrections apportées au manuscrit (v. ch. 3 de l'introduction).

HISTORIA « ACEPHALA » ATHANASII

(1) f⁰ 105a
(2)

1. 1. Scripsit autem et imperator Constantius de reditu Athanasii et inter imperatoris epistulas haec quoque habetur. Et factum est post Gregorii mortem, Athanasius reuersus est ex urbe Roma et partibus
5 Italiae et ingressus est Alexandriam phaophi XXIV, consulibus Constantio IV et Constante III, hoc est post annos VI, et remansit quietus aput Alexandriam annis XVI et mensibus VI. **2.** Secundum autem reuersionis eius, consulibus Hypatio et Catulino, Theodorus,
10 Narcissus, Georgius cum ceteris uenerunt Constantinopoli, uolentes suadere Paulo communicare sibi, qui nec uerbo eos suscepit, etiam eorum salutationem anathematizauit. **3.** Adsumentes itaque secum Eusebium Nicommedensem, insidiati sunt beatissimo Paulo et
15 interponentes calumniam illi de Constante et Magnentio expulerunt Constantinopolim, quo possint locum habere
f⁰ 105b et arrianam eresin seminare. | **4.** Populus autem constantinupolitanus desiderans beatissimum Paulum perseuerauit seditionibus ne duceretur ex urbe, amantes

---

1, 2 Athanasii *edd* : Athanasius *V* ‖ epistulas *V Fr Tu* : epistolas *Ma* ‖ haec *edd* : hec *V* ‖ 3 post *Ba edd* : pos *V* ‖ 6 Constantio *Ma Fr* : Constantino *V Tu* : apud *Ma* ‖ 8 annis XVI *V Ma Fr* : annis VI *Tu* ‖ mensibus VI *Ba Fr* : mens̄ VI *V* mens VI *Ma* mensibus VII *Tu* ‖ 10 Constantinopoli *V* : Constantinopolim *edd* ‖ 14 Nicommedensem *V Tu* : Nicomediensem *Ma* Nicomedensem *Fr* ‖ 16 Constantinopolim *V* : Constantinopoli *edd* ‖ possint *V Fr Tu* : possent *Ma* ‖ 17 arrianam *V Tu* : arianam

HISTOIRE « ACÉPHALE » D'ATHANASE

1. 1. Or l'empereur Constance aussi[1] écrivit à propos du retour d'Athanase, et parmi les lettres de l'empereur celle-ci, entre autres, est conservée[2]. Et il se fit qu'après la mort de Grégoire[3], Athanase revint de la ville de Rome et des régions d'Italie[4] et entra à Alexandrie le vingt-quatrième jour de phaôphi, sous le quatrième consulat de Constance[5] et le troisième de Constant, soit après six ans *(sic)*[6]. Et il demeura paisiblement à Alexandrie durant seize ans et six mois *(sic)*[7].

2. Or après le retour de celui-ci *(sic)*[8], sous le consulat d'Hypatius et de Catullinus *(sic)*[9], Théodore, Narcisse et Georges[10] se rendirent avec d'autres à Constantinople dans le dessein d'engager Paul à communier avec eux, mais celui-ci refusa de s'entretenir avec eux, bien plus, il jeta l'anathème sur leur visite. **3.** C'est pourquoi, ayant pris avec eux Eusèbe de Nicomédie[11], ils tendirent un piège au bienheureux Paul[12] et, ayant fait intervenir contre lui une calomnie au sujet de Constant et de Magnence[13], ils le chassèrent de Constantinople pour pouvoir prendre la place et répandre l'hérésie arienne. **4.** Mais le peuple de Constantinople, réclamant le bienheureux Paul, persista par des émeutes à empêcher

Ma Ba Fr ‖ eresin *scripsi* : eresis *V* eresim *Ma* haeresin *Fr* eresem *Tu* ‖ seminare *edd* : seminar *V* ‖ 18 constantinupolitanus *V Fr Tu* : constantinupolitanus *Ma* ‖ desiderans *V edd* : disiderans *Ba* ‖ 19 duceretur *edd* : ducerentur *V*

20 sanam doctrinam eius. Imperator sane iratus comitem
Hermogenem transmisit ut eum eiciat. Quo audito,
populus per mediam ciuitatem extraxit Hermogenem,
ex qua re, occassione nancta aduersum episcopum,
exiliauerunt eum in Armenia, uolens Eudoxium hereseos
25 arrianae socium et participem Theodorus cum ceteris
throno ciuitatis inponere ordinatum Germaniciae.
5. Populo uero moto ad seditionem et non permittente
quemquam sedere in throno beati Pauli, adsumentes
Macedonium, Pauli presbyterum, ordinauerunt episco-
30 pum Constantinupolitanae ciuitatis, quem omnis episcoporum conuentus damnauit quoniam aduersus suum
patrem inpositionem manus hereticorum impiae suscepit.
6. Macedonius tamen postquam communicauit illis et
subscripsit, occassiones ingesserunt nullius momenti
35 et amouentes de ecclesia constituunt Eudoxium supradictum Antiochensem. Unde in hac secessione Macedo-
niani apellantur circa Spiritum Sanctum naufragentes.

(3)   7. Post hoc tempus Athanasius audiens aduersum
se turbam futuram, imperatore Constantio in Mediolano
40 constituto, dirixit ad comitatum nauigium cum epis-
f° 106a copis V, Serapionem | Thmuitanum, Triadelphum
Niciotanum, Apollonem Cynopolitanum superioris,
Ammonium Pachnemonensem... et presbyteros Alexandriae III, Petrum medicum, Astericium et Phileam.

1, 21 Hermogenem *edd.* : Hermogene *V* ‖ transmisit *edd* :
transmisit *V* ‖ 22 Hermogenem *Ba edd* : Hemogenem *V* ‖ 23
occassione *V Tu* : occasione *Ma Fr* ‖ 24 Armenia *Ma* : Armoe-
nia *V Tu* Armeniam *Fr* ‖ hereseos *V Tu* : haereseos *Ma Fr* ‖ 25
arrianae *Tu* : arriane *V* arianae *Ma Fr* ‖ 26 inponere *V Fr
Tu* : imponere *Ma Ba* ‖ Germaniciae *Fr Tu* : Germanice *V*
Germanicae *Ma* ‖ 30 Constantinupolitanae *Fr* : Constantinupolitane *V Tu* Constantinopolitanae *Ma* Constantinopolitane
Ba ‖ ciuitatis *Ma Ba* : ciuitati *V Fr Tu* ‖ 32 inpositionem *Fr
Tu* : inpositionè *V* impositionem *Ma Ba* ‖ hereticorum *V Tu* :
haereticorum *Ma Fr* ‖ impiae *scripsi* : impie *V edd* ‖ 34 sub-

populus autem constantinupolitanus desidêrans beatissimum paulum perseuerauit se
ditionibus neducerentur exuberream anuesa
nam doctrinam eius imps anciratus comite
herodiogene transmisi ... quodau
... populus paediam ciuitatem extra urbe
macegnom Exquare eo cassione narctadut
sumepm Et illae erunt cum in arcadenia
Uolens eudoxium hereseos arrianes ocium
erat ... theodorus cum ceteris throno
ciuitatis in ponere cordinatum Germanice
populauero moto ad seditionem et non pmi
sente quemquam sadere in throno beati paul.
Ad sui mentes macedonium paulipms ordina
uerunt epm constantinupolitane ciuitati
Quem omnis epus conuentus damnauit
qm aduersus usu um patrum inpositionê anus
hereticorum impiesus capit Macedonius
tamen posequam communicauit illis et sub
scripsit occassione esin gessorunt nullio smo
menti Etiam gentes de euclesia Constitum
eudorium supradictum antiochensem
Unde in hac secessione ... apellan
tur circa sponscm naufragantes
Post hoc tempus athanasius audiens aduen
suos saturam futuram imperatore con
stantino ... diolano constituto dirixit ad
comitatum nauigion coepis ui serapioneu

...tian...tradel ph...NICIOLAN...APOLL ove...
CYNOPOLITAN... SUPERIORIS A... NIAM pache
MONENSE... ET PRESBYTEROS Alexandriae in
PETRUM medicum...ASTERICUM... ET philtem
POSTEORUM NAVIGATIONE... DE ALEXANDRIA CON
SOLATO CONSTANTINI VP AUG ET CONSTANTE CUSAE
II PACHON XXIII die Max post III dies GRONTANO
PALATINUS IN GRESES FAL ALEXANDRIAM pachon XXV
EIUSDEM AUGUSTI LITTERA CONSTANTIS DEDIT...
ATHANASIO qui VICABATUS... OCCURRE AD COM
TATUM... ET QUARE ENIM IS VASTATUS EST EPS ET
OMNIS POPULOS... GATUS EST VALDE HAC NON...
NUS NIHIL AGENS P PECTUS EST RELIQUER S EPS
ALEXANDRIAE DOST MODUM A... DIOGENES
IMPERIALIS NOTARIUS VENIT ALEXANDRIAM
SE MENSURE CONSOLATUS ARBITIONIS ET LOLIA
NI HOC EST POST ANNOS III ET MENSES V ET P FEC
TIONEM CON... ALEXANDRIA ET INCUBUIT
OMNIB DIOGENES EXPELLENS EGREDIEB... CIVITATI
GRON ESATIS AD STRIXIT VI AUTEM die TORIB...
ACRITER INCUMBENS EXP UGNABAT ECCLESIAM
ET FECIT INSISTENS MENSES III HOC EST EX MEN
S E MENSORE SIUE EX die INTERCALARIO A IUNI...
CY... VI die POPULO UERO RESISTENTE DIOCE...
UEHEMENTER... IUDICIBUS REURSAUS EX DIOCE
NES SINE EFFECTU P die... MENSIS EX A die XVII CON
SOLATO ARBITIONIS ET LOLIANI POST MENSES III
SIC UIXIT UMESITA ITAQUE DUA SYRIANUS.

Codex Veronensis LX, f° 106 a.

qu'il quittât la ville de force, par attachement à sa saine
doctrine. Très irrité, l'empereur envoya le comte
Hermogénès[14] pour qu'il le chasse. L'ayant entendu
dire, le peuple traîna Hermogénès à travers toute la
ville[15], à la suite de quoi, saisissant l'occasion contre
l'évêque, ils l'exilèrent en Arménie[16], Théodore et les
autres voulant établir Eudoxe, allié et membre actif de
l'hérésie arienne, sur le trône de la cité, (bien qu'il ait
été) ordonné évêque de Germanicie[17]. 5. Mais le peuple
poussé à la révolte, s'opposa à ce que quiconque s'assît
sur le trône du bienheureux Paul, aussi prirent-ils avec
eux Macedonius[18], prêtre de Paul, et l'ordonnèrent-ils
évêque de la ville de Constantinople, mais l'assemblée
des évêques tout entière le condamna, puisqu'il avait
reçu contre son père l'imposition de la main impie des
hérétiques[19]. 6. Pourtant, après que Macedonius eut
communié avec eux et souscrit à leur confession de
foi[20], ils se saisirent d'occasions sans importance pour
l'écarter de l'Église et établir Eudoxe d'Antioche[21] déjà
nommé. Depuis cette rupture, on appelle Macédoniens
ceux qui font naufrage au sujet du Saint-Esprit[22].

7. Après ce temps-là[23], Athanase, apprenant qu'on
allait lui chercher querelle alors que l'empereur
Constance[24] séjournait à Milan[25], envoya par mer à la
cour cinq évêques, Sérapion de Thmuis, Triadelphus de
Nikiou, Apollôs de Cynopolis supérieure, Ammonius de
Pachnemunis et...[26] et trois prêtres d'Alexandrie, Pierre

---

scripsit *edd* : subscripsi *V* ‖ occassiones *V Tu* : occasiones *Ma*
Fr ‖ ingesserunt *Ba edd* : ingusserunt *V* ‖ 37 apellantur*V* : appel-
lantur *Ba edd* ‖ 39 Constantio *Fr Tu* : Constante *V Ma* ‖ 40
dirixit *V* : direxit *Ba edd* ‖ 41 Thmuitanum *edd* : tuitanum *V* ‖ 42
Apollonem *V Fr Tu* : Apollinem *Ma* ‖ 43 Pachnemonensem
scripsi : pachemonensem *V Tu* pachemmonensem *Ma* pachomo-
nensem *Ba* pachnemunensem *Fr* ‖ Alexandriae *edd* : Alexandrie
V ‖ 44 Astericium *Fr* : Astericum *V Ma Tu*

45 8. Post corum nauigationem de Alexandria, consolato
Constant*i* VI Augu*sti* et Constante Caesare II,
pachom XXIV die, mox post IV dies Montanus
palatinus ingres*sus* est Alexandriam pachom XXVIII
<*et*> eiusdem Augusti litteras Constant*i* dedit ep*iscopo*
50 Athanasio p*er* quas u*o*cabat *eum* occurre*re* ad commitatum. Ex qua re nimis uastatus est ep*iscopus* et
omnis popul*us* fatigatus est ualde. Ita Montanus nihil
agens p*ro*fectus est, relinquens ep*iscopum* Alexandri*ae*.
(4)   9. Postmodum autem Diogenes, imperialis notarius,
55 uenit Alexandria*m* mense mens*ore*, consolat*u* Arbitionis
et Loliani, hoc est post annos II et menses V ex
p*ro*fectione Montani de Alexandria, et incubuit omni*bus*
Diogenes expellens egredi ep*iscopum* ciuitatem et
omne*s* satis adstrixit. VI autem die toth mens*is*,
60 acriter incumbens expugnabat ecclesiam et fecit insistens
menses IV, hoc est ex mense mens*ore* siue ex die
intercalariorum usq*ue* cyac, XXVI die. Populo uero
resistente Diogen*i* uehementer et iudicib*us*, reuersus
est Diogenes sine effectu, p*re*dicti mensis cyac die XXVI,
65 consolato Arbitionis et Loliani, post menses IV, sicut
(5) f° 106b dictum est. 10. Itaque dux Syrianus | et notarius
Illarius de Egipto Alexandria uener*unt* tybi *X* die

1, 45 corum *V* : quorum *edd* ‖ consolato *V Tu* : consul *Ma*
consulatu *Fr* ‖ 46 Constanti *Tu* : Constantini *V* Constantio
Ma Constantii *Fr* ‖ Constante *V Ma* : Constantii *Fr* Constanti
Tu ‖ Caesare *V Ma* : Caesaris *Fr* Caes *Tu* ‖ 48 ingressus est *Fr*
Tu : ingres est *V* ingressus *Ma* ‖ 49 et *scripsi* ‖ litteras *edd* :
littera *V* ‖ Constanti *Tu* : Constantis *V Ma* Constantii *Fr* ‖
50 uocabat *Fr* : uicabat *V* uetabat *Ma Tu* ‖ eum *Fr* : eos *V*
Ma Tu ‖ occurrere *edd* : occurre *V* ‖ commitatum *V Tu* : comitatum *Ma Fr* ‖ 52 populus *edd* : populos *V* ‖ 53 Alexandriae
edd : Alexandrie *V* ‖ 55 Alexandriam mense *edd* : Alexandria-
mense *V* ‖ mensore *edd* : mensure *V* ‖ consolatu *scripsi* : consolatus *V Tu* consulatu *Ma* consulatus *Fr* ‖ 56 Loliani *V Ma Tu* :
Lolliani *Fr* ‖ est *V Ma Tu* : et *Fr* ‖ menses V *V Ma Fr* : menses
II *Tu* ‖ 58 ciuitatem *V Fr Tu* : -te *Ma* ‖ 59 omnes satis *edd* :

le médecin, Astericius et Philéas[27]. 8. A peine avaient-ils
quitté le port d'Alexandrie, sous le sixième consulat de
l'empereur Constance et le deuxième de Constance
César[28], le vingt-quatrième jour de pachôn, que, quatre
jours plus tard, le vingt-huitième de pachôn, Montanus,
fonctionnaire du palais[29], entra dans Alexandrie et
remit à l'évêque une lettre de l'empereur Constance
lui-même par laquelle il lui mandait de se rendre au
palais[30]. L'évêque fut fort tourmenté de cela et tout le
peuple fut grandement inquiété. Pour lors, Montanus
s'en retourna sans rien faire, laissant l'évêque à
Alexandrie. 9. Et par la suite, Diogénès, notaire
impérial, vint à Alexandrie pendant le mois de mésorè,
sous le consulat d'Arbitio et de Lollianus, soit deux ans
et cinq mois *(sic)* après le départ de Montanus
d'Alexandrie[31], et Diogénès usa de menaces sur tout le
monde pour obliger l'évêque à quitter la ville et il
resserra considérablement sa poigne sur tous[32]. Bien
plus, le sixième jour du mois de thôth, avec acharnement,
sans lâcher prise, il prenait d'assaut l'église[33] et il
maintint ainsi sa pression pendant quatre mois, du mois
de mésorè ou du jour des intercalaires[34] jusqu'au mois
de choiak, le vingt-sixième jour. Mais le peuple lui
tenant tête énergiquement ainsi qu'aux juges[35], Diogénès
repartit sans résultat[36], le vingt-sixième jour du mois de
choiak déjà cité, sous le consulat d'Arbitio et de
Lollianus, quatre mois plus tard, comme on l'a dit.
10. C'est pourquoi, le *dux* Syrianus et le notaire
Hilarius[37] vinrent d'Égypte à Alexandrie[38] le dixième

omnesatis *V* ‖ adstrixit *V Fr Tu* : adflixit *Ma* ‖ 62 cyac *edd* : cya
V ‖ die *V Tu* : diem *Ma Fr* ‖ 63 Diogeni *edd* : Diogenium *V* ‖ 64
predicti *Tu* : p̄dicti *V* praedicti *Ma Fr* prodicti *Ba* ‖ 65 consolato
V Tu : consulatu *Ma Fr* ‖ Loliani *V Ma Tu* : Lolliani *Fr* ‖ 67
Illarius *V Tu* : Hilarius *Ma Fr* ‖ Egipto *V Tu* : Aegypto *Ma Fr* ‖
Alexandria *V* : Alexandriam *edd* ‖ X *Tu* : dece *V* decimo *Ma Fr*

post consolato*m* Arbitionis et Loliani ac p*r*emittentes
omnes p*er* Egiptum ac Lybiam militum legiones
70 ingressi sunt dux et notarius p*er* nocte*m* cum omni
manu militari ecclesiam Theon*ae*, methyr XIII die
p*er* nocte*m* superuenientem XIV, et frangentes ostea
ecclesi*ae* Theonae, ingressi sunt cum infinita man*u*
militari. 11. Ep*iscopu*s autem Athanasius effugit manus
75 eorum et saluatus es*t*, die p*r*edicto methyr XIV. Hoc
tamen factum est post annos IX et men*ses* III ac
dies XIX quam Italia reuersus est ep*iscopu*s.

2. 1. Li*b*erato autem ep*iscopo*, presby*teri* ipsius et
populus remanserunt optinentes ecclesias et colligentes
mensib*us* IV, donec ingrederetur Alexandriam Cataphronius p*refectus* et Eraclius comes mense pahyni,
5 XVI die, cons*olatu* Constanti VIII et Iuliani Cessaris
(6)   primo. 2. Et post dies IV quam sunt ingressi, Athanasiani
eiecti sunt ecclesiis et tradit*ae* sunt ad G*e*org*i*um
p*er*tinentib*us* et ep*iscopu*m expectantib*us*. Susceperunt
aute*m* hii ecclesias die XXI mense pahyni, aduenit
10 etiam G*e*org*i*us Alexandri*ae* cons*olatu* Constanti IX
et Iulian*i* Cessaris *II*, methyr XXX die, hoc est post
men*ses* octo et dies XI quando susceperunt ecclesias

1, 68 consolatom *scripsi* : consolato *V Tu* consulatum *Ma Fr* ‖
Loliani *V Ma Tu* : Lolliani *Fr* ‖ ac *edd* : hac *V* ‖ premittentes *Tu* :
permittentes *V* praemittentes *Ma Fr* ‖ 69 Egiptum *V Tu* :
Aegyptum *Ma Fr* ‖ ac *edd* : hac *V* ‖ Lybiam *V Ma Tu* :
Libyam *Fr* ‖ 70 noctem *edd* : nocte *V* ‖ 71 Theonae *edd* : Theone
V ‖ methyr *V Tu* : methir *Ma* mechir *Fr* ‖ 72 ostea *V* : ostia *edd* ‖
73 ecclesiae *edd* : ecclesie *V* ‖ Theonae *edd* : Theone *V* ‖ manu
militari *edd* : manummilitari *V* ‖ 75 est *edd* : es *V* ‖ predicto *Ba*
Tu : p̄dicto *V* praedicto *Ma Fr* ‖ methyr *V Ma Tu* : mechir *Fr* ‖
76 ac *edd* : hac *V*

2, 1 liberato *edd* : liuerato *V* ‖ 2 optinentes *V Fr Tu* : obtinentes
Ma ‖ 4 prefectus *Tu* : prf̄ *V* praefectus *Ma Fr* ‖ Eraclius *V Tu* :
Heraclius *Ma Fr* ‖ pahyni *V Ma Tu* : payni *Fr* ‖ 5 consolatu *scripsi* :
cons *V* consulatu *Ma Fr* consolato *Tu* ‖ Constanti *V Tu* : Constan-

jour de tybi, l'année qui suivit le consulat d'Arbitio et
de Lollianus[39], et, dépêchant devant eux toutes les
légions en garnison à travers l'Égypte et la Libye[40], le
dux et le notaire pénétrèrent de nuit avec toutes leurs
troupes dans l'église de Théonas, la nuit du treizième
au quatorzième jour de méchir, brisèrent les portes de
l'église de Théonas et y pénétrèrent avec une troupe
nombreuse de soldats[41]. 11. Mais l'évêque Athanase
échappa à leurs mains et fut sauvé le quatorzième jour
susdit de méchir. Or cela eut lieu neuf ans, trois mois et
dix-neuf jours après son retour d'Italie[42].

2. 1. L'évêque une fois tiré d'affaire, son clergé et le
peuple demeurèrent dans les églises pour les occuper et
s'y rassembler quatre mois durant, jusqu'à ce que le
préfet Cataphronius et le comte Heraclius[43] entrent à
Alexandrie au mois de payni, le seizième jour, sous le
huitième consulat de Constance et le premier de Julien
César. 2. Et quatre jours après leur arrivée, les
Athanasiens furent chassés des églises[44] et celles-ci
furent livrées aux partisans de Georges[45] qui attendaient
l'évêque[46]. Ceux-ci prirent possession des églises au
mois de payni, le vingt et unième jour, et Georges
arriva à son tour à Alexandrie sous le neuvième consulat
de Constance et le second de Julien César, en méchir,
le trentième jour, soit huit mois et onze jours après que
ses partisans eurent pris possession des églises[47].

tis *Ma* Constantii *Fr* ‖ Cessaris *V Tu* : Caesaris *Ma Fr* ‖ 7 traditae
edd : tradite *V* ‖ Georgium *Fr Tu* : Gregorium *V Ma* ‖ 8 expectantibus *V Fr Tu* : exspectantibus *Ma* ‖ 9 hii *V Tu* : hi *Fr*
ii *Ma* ‖ pahyni *V Ma Tu* : payni *Fr* ‖ 10 Georgius *Fr Tu* :
Gregorius *V Ma* ‖ Alexandriae *edd* : Alexandrie *V* ‖ consolatu
scripsi : cons *V Ma* consulatu *Fr* consolato *Tu* ‖ Constanti *Tu* :
Constantis *V Ma* Constantii *Fr* ‖ 11 Iuliani *edd* : Iulianis *V* ‖
Cessaris *Tu* : Cessari *V* Cesari *Ba* Caesaris *Ma Fr* ‖ II *edd* : duo *V* ‖
methyr *V Ma Tu* : mechir *Fr* ‖ 12 menses *edd* : mense *V*

ad eum pertinentes. 3. Ingressus itaque Georgius
Alexandriam tenuit ecclesias mensibus XIX integris
15 et tunc plebs adgressa est illum in dominico Dionisii
fᵒ 107a | et uix cum periculo et magno certamine liberatus
est die primo mensis toth, consolatu Tatiani et Cerealis.
Eiectus est autem Georgius de Alexandria <post>
dies X<XXV> factae seditionis, hoc est phaophi
20 die V. 4. Ad Athanasium uero episcopum pertinentes,
post dies IX profectionis Georgii, hoc est XIV die
mensis phaophi, eicientes Georgii homines tenuerunt
ecclesias mensibus duobus et diebus XIV, donec
aduenit dux Sebastianos de Egipto et eiecit eos et
25 iterum ad Georgium pertinentibus ecclesias consignauit,
(7) mense cyac, die XXVIII. 5. Post menses autem IX
integros profectionis Georgii de Alexandria, Paulus
notarius aduenit pahyni XXIX, consolante Eusebio
et Hypatio, et proposuit imperiale preceptom pro
30 Georgio et domuit multos ob eius uindicta. 6. Et post
<annos II et> menses V, Georgius uenit Alexandria
athyr XXX die, consolante Tauri et Florenti, de
comitatu, hoc est post annos III et menses duos quam
fugerat. 7. Et aput Antiochiam arrianae ereseos eicientes
35 Paulinom de ecclesia Melitium constituerunt. Co nolente

2, 13 Georgius *Fr Tu* : Gregorius *V Ma* ‖ 14 XVIIII *V Fr* :
XVIII *Ma Tu* ‖ 15 Dionisii *V Tu* : Dionysii *Ma Fr* ‖ 16 liberatus
edd : liueratus *V* ‖ 17 toth *scripsi* : tot *V Tu* thot *Ma* thoth *Fr* ‖
consolatu *scripsi* : cons *V Ma* consulatu *Fr* consolato *Tu* ‖ 18
Georgius *Fr Tu* : Gregorius *V Ma* ‖ post *conjeci cum Turner qui
add* mensem I ‖ 19 dies *V Tu* : die *Ma Fr* ‖ XXXV *conjeci* : X
V Ma Fr V *Tu* ‖ factae *edd* : facte *V* ‖ phaophi *Fr* : phaoph *V Ma
Tu* ‖ 20 die *Fr Tu* : dies *V Ma* ‖ 22 phaophi *Fr* : phao *V* phac *Ma*
phaoph *Tu* ‖ Georgii *Fr Tu* : Gregorii *V Ma* ‖ 24 Sebastianos *V
Tu* : Sebastianus *Ma Fr* ‖ Egipto *V Tu* : Egypto *Ba* Aegypto *Ma
Fr* ‖ 26 die *edd* : dies *V* ‖ menses *edd* : mense *V* ‖ 28 pahyni *V Ma
Tu* : payni *Fr* ‖ consolante *V Tu* : consulante *Ma Fr* ‖ 29
proposuit *edd* : pposuit *V* praeposuit *Ba* ‖ preceptom *scripsi* : p̄cep-

3. C'est ainsi que Georges, après être entré à Alexandrie,
dirigea les églises dix-neuf mois entiers[48], et c'est alors
que le peuple l'attaqua dans l'église de Denys[49] et il fut
délivré de justesse, au prix de dangers encourus au
cours d'une rixe sérieuse, le premier jour du mois de
thôth sous le consulat de Tatianus *(sic)* et de Cerealis.
Or Georges fut chassé d'Alexandrie trente-cinq jours
après l'émeute[50], soit en phaôphi, le cinquième jour.
4. Mais les partisans de l'évêque Athanase, neuf jours
après le départ de Georges, soit le quatorzième jour du
mois de phaôphi, chassèrent les hommes de Georges et
réoccupèrent les églises durant deux mois et quatorze
jours[51], jusqu'à ce qu'arrivât d'Égypte le *dux* Sebastianus qui les expulsa[52] et assigna de nouveau les
églises aux partisans de Georges, au mois de choiak, le
vingt-huitième jour. 5. Or, neuf mois entiers *(sic)*
après le départ de Georges d'Alexandrie[53], le notaire
Paul[54] arriva en payni, le vingt-neuvième jour, Eusebius
et Hypatius exerçant le consulat, il afficha une ordonnance impériale en faveur de Georges et il opprima
beaucoup de gens pour le venger. 6. Et deux ans et
cinq mois plus tard[55], Georges arriva à Alexandrie, en
athyr, le trentième jour, sous le consulat de Taurus et
de Florentius, revenant du quartier général[56], soit
trois ans et deux mois après sa fuite[57]. 7. Et à Antioche,
ceux de l'hérésie arienne chassèrent Paulin de l'église[58]
pour y établir Mélèce[59], mais comme celui-ci refusait

Left margin notes: t · · léc. · ·

---

tom *V* praeceptum *Ma Fr* preceptum *Tu* ‖ 30 domuit *edd* : domui
V ‖ uindicta *V Tu* : uindictam *Ma Fr* ‖ 31 annos II et *restitui
cum Tu* : om *V* ‖ Alexandria *V* : Alexandriam *edd* ‖ 32 die *edd* :
dies *V* ‖ consolante *V* : cons *Ma* consulatu *Fr* consolato *Tu* ‖
Tauri *edd* : Taori *V* ‖ 34 aput *V Fr Tu* : apud *Ma* ‖ arrianae *Tu* :
arriane *V* arianae *Ma Fr* ‖ ereseos *V Tu* : haereseos *Ma Fr* ‖
35 Paulinom *scripsi* : Paulinos *V Ma* Paulinum *Fr Tu* ‖ Melitium
V Fr Tu : Meletium *Ma* ‖ co *V* : quo *edd*

eorum mal*a*e menti consentire, Euzoium presb*ylerum*
Georgii alexandrini eius loco ordinauerunt. 8. Ingressus
autem, sicut predictum est, Georgius Alexandriam
athy*r* di*e* XXX, deg*it* in ciuitate securus dies III,
40 hoc est dies III cyac. Nam IV die mensis eiusdem
pre*fectus* Gerontius nontiauit mortem Constanti impe*ra-*
loris et quod solus Iulianus tenuit uniuersum imperium.
f⁰ 107b 9. Quo audito, ciues | alexandrini et omnes contra
Georgium clamauerunt eodem*que* momento sub custodia
45 illum constituerunt et fecit in carcere ferro u*i*nctus
ex predicto di*e* cyac IV usq*ue* a*d* d*i*em XXVII eiusde*m*
mensis, dieb*us* XXIV. 10. Nam XXVIII di*e* eiusdem
mensis, mane, pene omnis popul*us* illius ciuitatis
produxit de carcere Georgium nec non etiam comitem
50 qui cum ipso erat, insistentem fabric*a*e dominicae
qu*a*e dicitur Cesarium, et occiderunt ambos et eorum
corpora circumduxerunt per media*m* ciuitatem, Georgii
quidem sup*er* camelum, Dracontii uero homines funib*us*
trahentes, et sic iniuriis adfectos circa horam VII diei
55 utriusq*ue* corpora co*m*busserunt.

3. 1. Proximo autem die, methir X di*e* mensis, post
consol*atum* Tauri et Florenti, Iuliani impe*ratoris*
preceptum propositum est <*per*> quod iubebatur

2, 36 malae *edd* : male *V* ‖ 38 predictum *V Tu* : praedictum
Ma Fr ‖ 39 athyr *edd* : athy *V* ‖ die *edd* : dies *V* ‖ degit *Ma* :
degessunt *V* degit supra scripta *Fr cum Seeck* degessit *Tu* ‖ dies *V*
edd : mes *Ba* ‖ 40 dies *V Fr Tu* : die *Ma* ‖ cyac *V edd* : cyaci *Ba* ‖
41 prefectus *Tu* : prf *V* praefectus *Ma Fr* ‖ nontiauit *V Tu* :
nuntiauit *Ma Fr* ‖ Constanti *V Tu* : Constantii *Ma Fr* ‖ 43
ciues *cum edd restitui, at ob laesum marginem s littera amplius legi*
non potest ‖ 45 fecit *V Fr Tu* : fuit *Ma* ‖ ferro *V edd* : uel ferro
Ba ‖ uinctus *edd* : unctus *V* ‖ 46 predicto *V Tu* : praedicto *Ma*
Fr ‖ ad diem *scripsi* : a d *V* ad *edd* ‖ 47 diebus *Ma Fr* : dieb *V*
dies *Tu* ‖ die *Ba edd* : di *V* ‖ 48 pene *V Ma Tu* : paene *Fr* ‖
populus *edd* : populo *V* populi *Ba* ‖ 49 produxit *Fr Tu* : pduxit *V*

d'acquiescer à leurs mauvais desseins[60], ils ordonnèrent
à sa place Euzoius, prêtre de Georges d'Alexandrie[61].
ov. 8. Georges, entré à Alexandrie en athyr, le trentième
jour, comme on l'a déjà dit, demeura dans la ville en
sécurité pendant trois jours, soit les trois premiers jours
de choiak. De fait, le quatrième jour du même mois, le
préfet Gerontius fit savoir que l'empereur Constance
était mort[62] et que Julien dirigeait seul l'empire tout
entier. 9. A cette nouvelle, les citoyens d'Alexandrie et
tous ceux qui haïssaient Georges[63] le huèrent et, sur
l'heure, le mirent sous bonne garde, et il passa, enchaîné
en prison[64], vingt-quatre jours, du quatrième jour de
choiak déjà cité au vingt-septième jour du même mois.
10. De fait le vingt-huitième jour du même mois, au
matin, presque tout le peuple de cette cité fit sorti
Georges de la prison, ainsi que le comte qui était av
lui[65], préposé à l'atelier impérial qui est appelé Cesare   n
(sic)[66], les tua tous les deux[67] et promena leurs co   à
travers la ville, celui de Georges sur un cham   l[68],
tandis que les hommes traînaient celui de Draco   us[69]
avec des cordes[70], puis, après leur avoir fait s   ir de
tels outrages, vers la septième heure du j   r[71], ils
brûlèrent les deux corps[72].

3. 1. Or, un jour très proche[73], le dixiè   e jour du
mois de méchir, l'année qui suivit le consu   de Taurus
et de Florentius[74], une ordonnance de l'e   ereur Julien
fut affichée, qui obligeait de rendre   idoles, aux

perduxit *Ma* ‖ 50 fabricae *edd* : fabrice *V*   minicae *edd* : domi-
nice *V* ‖ 51 quae *edd* : que *V* ‖ Cesar   n *V Tu* : Caesarium
Ma Fr ‖ 55 combusserunt *edd* : cōbu   unt *V*
    3, 1 die[1] *V Ma Fr* : anno *substituit*   ‖ methir *V Tu* : methyr
Ma Ba mechir *Fr* ‖ 2 consolatum *T*   cons *V* consulatum *Ma*
Fr ‖ 3 preceptum *V Tu* : praeceptu   *Ma Fr* ‖ per quod *scripsi* :
quod *V* quo *edd*

reddi idolis et neochoris et publi*cae* rationi qu*ae*
5 preteritis tempori*bus* illis ablata sunt. 2. Post dies
autem III<*I*>, methir XIV, datum est preceptum
Gerontio pr*efecto* eiusdem Iuliani imp*eratoris* nec non
etiam uicarii Modesti, precipiens ep*iscopo*s omnes
functioni*bus* antehac circumuentos et exiliatos reuerti
10 ad suas ciuitates et prouincias. *Ha*e autem litterae,
sequenti die methir XV, pr*opossitae* sunt. 3. Postmodum
aute*m* et pr*efecti* Gerontii edictum pr*opositum* est, per
qu*od* uoca*batur* ep*iscopu*s Athanasius ad suam reuerti
eccl*esiam*. Et post dies XII huius edicti propositionis,

f° 108a Athanasius | uisus est aput Alexandriam ingressusqu*e*
est ecclesiam eodem mense methir, d*ie* XXVII. 4. *Et*
sic ex eius fuga e tempori*bus* Syriani et Hilarii [tempo-
ri*bus*] facta usq*ue* ad reditum eius Iuliano <*predicto
die*> methir XXVII <*post menses LXXII et dies XIV*>,
20 remansit in ecclesia usq*ue* phaophi XXVI<*I*>, conso-
latu Mamertini et Neuet*tae*, mensi*bus* VIII integris.

(11) 5. Predicto autem die phaoph*i* XXVII, <*Pythiodorus...*> proposuit Iuliani imp*eratoris* edictum ut
Athanasius ep*iscopu*s recederet de Alexandria. Et
25 eodem momento quo propositum est ed*i*ctum, ep*iscopu*s
egressus est ciuitatem et conmoratus est circa *C*hereu.
6. *Q*uo mox egresso, Olympus pr*efectus*, obtemperans

3, 4 idolis *V Ma Fr* : idoliis *Tu* ‖ neochoris *V Ma Tu* : neocoris
Fr ‖ publicae *edd* : publice *V* ‖ quae *edd* : que *V* ‖ 5 preteritis *V Tu* :
praeteritis *Ma Fr* ‖ ablata *Ba FrTu* : ab alata *V* sublata *Ma* ‖ 6
IIII *restitui* : III *V edd* ‖ methir *V Ma Tu* : methyr *Ba* mechir
Fr ‖ preceptum *V Tu* : praeceptum *Ma Fr* ‖ 7 prefecto *Tu* : prf
V praefecto *Ma Fr* ‖ 8 uicarii *V Ma Tu* : uicario *Fr* ‖ precipiens
Tu : p̄cipiens *V* praecipiens *Ma Fr* ‖ 9 functionibus *V Tu* : factio-
nibus *Ma Fr* ‖ et exiliatos *Ba edd* : et et exiliatos *V* ‖ 10 hae *Ma
Tu* : e *V* ea *Ba* eae *Fr* ‖ litterae *Fr Tu* : littere *V* literae *Ma*
‖ 11 methir *V Ma Tu* : mechir *Fr* ‖ propossitae *Tu* :
propossite *V* proposite *Ba* propositae *Ma Fr* ‖ 12 prefecti *Tu* :
prfi *V* praefecti *Ma Fr* ‖ 13 uocabatur *edd* : uocauatur *V* ‖ 15

néochores des temples[75] et au trésor public ce qui leur
avait été enlevé à l'époque précédente[76]. 2. Quatre jours

vr. plus tard[77], le quatorzième de méchir, une ordonnance
dudit empereur Julien et aussi du vicaire Modestus[78] fut
remise au préfet Gerontius, prescrivant à tous les
évêques antérieurement empêchés d'exercer leur charge
et exilés de rentrer dans leurs cités et leurs provinces[79].
Et cette lettre fut affichée le jour suivant, le quinzième
de méchir. 3. Et peu après, un édit du préfet Gerontius
fut aussi rendu public, qui invitait l'évêque Athanase à
revenir dans son église[80]. Et douze jours après la proclamation de cet édit, on vit Athanase à Alexandrie entrer
dans l'église ce même mois de méchir, le vingt-septième
jour. 4. Et c'est ainsi que, de sa fuite au temps de
Syrianus et d'Hilarius à son retour sous Julien le vingt-
septième jour de méchir déjà cité, après soixante-douze
mois et quatorze jours d'exil[81], il demeura dans l'Église
jusqu'au vingt-septième de phaôphi[82], sous le consulat de
Mamertinus et de Nevitta, huit mois entiers. 5. Le
vingt-septième jour de phaôphi déjà cité, en effet,
le... Pythiodorus[83] afficha un édit de l'empereur
Julien ordonnant à l'évêque Athanase de s'éloigner
d'Alexandrie[84]. Et à l'instant même où l'édit fut
affiché, l'évêque sortit de la ville et s'arrêta à Chairéon[85].
6. Puis après son départ, le préfet Olympus[86], obéissant

---

aput V Fr Tu : apud Ma ‖ 16 methir V Ma Tu : mechir Fr ‖ et sic
scripsi : ut sit V edd ‖ 17 e temporibus V : secl. Ma Fr secl. solum
e Tu ‖ seclusi temporibus² cum Tu ‖ 18 predicto die restitui ‖ 19
methir V Ma Tu : mechir Fr ‖ post menses LXXII et dies XIV
restitui ‖ 20 XXVII Fr : XXVI V Ma Tu ‖ consolatu scripsi : cons
V consulatu Ma Fr consolato Tu ‖ 21 Neuettae scripsi : Neuette V
Neueite Ba Neuittae edd ‖ 22 predicto V Tu : praedicto Ma Fr ‖
phaophi Fr : phaoph V Ma Tu ‖ conieci Pythiodorus cum Fr ‖ 25
eodem Ba edd : eodedem V ‖ edictum edd : eductum V ‖ 26 conmoratus V Fr Tu : commoratus Ma Ba ‖ Chereu scripsi : Thereu V edd
Cithereu Ba ‖ 27 prefectus Tu : prf V praefectus Ma Fr

eidem Pythiodoro et his qui cum ipso erant hominib*us* difficillimis, misit ad exilium Paulum et Astericium
30 presb*yteros* Alexandriae et direxit eos habitare Andropolitanam ciuitatem.

(12)   **4.** 1. Olympus autem idem pre*fectus*, mense mensore, XXVI d*ie*, consulib*us* Iuliano Augu*sto* IV et Salustio, nuntiauit Iulianu*m* imp*eratorem* esse mortuum et Iouianum chris*ti*anum imperare. Et sequente mense
5 toth XVIII, imperatoris Iouiani litter*ae* aduenerunt ad *O*lympum pre*fectum* ut tantum D*eus* excelsus colatur et Ch*ristus* et ut in ecclesiis colligentes populi celebrent religionem. 2. Paulus uero et Astericius predicti presbyteri reuersi sunt de exilio andropolitan*ae* ciuitatis
10 et ingressi sunt Alexandriam toth X die, post menses X.
(13) f⁰ 108b 3. Ep*iscopus* autem Athanasius moratus, | sicut predictum est, aput *C*hereon, ascendit ad superiores partes Egipti usq*ue* ad Ermopolim superiorem Thebaidos et usq*ue* Antinoum. Qu*o* in his locis degente, cognitum
15 est Iulianum imp*eratorem* mortuu*m* et Iouianum christianum imperatorem. 4. Ingressus igitur Alexandriam latenter ep*iscopus*, aduent*u* eius non plurib*us* cognito, occurrit nauigio ad imp*eratorem* Iouianum. Et post, ecclesiasticis reb*us* conpositis, accipiens littera*s*,
20 uenit Alexandriam et intrauit in ecclesiam *m*ethir XIX

3, 30 presbyteros *edd* : prbb *V* presb *Ba* ‖ Alexandriae *edd* : Alexandrie *V*

4, 1 prefectus *Tu* : prf *V* praefectus *Ma Fr* ‖ 2 Salustio *V Tu* : Sallustio *Ma Fr* ‖ 3 nuntiauit*V Fr Tu* : nunciauit *Ma* nontiauit *Ba* ‖ 4 christianum *edd* : xpianum *V* xpistianum *Ba* ‖ sequente *V Ma Tu* : sequenti *Fr* ‖ 5 toth *V Ma Tu* : thoth *Fr* ‖ litterae *edd* : littere *V* ‖ 6 ad Olympum *edd* : adlympum *V* ‖ prefectum *Tu* : prf *V* praefectum *Ma Fr* ‖ 7 Christus *edd* : chs *V* Xpistus *Ba* ‖ colligentes *V Fr Tu* : colligentes se *Ma* ‖ 8 Astericius *V edd* : Asterius *Ba* ‖ predicti *V Tu* : praedicti *Ma Fr* ‖ 9 andropolitanae *Ba edd* : andropolitane *V* ‖ 10 toth *V Ma Tu* : thoth *Fr* ‖ 11

à ce même Pythiodorus et aux hommes fort peu affables qui étaient avec lui, envoya en exil Paul et Astericius, prêtres d'Alexandrie[87], en les assignant à résidence dans la ville d'Andropolis[88].

4. 1. Et le même préfet Olympus, au mois de mésorè, le vingt-sixième jour, sous le quatrième consulat de l'empereur Julien et sous celui de Sallustius, annonça la mort de l'empereur Julien et l'avènement à l'empire du chrétien Jovien[89]. Et le mois suivant, le dix-huitième de thôth[90], il reçut une lettre de l'empereur Jovien signifiant que seul le Dieu très haut soit honoré avec le Christ et que les fidèles se rassemblent dans les églises pour célébrer le culte[91]. 2. D'autre part, Paul et Astericius, les prêtres déjà nommés, revinrent d'Andropolis leur cité d'exil et rentrèrent à Alexandrie le dixième jour de thôth, après dix mois d'absence[92]. 3. Et l'évêque Athanase, qui demeurait près de Chairéon, comme on l'a dit plus haut, monta vers les contrées supérieures de l'Égypte jusqu'à Hermopolis supérieure de Thébaïde et jusqu'à Antinoé[93]. C'est en séjournant dans ces lieux qu'il apprit que l'empereur Julien était mort[94] et que l'empereur Jovien était chrétien[95]. 4. C'est pourquoi, rentré secrètement à Alexandrie[96] sans que beaucoup soient au courant de son arrivée, l'évêque prit la mer pour se rendre auprès de l'empereur Jovien[97], après quoi, les affaires de l'Église une fois réglées, muni d'une lettre impériale, il vint à Alexandrie[98] et entra dans l'église le dix-neuvième

---

predictum *V Tu* : praedictum *Ma Fr* ‖ 12 aput *V Fr Tu* : apud *Ma* ‖ Chereon *scripsi* : Thereon *V edd* ‖ 13 Egipti *V Tu* : Egypti *Ba* Aegypti *Ma Fr* ‖ Ermopolim *V Tu* : Hermopolim *Ma Fr* ‖ 16 christianum *V edd* : xpistianum *Ba* ‖ 17 aduentu *edd* : aduentum *V* ‖ 19 conpositis *V Fr Tu* : compositis *Ma* ‖ litteras *Fr Tu* : littera *V* literas *Ma* ‖ 20 ecclesiam *V Ma Fr* : ecclesia *Tu* ‖ methir *Tu* : ethir *V* athir *Ma* mechir *Fr* ‖ XVIIII *V edd* : XXVIIII *Ba*

die, consolatu Iouiani et Varroniani, ex quo exiit
Alexandria secundum preceptum Iuliani usquedum
aduenit predicto die methir XIX post annum unum
(13 bis)   et menses III et dies XXII. 5. Aput Constantinupolim
25   autem Eudoxius Germaniciae tenebat ecclesiam et
erat inter eum et Macedonium heresis. Per Eudoxium
autem exiit alia peior heresis ab adulterina arrianorum
Aetii et Patricii Niceni communicantium Eunomio,
Heliodoro et Stephano. Et hoc accipiens Eudoxius
30   cum Euzoio arrianae hereseos episcopo antiocheno
communicauit et deposuerunt per occassionem Eleusium
et Macedonium et Hypatianum et alios XV ad se
pertinentes episcopos quoniam non suscipiebant « non
similem » neque « facturam non facti » transferentes.
35   6. Quorum expositio haec est :

Expositio Patricii et Aetii, qui Eunomio communica
fº 109a | uerunt Heliodoro et Stephano : sic quae sunt aput
Deum, non natum, sine principio, senpiternum, ut
non imperetur, inmutabilem, omnia uidentem, infinitum,
40   inconparabilem, omnipotentem, sine prouisione futura
scientem, sine dominio, haec non sunt Filii. Imperatur
enim, sub imperio est, ex nihilo est, finem habet, non
conparatur, transit eum Pater origo Christi, repperitur
quantum pertinet ad Patrem, futurum ignorat, non

4, 21 consolatu *scripsi* : con *V* cons *Ma* consulatu *Fr* consolato
Tu ‖ 22 preceptum *V Tu* : praeceptum *Ma Fr* ‖ 23 predicto *V Tu* :
praedicto *Ma Fr* ‖ methir *V Tu* : mechir *Fr* athir *Ma* ‖ 24 dies
Ba edd : dii *V* ‖ aput *V Fr Tu* : apud *Ma Ba* ‖ Constantinu-
polim *V Fr Tu* : Constantinopolim *Ma Ba* ‖ 25 Germaniciae *Fr*
Tu : Germanice *V* Germanicae *Ma* ‖ 26 heresis *V Tu* : haeresis
Ma Fr ‖ 27 heresis *V Tu* : haeresis *Ma Fr* ‖ ab adulterina *V Ma*
Fr : adulterina *Tu* ‖ arrianorum *Tu* : arrianor *V* arianorum *Ma*
Fr ‖ 28 Niceni *V Tu* : Nicaeni *Ma Fr* ‖ 30 arrianae *Tu* : arriane
V arianae *Ma Fr* ‖ hereseos *V Tu* : haereseos *Ma Fr* ‖ 31 occassio-
nem *V* : occasionem *Ma Fr* occasiones *Tu* ‖ Eleusium *Fr Tu* :
Seleusium *V* Seleucium *Ma* ‖ 35 haec *edd* : hec *V* ‖ 36 Aetii *edd* :

jour de méchir, sous le consulat de Jovien et de
Varronianus[99], après un an, trois mois et vingt-deux
jours passés en exil sur ordre de Julien[100]. 5. Or à
Constantinople, Eudoxe de Germanicie occupait l'église
et l'hérésie se partageait entre lui et Macedonius[101]. En
effet, par Eudoxe se répandit une autre hérésie pire
encore, issue des Ariens Aèce[102] et Patricius de Nicée[103],
qui étaient en communion avec Eunome[104], Héliodore
et Étienne[105]. Y souscrivant aussi, Eudoxe entra en
communion avec Euzoius, l'évêque arien d'Antioche[106],
et, l'occasion se présentant, ils déposèrent Eleusius,
Macedonius et Hypatianus ainsi que quinze autres
évêques de leur tendance, parce qu'ils n'acceptaient
pas d'adopter le « non semblable » ni « créature de
l'Incréé », et les exilèrent[107]. 6. Voici l'exposé de leur
foi :

Exposé de la foi de Patricius et d'Aèce, qui ont
communié avec Eunome, Héliodore et Étienne : Dieu a
en propre les caractères suivants : inengendré, sans
commencement, éternel, soumis à aucune autorité,
immuable, voyant tout, infini, sans égal, tout-puissant,
connaissant l'avenir sans avoir besoin de le prévoir,
sans seigneurie[108]. Ces caractères ne sont pas ceux du
Fils. Celui-ci, en effet, est soumis (au Père), sous son
autorité, il est tiré du néant, il a une fin, on ne peut le
comparer (au Père), le Père, principe du Christ[109], le
surpasse, il existe autant que cela dépend du Père, il

---

ii *V* ‖ 37 quae *Fr Tu* : ϙ *V* haec *Ma* ‖ aput *V Fr Tu* : apud *Ma* ‖
38 senpiternum *V Tu* : sempiternum *Ma Fr* ‖ 39 inmutabilem *V*
Fr Tu : immutabilem *Ma Ba* ‖ 40 inconparabilem *V Fr Tu* :
incomparabilem *Ma* ‖ prouisione *Fr Tu* : puisione *V* praevisione
Ma ‖ 41 haec *edd* : hec *V* ‖ 42 non *om Tu* ‖ 43 conparatur *V Fr*
Tu : comparatur *Ma Ba* ‖ origo Christi *scripsi* : igo x̄p̄i *V* ico xpisti
Ba Christi *Ma Fr* imago Christus *Tu* ‖ repperitur *V Fr Tu* :
reperitur *Ma*

45 erat Deus sed Dei filius, deus eorum qui post eum
sunt, et in hoc possidet inuariabilem aput Patrem
similitudinem quod omnia uidet quod [omnia] Pater,
quod non mutatur bonitate, non similem dealitatem
nec naturam. Si autem dixerimus quod ex dealitate
50 natus est, tanquam serpentinam germinationem eum
dicimus et est dictum impium et quemadmodum statua
eruginem ex se facit et ex ipsa erugine consummetur,
sic et Filius ex natura Patris si factus est, consumet
Patrem. Sed ex opere et nouitate operis Filius naturaliter
55 Deus et non ex natura sed ex alia natura, similiter
ut Pater nec ex ipso. Immago enim Dei factus est et
non ex Deo, et a Deo. Si omnia a Deo et Filius tamquam
ex alico negotio. Quemadmodum ferrum ferruginem
habens minuetur, quemadmodum corpus uermes faciens
60 commeditur, quemadmodum uulnera ex se mittens
f° 109b consummetur ex ipsis, sic qui dicit Filium | ex Patris
natura, similem autem Filium Patri qui non dicit,
extra ecclesia fiat et sit anathema. Si dixerimus Deum
Dei Filium, duos sine initio inducimus. Imaginem
65 dicimus Dei. Qui dicit ex Deo, sabellizat, et qui dicit
se ignorare Dei natiuitatem, manichizat. Et si quis
dixerit substantiam Fili similem substantiae Patris
non nati, blasphemat. Sicut enim nix et simithium

4, 46 possidet *Ba edd* : posidet *V* ‖ aput *V Fr Tu* : apud *Ma* ‖
47 quod² *V Ma Tu* : et quod *Ba Fr* ‖ omnia² *emendaui* ‖ pater
V Fr : *om Ma* potest *coniecit Tu* ‖ 48 dealitatem *V Tu* : dealitate *Ma Fr* ‖ 49 naturam *Tu* : nature *V* natura *Ma Fr* ‖ 50
tanquam *V Fr Tu* : tamquam *Ma* ‖ 51 statua *edd* : statuat *V* ‖
52 eruginem *V Fr Tu* : aeruginem *Ma* ‖ ex se facit *edd* : exē facit
V exefacit *Ba* ‖ ipsa erugine *Fr Tu* : ipseruginem *V* ipsa aeruginem *Ma* ‖ consummetur *V* : consumetur *edd* ‖ 56 immago *V*
Tu : imago *Ma Fr* ‖ et *V Ma Tu* : ut *Fr cum Seeck* ‖ 57 non
scripsi : nos *V edd* ‖ a Deo¹ *edd* : addō *V* ‖ a Deo² *edd* : addō *V* ‖
58 alico *V Tu* : aliquo *Ma Fr* ‖ 60 commeditur *V Tu* : come-
ditur *Ma Fr* ‖ uulnera *V Fr Tu* : uulnus *Ma* ‖ 61 consummetur *V* :

ignore l'avenir, il n'était pas Dieu[110], mais Fils de Dieu,
dieu de ceux qui existent après lui, et il possède une
ressemblance parfaite auprès du Père en cela qu'il voit
tout ce que voit le Père, qu'il est parfaitement bon, mais
(il ne possède) ni une divinité ni une nature semblables[111].
Or si nous avions dit qu'il est né de la substance divine,
nous aurions parlé de sa génération comme de celle du
serpent, et cela est impie, et, de même que le vert-de-
gris produit par une statue de bronze la ronge, de
même aussi le Fils, s'il était issu de la nature du Père,
détruirait le Père[112]. Mais c'est par l'œuvre et l'innovation de l'œuvre (du Père) que le Fils a été créé Dieu
par nature et non à partir de la nature du Père mais
d'une autre nature, semblablement au Père[113] et non
de Lui-même. Il a été créé, en effet, image de Dieu[114] et
non de Dieu, et par Dieu. Si tout (est créé) par Dieu, le
Fils l'est aussi comme provenant de n'importe quelle
activité (divine). De même que le fer qui rouille perd sa
qualité première, de même que le corps est dévoré par
les vers qu'il fabrique et de même qu'il meurt des
blessures qu'il s'est données, de la même manière celui
qui dit que le Fils est issu de la nature du Père[115] au
lieu de dire qu'il est semblable au Père, qu'il soit exclu
de l'Église et déclaré anathème[116]. Si nous avions dit
que le Fils de Dieu est Dieu, nous aurions introduit
deux Dieux sans commencement. Nous disons (donc)
image de Dieu. Celui qui dit issu de Dieu, sabellianise[117],
et celui qui dit qu'il ne connaît pas la naissance (du
Fils) de Dieu, manichéise[118]. Et si quelqu'un a dit que
la substance du Fils est semblable à celle du Père
inengendré[119], il blasphème. En effet, de même que la

---

consumetur *edd* ‖ 62 natura *Ma Fr* : naturam *V Tu* ‖ 63 ecclesia
V Tu : ecclesiam *Ma Fr* ‖ 64 sine initio *edd* : sineine initio *V*‖
67 filii *V Fr Tu* : filii *Ma* ‖ substantiae *edd* : substantie *V* ‖ 68 simithium *V Ma Tu* : psimythium *Fr*

quantum ad albidinem similes ad speciem autem non
70 similes, sic et Fili substantia alia est preter Patris
substantia, nix autem aliam habet albidinem. Esterno
autem conniuentes oculo segressi uultis audire Filium
Patri similem in operationibus. Sicut angeli archangelorum naturam non possunt conprehendere uel
75 intellegere, nec archangeli naturam cherubin, nec
cherubin naturam Spiritus Sancti, nec Spiritus Sanctus
naturam Unici, nec Unicus naturam non nati Dei.

(14)   7. Cum autem episcopus Athanasius ueniret de
Antiochia Alexandriam, consilium fecerunt Arriani
80 Eudoxius, Theodorus, Sophronius, Euzoius et Ilarius
[pertinentem] et constituerunt Lucium, presbyterum
Georgii, interpelare imperatorem Iouianum in palatio
et dicere quae in exemplaribus abentur. Hic AUTEM
MINUS NECESSARIA INTERMISSIMUS.

(15)   5. 1. Post Iouianum autem, citius ad imperium
uocatis Valentiniano et Valente, ipsorum preceptum
f° 110a ubique manauit, quod etiam reddi | tum est Alexandriae
pachom die X, consolatu Valentiniani et Valentis,
5 continens ut episcopi <qui> sub Constantio depositi
et eiecti <sunt> ecclesiis, Iuliani autem imperii,

4, 69 albidinem *V Tu* : albedinem *Ma Fr* ‖ similes *edd* : similis
V ‖ 70 fili *V Fr Tu* : filii *Ma* ‖ preter *V Tu* : praeter *Ma Fr* ‖
71 susbtantia *V Tu* : susbstantiam *Ma Fr* ‖ aliam *Ba edd* :
alia *V* ‖ albidinem *V Tu* : albedinem *Ma Fr* ‖ esterno *V Tu* :
externo *Ma* externos *Fr* ‖ 72 conniuentes *edd* : connibentes *V* ‖
oculo *V* : oculos *Ba edd* ‖ segressi *V* : egressi *Ma Ba* aegros si *Fr*
egros si *Tu* ‖ 73 patri *Ma Tu* : patris *V Fr* ‖ 74 conprehendere
V Fr Tu : comprehendere *Ma* ‖ uel intellegere *V Fr Tu* : uelint
eligere *Ma* uel intellegere *Ba* ‖ 75 cherubin *V Tu* : cherubini *Ma*
cherubim *Fr* ‖ nec² *edd* : ne *V* ‖ 76 cherubin *V Tu* : cherubini
Ma cherubim *Fr* ‖ 77 nec *V Ma Tu* : ita nec *Fr* ‖ 78 ueniret
edd : uenire *V* ‖ 79 Arriani *V Tu* : Ariani *Ma Fr* ‖ 80 Eudoxius
Theodorus Sophronius Euzoius *V Ma Tu* : ad Eudoxium -um
-ium -ium *Fr* ‖ Ilarius *V Tu* : Hilarius *Ma* Hilarium *Fr* ‖ 81

neige et la céruse sont semblables quant à leur couleur
blanche mais différentes quant à leur nature, de même
aussi la substance du Fils est autre que celle du Père,
tout comme la neige a une blancheur autre. Or en se
tenant à l'écart de ce que l'on voit du dehors en fermant
l'œil, on peut dire que le Fils est semblable au Père
dans ses œuvres[120]. De même que les anges ne peuvent
saisir ni comprendre la nature des archanges, ni les
archanges celle des chérubins, ni les chérubins celle du
Saint-Esprit[121], ni le Saint-Esprit celle du Monogène,
(de même) aussi le Monogène ne peut comprendre la
nature de Dieu inengendré[122].

7. Au moment où l'évêque Athanase rentrait
d'Antioche à Alexandrie, les Ariens Eudoxe, Théodore,
Sophronius, Euzoius et Hilarius se réunirent[123] et
décidèrent que Lucius, prêtre de Georges[124], en appel-
lerait à l'empereur Jovien au palais et lui dirait ce qui
est conservé dans ces dossiers[125].

Mais nous avons interrompu ici le récit de ces événements moins essentiels[126].

5. 1. Et après Jovien, une ordonnance de Valentinien
et de Valens qui venaient d'être proclamés empereurs[127],
circula partout et fut remise aussi à Alexandrie le
dixième jour de pachôn, sous le consulat de Valentinien
et de Valens, stipulant que les évêques, qui avaient été
déposés et chassés de leurs églises et qui, au temps de
l'empereur Julien, avaient revendiqué et recouvré leur

emendaui pertinentem *cum Ma Tu* : pertinentem *V* pertinentes
Fr ‖ 82 interpelare *V* : interpellare *edd* ‖ 83 quae *edd* : que *V* ‖
abentur *V* : habentur *edd* ‖ 84 intermissimus *V Tu* : intermisimus *Ma Fr*

5, 2 preceptum *V Tu* : praeceptum *Ma Fr* ‖ 3 Alexandriae
Ba edd : Alexandrie *V* ‖ 4 consulatu *scripsi* : cons *V Ma* consulatu
Fr consolato *Tu* ‖ 5 qui *scripsi cum Seeck* ‖ 6 eiecti sunt *scripsi cum
Seeck* : eiectis *V* eiecti *edd* ‖ ecclesiis *V Fr Tu* : ab ecclesiis *Ma*

tempore sibi uindicauerunt et receperunt episcopatum,
nunc denuo eiciantur ecclesiis, interminatione posita
curiis mult*ae* auri librarum CCC, nisi scilicet ecclesiis
10 et ciuitati*bus* ep*iscopo*s minauerint. 2. Ex qua re aput
Alexandriam magna est confusio et turba exorta, ut
ecclesia uniuersa fatigaretur. Cum etiam principales
essent numero exigui, cu*m* pre*fecto* Flauiano et eius
officio, et ob imperiale preceptum et auri multam,
15 inminebant egredi ep*iscopum* ciuitate, multitudine
chris*ti*ana resistente et contradicente principali*bus* et
iudici*bus*, et adfirmante ep*iscopu*m Athanasium non
esse subiectum huic defenitioni et precepto imperiali,
quod nec <*non*> Constantius eum p*er*secutus est sed
20 et restituit, similiter et Iulianus [p*er*secutus est] <*cum*>
uniuers*is* eum reuocauit et p*r*opter idolatria denuo
eiecit, a*l* Iouianus reduxit. 3. Remansit h*a*ec contradictio
et turba usqu*e* ad sequentem mensem payni, die XIV.
Hoc enim die, pre*fectus* Flauianus, relatione facta,
25 declarauit consoluisse principes de hoc ipso quod aput
Alexandria*m* motum est. Et ita omnes exiguo tempore
(16)   quieuerunt. 4. Post menses III et die*s* XXIV, hoc
est phaophi VIII, ep*iscopu*s Athanasius, nocto latenter
f° 110b | egressus ecclesiam, recessit in uilla iuxta fluuiu*m*
30 nouum. P*r*e*fectus* autem Flauianus et dux Victorianus,

5, 7 uindicauerunt *V Fr Tu* : uindicauerant *Ma* ‖ receperunt
V Fr Tu : receperant *Mu* ‖ 9 multae *Fr Tu* : multe *V* mulctae
Ma ‖ 10 minauerint *V Tu* : eliminauerint *Ma* exterminauerint *Fr
cum Seeck* ‖ aput *V Fr Tu* : apud *Ma* ‖ 13 prefecto *Tu* : pr̄f̄ *V*
praefecto *Ma Fr* ‖ 14 preceptum *V Tu* : praeceptum *Ma Fr* ‖
multam *V Fr Tu* : mulctam *Ma* ‖ 15 inminebant *V Fr Tu* : inter-
minabant *Ma* ‖ episcopum *scripsi* : ep̄o̅s̄ *V* episcopos *Ba edd* ‖
16 christiana *edd* : xpiana *V* xpistiana *Ba* ‖ 17 iudicibus *scripsi* :
iudici *V edd* ‖ 18 defenitioni *V Tu* : definitioni *Ma Fr* ‖ precepto
V Tu : praecepto *Ma Fr* ‖ 19 nec non *scripsi* : nec *V edd* ‖ Constantius *Ba edd* : Constantium *V* ‖ 20 *emendaui* persecutus est ‖ cum
uniuersis *scripsi cum Seeck* : uniuersus *V* uniuersos *edd* ‖ 21 eum
V : *om Ma* enim *Fr Tu* ‖ et *V Tu* : et eum *Ma Fr cum Seeck* ‖

épiscopat, devaient être désormais à nouveau chassés
des églises, menace étant faite aux curies d'une amende
de trois cents livres d'or si elles n'expulsaient pas les
évêques des églises et des cités[128]. 2. Il en résulta une
grande confusion et des troubles à Alexandrie, toute
l'Église étant opprimée. Bien plus, comme les notables
de la curie étaient peu nombreux[129], avec l'aide du
préfet Flavianus et des membres de son administration[130]
ils s'efforçaient de faire quitter la ville à l'évêque, tant
pour obéir à l'ordonnance impériale qu'à cause de
l'amende en or[131], mais les chrétiens résistaient en
masse et manifestaient leur opposition aux notables et
aux juges[132] en affirmant que l'évêque Athanase ne
tombait pas sous le coup des termes exprès du rescrit
impérial, parce que Constance l'avait certes persécuté
mais qu'il l'avait aussi rétabli, que de la même manière
Julien l'avait rappelé[133] avec tous les autres et qu'il
l'avait chassé de nouveau à cause du culte des idoles,
tandis que Jovien l'avait fait revenir[134]. 3. Cette confusion persista ainsi que les troubles jusqu'au mois
suivant de payni, le quatorzième jour. Ce jour-là en
effet, le préfet Flavianus, qui avait fait son rapport,
déclara que les empereurs avaient pris des mesures
concernant ces émeutes d'Alexandrie[135]. Et ainsi la
foule se calma quelque temps. 4. Trois mois et vingt-
quatre jours après[136], soit le huitième jour de phaôphi,
l'évêque Athanase quitta de nuit et secrètement l'église
et se retira dans un domaine près du fleuve nouveau[137].
Sans savoir qu'il s'était retiré, le préfet Flavianus et le

idolatria *V Tu* : idolatriam *Ma Fr* ‖ 22 at *edd* : as *V* ‖ haec *edd* :
hec *V* ‖ 24 prefectus *Tu* : prf̄ *V* praefectus *Ma Fr* ‖ 25 consoluisse
V : consuluisse *edd* ‖ aput *V Fr Tu* : apud *Ma* ‖ 27 III *Tu* : IIII
V Ma Fr ‖ dies *edd* : die *V* ‖ 28 nocto *V* : noctu *edd* ‖ 29 ecclesiam
V Fr Tu : ecclesia *Ma* ‖ uilla *V Tu* : uillam *Ma Fr* ‖ 30 prefectus
Tu : perf̄ *V* praefectus *Ma Fr*

ignari recessiss*e* eum, eadem nocte, ad ecclesia*m* peruene-
runt Dionysii cum manu militari ac, fractis posterulis,
ingressi atrium et partes superiores domus ospitium
ep*iscop*i querentes, non inuenerunt eum, nam paulo
35 ante recesserat. 5. Et remansit degens in predicta
possessione a memorato die phaoph*i* VIII *us*que
mechir VI<*I*>, hoc est mensib*us* IV integris. 6. Post
h*a*ec, notarius imperialis Br*a*sidas, eodem mechir
mense, uenit Alexandriam cum litteris imperialib*us*
40 iubentib*us* eundem ep*iscopu*m Athanasium reuerti ad
ciuitatem et consuete tenere ecclesias. Et VII di*e*
mechir mensis, post cons*olatum* Valentiniani et Valentis,
hoc est in cons*olatu* Gratiani et Dagalaifi, idem notarius
Br*a*sidas cum duce Victorino et pr*efecto* Flauiano
45 conuenientes in palatio nuntiauerunt presentib*us* curialib*us* et populo quod preceperant imperatores ep*iscopu*m
reuerti ad ciuitatem. 7. Et eodem momento, idem
Br*a*sida*s* notarius, egressus cum curialib*us* et multitudine
ex populo chr*ist*ianoru*m* a*d* predictam uillam et adsu-
50 mens ep*iscopu*m Athanasium cum precepto imperiali
induxit in ecclesia q*u*ae dicitur Dionysii, mensis mechir
(17)   die VII, cons*olatu* Gratiani et Dagalaifi, usq*ue* ad
f° 111a se | quentem Lupicini et Iouini consuolatum... 8. <*Et*
Valentiniani> et Valentis secu*n*di payni XIV in

5, 31 recessisse eum *edd* : recessisseum *V* ‖ eadem nocte *edd* :
eadem noctem *V* ‖ 33 ospitium *Tu* : opitium *V* hospitium *Ma Fr* ‖
34 querentes *V* : quaerentes *edd* ‖ 35 predicta *V Tu* : praedicta
Ma Fr ‖ 36 phaophi *Fr* : phaoph *V Ma Tu* ‖ usque *edd* :
inque *V* ‖ 37 VII *scripsi* : VI *V edd* ‖ 38 haec *edd Tu* : hec *V* ‖
Brasidas *Fr* : Bresida *V Ma Tu* ‖ 41 die *edd* : di *V* ‖ 42 consolatum
Tu : cons *V Ma* consulatum *Fr* ‖ Valentiniani *edd* : Valtiniani *V* ‖
43 consolatu *scripsi* : cons *V* consulatu *Ma Fr* consolato *Tu* ‖
Dagalaifi *V Fr Tu* : Degalaifi *Ma* ‖ 44 Brasidas *Fr* : Bresidas *V*
Ma Tu ‖ prefecto *Tu* : prf̄ *V* praefecto *Ma Fr* ‖ 45 presentibus
Tu : presentib *V* praesentibus *Ma Fr* ‖ 46 preceperant *V Tu* :
praeceperant *Ma Fr* ‖ 48 Brasidas *Fr* : Bresidam *V* Bresida *Ma*
Tu ‖ 49 christianorum *edd* : xpianorù *V* xpistianorum *Ba* ‖

dux Victorinus arrivèrent la même nuit[138] à l'église de
Denys avec un détachement de soldats et, après avoir
brisé les petites portes de derrière, ils pénétrèrent dans
l'atrium et dans les étages supérieurs de l'église à la
recherche du domicile de l'évêque[139], mais ne le trouvèrent pas, car, peu auparavant, il avait quitté les lieux.
5. Et il séjourna dans ladite propriété du huitième jour
de phaôphi déjà mentionné au septième jour de
méchir[140], soit quatre mois entiers[141]. 6. Après quoi, le
notaire impérial Brasidas[142] vint à Alexandrie le même
mois de méchir avec une lettre de l'empereur ordonnant
au même évêque Athanase de revenir dans la ville et d'y
gouverner les églises comme de coutume[143]. Et c'est
ainsi que, le septième jour du mois de méchir, après le
consulat de Valentinien et de Valens, soit pendant le
consulat de Gratien et de Dagalaifus[144], le même notaire
Brasidas, accompagné du *dux* Victorinus et du préfet
Flavianus se réunirent au palais[145] pour annoncer de
vive voix aux curiales et au peuple que les empereurs
avaient donné ordre à l'évêque de rentrer dans la ville.
7. Et sur-le-champ, le même notaire Brasidas sortit,
accompagné des curiales et de la foule du peuple
chrétien, pour se rendre au domaine déjà cité et, muni
de l'ordonnance impériale, il ramena l'évêque Athanase
et le conduisit dans l'église qu'on appelle celle de Denys,
le septième jour du mois de méchir[146], sous le consulat
de Gratien et de Dagalaifus, (où il demeura) jusqu'au
consulat suivant de Lupicinus et de Jovinus...[147]. 8. Et
c'est durant le second consulat de Valentinien et de
Valens, le quatorzième de payni, que prennent fin les

ad *edd* : a *V* ‖ predictam *V Tu* : praedictam *Ma Fr* ‖ 50 precepto
V Tu : praecepto *Ma Fr* ‖ 51 ecclesia *V Tu* : ecclesiam *Ma
Fr* ‖ 52 consolatu *Tu* : coñs *V* consulatu *Ma Fr* ‖ 53 consuolatum
V Tu : consulatum *Ma Fr* ‖ Et Valentiniani *restitui* : *om V*
Valentiniani *Fr* ‖ 54 secundi *Ma Tu* : secūdi *V* secundo *Fr*

55 consuolatu finiuntur Athanasii <*episcopatus*> anni XL,
ex quib*us* mansit Triberis Gallias <*menses XXVIII
et dies XI, in urbe Roma et partibus Italiae*> menses XC
et d*ies* III, aput Alexandriam in incertis locis latens
quando ab Hilario notario et <*Syriano*> duce fatiga-
60 batur men*ses* LXXII et di*es* XIV, aput Egyptum et
Antiochiam in itineri*bus* men*ses* XV et d*ies* XXII,
in possessione iuxta nouum flu*u*ium menses IV. Fi*u*nt
pariter menses VI et anni XVII et di*es* XX. 9. Remansit
autem quietus aput Alexandriam annos XXII et
65 men*ses* V <*et*> dies X, sed e*x* his cessauit modicum
tempus extr*a* Alexandriam in nouissima profectione
et Tyro*n* et Constantinupolim. 10. Fiunt ergo episcopatus Athanasi*i*, sicut predic*tum est*, usq*ue* ad consolatu*m*
Valentiniani et Valentis <*II*> payni <*X*>IV,
70 anni XL, et sequenti consolat*u* Val*e*ntiniani et Victoris
payni XIV, ann*us* I, et sequent*i* consolatu Valentiniani
et Valentis tert*io* payni XIV, <*annus I*>, et sequenti
consolat*u* Gratiani et Probi <*payni XIV, annus I*>,
et ali*o* consolat*u*, <*et in consolatu*> Valentiniani et
75 Valentis IV, pachon VIII, dormiit.

5, 55 consuolatu *V Tu* : consulatu *Ma Fr* ‖ episcopatus
restitui ‖ anni *om Ma* ‖ 56 Triberis *V Fr Tu* : Treberis *Ma* ‖
menses XXVIII et... Italiae *restitui* : *om V* menses XXVIII et
dies XI aput *coniecit Tu* ‖ 58 aput *V Tu* : apud *Ma Fr* ‖ 59 Syriano
restitui cum Fr Tu : *om V* ‖ 60 menses *edd* : men *V* mens *Ba* ‖ dies
edd : dii *V* d *Ba* ‖ aput *V Fr Tu* : apud *Ma* ‖ Egyptum *V Tu* :
Aegyptum *Ma Fr* ‖ 61 menses *Tu* : mensib *V* mensibus *Ma Fr* ‖
dies *Tu* : dii *V* d *Ba Ma Fr* ‖ 62 fluuium *Ba edd* : fluium
V ‖ flunt *scripsi* : flent *V edd* ‖ 63 dies *edd* : dii *V* d *Ba* ‖ 64 aput
V Fr Tu : apud *Ma* ‖ annos *edd* : anno *V* ‖ 65 menses *Tu* : mensib
V mens *Ma* mensibus *Fr* ‖ et dies *scripsi* : dieb *V* dies *Ma Tu*
diebus *Fr* ‖ ex his *Tu* : et his *V* et bis *Ma Ba Fr* ‖ 66 extra *Ba
edd* : extr *V* ‖ 67 Tyron *scripsi* : Tyro *V Ma Tu* Tyrum *Fr* ‖
Constantinupolim *V Fr Tu* : Constantinopoli *Ma* ‖ 68 Athanasii
edd : Athanasiis *V* ‖ predictum est *scripsi* : predixit *V* praedixi
Ma Fr predixi *Tu* ‖ consolatum *Tu* : consolatu *V* consulatum
Ma Fr ‖ 69 II *restitui* : *om V* ‖ XIIII *Fr Tu* : IIII *V Ma* ‖ 70

quarante années d'épiscopat[148] d'Athanase[149] durant
lesquelles il séjourna à Trèves en Gaule vingt-huit mois
et onze jours, dans la ville de Rome et dans les régions
d'Italie[150] quatre-vingt-dix mois et trois jours, il se
cacha à Alexandrie dans des lieux non précisés, au
temps où il était persécuté par le notaire Hilarius et
le *dux* Syrianus[151], soixante-douze mois et quatorze
jours, en Égypte et en voyage à Antioche quinze mois
et vingt-deux jours, dans la propriété près du fleuve
nouveau quatre mois[152]. Dix-sept ans, six mois et vingt
jours se passent ainsi[153]. 9. Il ne resta tranquille à
Alexandrie que vingt-deux ans, cinq mois et dix jours[154],
mais, durant ces années, il quitta peu de temps
Alexandrie pour un dernier déplacement à Tyr et à
Constantinople[155]. 10. Donc, comme on l'a dit précédemment[156], les quarante années d'épiscopat d'Athanase
se passent jusqu'au second consulat de Valentinien
et de Valens, le quatorzième jour de payni, puis sous le
consulat suivant de Valentinien et de Victor, le quatorzième de payni, une année, puis sous le consulat suivant,
le troisième, de Valentinien et de Valens, le quatorzième
de payni, une autre année, puis, sous le consulat suivant
de Gratien et de Probus, le quatorzième de payni, une
autre année, puis il y eut un autre consulat, et ce fut
pendant le quatrième consulat de Valentinien et de
Valens, le huitième jour de pachôn, qu'il s'endormit[157].

(18)   **11.** Predicto autem cons*olatu* Lupicini et Iouini, Lucius arrianorum specialiter sibi uolens uindicare episcopatum, post profectionem de Alexandria multo tempore aduenit cons*olatu* predicto et ingressus est

80 ciuitatem latenter per noctem XXVI d*ie* toth mensis

f⁰ 111b | et, sicut dictum est, mansit in quamdam domunculam latens diem illum. Postero autem d*ie*, intrauit domum *u*bi mater eius conmanebat, cognitoq*ue* statim eius aduentu p*er* ciuitatem, uniuers*us* populus collectus

85 incusabant eius ingressum et Tra*i*anus dux et p*re*fectus <*Tatianus*> nimis moleste tulerunt inrationabilem eius et audacem aduentum et miserunt principales ut eum eicerent de ciuitate. **12.** Aduenientes itaq*ue* principales ad Lucium et considerantes omn*em* populum

90 iratu*m* et ualde tument*em* aduersus illum, timuerunt eum p*er* se producere de domo ne a multitudine occideretur et hoc ipsum nuntiauerunt iuducib*us* et paulo post ipsi iudices, dux Traianus e*t* p*refeclus* Tatianus ad locum cum multis militib*us* ingressi domum, produ-

95 xerunt p*er* semetipsos Lucium hora diei VII, toth die XXVII. **13.** Lucius autem cu*m* sequeretur iudices, et omnis populus ciuitatis post eum, chr*ist*ianorum ac paganorum ac diuersarum religionum, cuncti pariter uno *spiritu* et ex una sententia et eodem decreto non

100 cessauerunt ex domo qu*a* ductus est per media*m* ciuitatem usq*ue* ad domum ducis, uociferantes ac

---

5, 76 predicto *V Tu* : praedicto *Ma Fr* ‖ consolatu *scripsi* : cons *V* consulatu *Ma Fr* consolato *Tu* ‖ **77** arrianorum *V Tu* : arianorum *Ma Fr* ‖ **78** Alexandria *edd* : Alexandriam *V* ‖ **79** consolatu *scripsi* : consol *V* consulatu *Ma Fr* consolato *Tu* ‖ predicto *V Tu* : praedicto *Ma Fr* ‖ **80** die *Fr Tu* : d *V* diei *Ma* ‖ **81** quamdam *V Tu* : quadam *Ma Fr* ‖ domunculam *V Tu* : domuncula *Ma Fr* ‖ **83** ubi *edd* : ibi *V* ‖ **84** uniuersus *edd* : uniuers *V* ‖ **85** incusabant *V Ma Tu* : incusabat *Fr* ‖ Traianus *edd* : Trianus *V* ‖ prefectus *Tu* : perfectus *V* praefectus *Ma Fr* ‖ **86** Tatianus

7   11. Sous le consulat susdit de Lupicinus et de Jovinus[158], Lucius, un Arien qui cherchait à s'approprier l'épiscopat[159], après s'être absenté longtemps d'Alexandrie[160], revint sous le consulat susdit et pénétra secrètement dans la ville, la nuit du vingt-sixième jour du mois de thôth et, comme on l'a dit[161], il resta caché dans une petite maison[162] toute la nuit. Le lendemain, il entra dans la maison où demeurait sa mère et, aussitôt que son arrivée dans la ville fut connue, le peuple tout entier se rassembla et lui reprocha sa venue et le *dux* Traianus et le préfet Tatianus[163] furent aussi très contrariés de son arrivée qu'ils jugèrent déraisonnable et audacieuse[164] et ils envoyèrent les notables de la curie[165] pour qu'ils le chassent de la ville. 12. C'est pourquoi, en se rendant chez Lucius, les notables, constatant que tout le peuple était en colère et très monté contre lui, craignirent que, s'il sortait de lui-même de la maison, il ne fût massacré par la foule, aussi le firent-ils savoir aux juges[166] et, peu de temps après, les juges en personne, le *dux* Traianus et le préfet Tatianus se rendirent sur les lieux avec beaucoup de soldats, entrèrent dans la maison et en firent sortir eux-mêmes Lucius à la septième heure[167], le vingt-septième jour de thôth. 13. Mais, tandis que Lucius suivait les juges, tout le peuple de la ville derrière lui, chrétiens et païens ainsi que ceux des autres religions[168], tous en même temps, d'un seul souffle, d'un seul avis et d'une même décision, ne cessèrent de pousser des cris, de la maison d'où il fut tiré jusqu'à la demeure du *dux*[169], à travers toute la

scripsi cum Fr : *om V* ‖ 89 omnem *Fr Tu* : omnes *V Ma* ‖ 93 et prefectus *Tu* : e prf̄ *V* et praefectus *Ma Fr* ‖ 95 toth *V Ma Tu* : thoth *Fr* ‖ 97 et omnis *V Ma Fr* : omnis *Tu* ‖ christianorum *edd* : xp̄ianorum *V* xpistianorum *Ba* ‖ 99 spiritu *edd* : epū *V* ‖ 100 qua *edd* : que *V* ‖ 101 ciuitatem *Fr* : ciuitate *V Ma Tu*

turpia et scelerata eidem ingerentes et clamantes
extra ciuitate ducatur. Tamen dux introduxit eum in
f° 112a domum sua*m* | et aput eum mansit et custodiebatur
105 reliquis horis diei ac tota nocte et sequenti die XXVIII
men*sis* predicti, dux manicans et habens eum us*que*
Nicopolim tradidit militi*bus* Egypto deducendom.

(19)   14. Defuncto autem Athanasi*o* VIII pach*om* mensis,
ante die*m* V dormitionis su*ae*, ordinauit Petrum ep*isco*-
110 *pum* de antiquis presbyteris, qui in omni*bus* eum secutus
gessit episcopatum. Post quem Timotheu*s fra*ter* suus
suscepit episcopatum anni*s* IV. Post hunc Theophilus
ex diacono est ep*iscopu*s ordinatus *papa*. Explicit.

5, 104 aput *V Fr Tu* : apud *Ma* ‖ 106 predicti *V Tu* :
praedicti *Ma Fr* ‖ 107 Egypto *V Tu* : Aegypto *Ma Fr* ‖ deducendom *V* : deducendum *edd* ‖ 108 Athanasio *edd* : Athanasium *V* ‖ pachom *Ma Fr* : pachym *V Tu* ‖ 109 diem *Ma Fr*   die

ville, lui lançant des invectives grossières et infamantes
et hurlant : qu'on le conduise hors de la ville ! Cependant
le *dux* le fit entrer dans sa demeure, il resta auprès de
lui et il le fit garder tout le reste de la journée et toute
la nuit et, le jour suivant, vingt-huitième du mois
susdit, dès l'aurore, le *dux* se hâta de l'emmener jusqu'à
Nicopolis[170] et le confia aux soldats pour qu'il soit
conduit sous escorte hors d'Égypte.

mai

14. Et Athanase mourut[171] le huitième jour du mois
de pachôn[172] et, cinq jours avant sa disparition, il
ordonna évêque Pierre[173], un des anciens du presbyterium qui, après l'avoir suivi partout[174], administra
l'épiscopat[175]. Après lui, Timothée son frère assuma
l'épiscopat pendant quatre ans[176]. Après ce dernier, le
diacre Théophile fut ordonné *papa*, c'est-à-dire évêque[177].

V dies *Tu* ‖ suae *edd* : sue *V* ‖ 111 Timotheus *edd* : Timotheum
V ‖ frater *Fr Tu* : F *V Ma* ‖ 112 annis *Ba edd* : anni *V* ‖ 113 papa
scripsi p *V* om *edd*.

NOTES ET COMMENTAIRES

1. Précédant l'*Historia Athanasii* dans le *Codex Veronensis* LX, se trouve tout un dossier de documents concernant Sardique (n°s 15-17) et le retour d'exil d'Athanase, dont deux lettres de l'évêque au clergé d'Alexandrie et à celui de Maréote (n°s 19 et 21) ainsi qu'une lettre du concile aux églises de Maréote (n° 20), toutes trois dans une version latine unique (MAFFEI, *Osservazioni letterarie* 3, Verona 1738, p. 31-41 = *PL* 56, 848-854) ; et il n'est pas impossible qu'il ait aussi comporté la lettre de l'évêque Jules de Rome au peuple d'Alexandrie conservée par Athanase. L'*Apol. c. Ar.* contient de même, en effet, toute une série de lettres émanant du concile de Sardique (36-50), de l'évêque de Rome (52-53) et de l'empereur Constance (51, 54-56), en rapport avec ce second retour d'exil. Sur le rapport étroit entre l'*Historia* et le concile de Sardique manifesté d'emblée par les particules de liaison *autem* et *et*, v. notre introduction, p. 15 et 22 s.

2. La lacune est à imputer au copiste (cf. *infra* 4, 7 = *Ba* 14). S'agit-il d'une des trois lettres de Constance à Athanase (*Apol. c. Ar.* 51) ou d'une de celles destinées au clergé d'Alexandrie (*ibid.* 54), au peuple d'Alexandrie (55) ou à Nestorius, préfet d'Égypte (56) ? La dernière est, finalement, la plus importante puisqu'elle donne effet à l'autorisation impériale.

3. L'*Index* des Lettres festales d'Athanase indique pour la même année 346 la mort de Grégoire (2 épiphi = 26 juin) et le retour d'exil d'Athanase (24 phaôphi = 21 octobre). Il convient de rétablir la mort de l'évêque hétérodoxe au 26 juin *345*. D'autre part, une lettre de Constance à son frère Constant, rapportée par ATHANASE, dans *Hist. Ar.* 21, 3, affirme que l'empereur attend l'évêque depuis une année entière et que l'église d'Alexandrie n'a pas eu de pasteur depuis la mort de Grégoire. Enfin THÉODORET,

H.E., II, 4, indique la durée de l'épiscopat de Grégoire, soit
six ans (339-345).

4. Après avoir été contraint de quitter Alexandrie le
16 avril 339 (*Index* des Lettres festales *ad a.* 339 et *infra*
5, 8 = *Ba* 17), il s'était rendu à Rome où il se trouve en 340
pour le synode réuni par l'évêque Jules (*Apol. c. Ar.* 29).
En 342, il est à Milan auprès de Constant, puis à Trèves en
343, d'où il se rend à Sardique pour le concile. Sur le chemin
du retour, il s'arrête à Naïssus où il célèbre la Pâque en 344,
puis à Aquilée en 345 où il reçoit les lettres de Constance
(*Index ad a.* 343, 344, 345 et *Apol. ad Const.* 4). De là, il repart
pour Rome auprès de Jules (*Apol. c. Ar.* 51), puis à nouveau
en Gaule auprès de Constant (*Apol. ad Const.* 4) avant de
se rendre à l'ordre de Constance. (V. carte n° 1 à la fin du
volume.)

5. L'erreur du copiste (ou du traducteur?) porte sur le
nom d'un des deux consuls, Constantin au lieu de Constance,
mais non sur le chiffre du consulat, nous l'avons donc corrigée.
Cette confusion sur les noms des deux empereurs se retrouve *infra* 1, 7 et 8 (= *Ba* 3), ainsi que dans l'*Index ad a.*
346.

6. A quel événement se rapportent ces six ans? Si un
renvoi à la mort de Grégoire est à exclure — car il faudrait
lire *post menses XV et dies XXII* —, faut-il rejeter une
allusion à la durée de son épiscopat tel que permet de le
reconstituer l'*Index* des Lettres festales, soit du 26 phamenôth
(23 mars) 339 au 2 épiphi (26 juin) 345, *i.e. post annos VI
et menses III et dies VI*? Ce serait reconnaître la validité
de l'élection d'un hétérodoxe sur le siège d'Alexandrie et,
du même coup, la culpabilité d'Athanase, ce qui est totalement exclu dans l'esprit du rédacteur orthodoxe de
l'*Historia*. Peut-il être, au contraire, question d'un événement
extérieur au contenu de l'*Historia*? On pense, en ce cas,
au synode de Rome dont la date serait alors oct. 340.
Ceci est peu vraisemblable, car jamais il n'est fait mention
d'un concile dans le reste du texte et, s'il devait être fait
allusion à l'un d'eux, ce serait à celui de Sardique. Il nous
semble donc préférable d'y voir la référence au deuxième
exil d'Athanase conformément à l'esprit dans lequel a été
rédigé l'*Historia*. Mais alors, on pourrait croire qu'il a duré
six ans. L'évêque n'aurait, en ce cas, quitté Alexandrie
qu'en 340. Ceci ne correspond pas au calcul précis de
l'*Historia* 5, 8 (= *Ba* 17), qui indique *post menses XC et*

dies III et permet de donner comme date de départ le
21 pharmouthi (16 avril) 339, fixant le retour *post annos VII
et menses VII et dies III*. Il faut donc admettre une erreur de
calcul de la part du rédacteur, une des rares avec celle qui
la suit dans le même paragraphe. A-t-il confondu avec la
durée du troisième exil telle qu'on la trouve, toujours dans
l'*Historia* 5, 8 (= *Ba* 17), *menses LXXII et dies XIV* ? Cela
est vraisemblable. Rufin, *H.E.*, II, 19, confond de même les
trois premiers exils en un seul (celui de 356 à 362) : *sex
continuis annis ita latuisse fertur*.

7. Ceci se trouve contredit par l'*Historia* 1, 11 (= *Ba* 5),
selon laquelle 9 ans, 3 mois et 19 jours se sont écoulés entre
son retour d'Italie et son départ pour le troisième exil, et,
indirectement, par les données fournies en 5, 8, déjà cité
(v. *supra*, n. 6). Nous ne retenons pas la conjecture d'Opitz,
annis VI et *mensibus VII*, qui estime pouvoir fonder sa
correction sur la date fournie par l'*Historia* 1, 8 (= *Ba* 3),
24 pachôn 353. En effet, il ne tient pas compte de la manière
dont celle-ci a été conçue : la seule préoccupation du
rédacteur demeure le calcul de la durée des exils d'Athanase
ou du temps passé par lui à Alexandrie. Un dernier élément
aurait pu nous fournir la clé de cette erreur ; l'*Historia* 5, 2
(= *Ba* 15) fait état, en effet, de violentes discussions entre
les partisans d'Athanase et les notables de la curie à propos
de l'interprétation de l'édit de Valentinien et de Valens
concernant les évêques déposés sous Constance et que les
empereurs ordonnent d'exiler à nouveau : les partisans de
l'évêque d'affirmer qu'il ne tombait pas sous le coup de
cet édit car « Constance l'avait certes persécuté, mais il
l'avait aussi rétabli », masquant ainsi le troisième exil.
Pourtant, même si l'on tenait compte de cette polémique,
il s'est passé 16 ans et 3 jours entre le retour d'exil sous
Constance et le quatrième exil sous Julien (du 24 phaôphi
346 au 27 phaôphi 362) et non 16 ans et 6 mois comme dit
le texte.

8. Les lignes qui suivent concernent l'histoire de l'Église
de Constantinople au temps de Paul, Macedonius et Eudoxe,
histoire embrouillée que le rédacteur a choisi d'insérer entre
le retour du second exil d'Athanase en 346 (1, 1) et les
événements de 353, prélude à un nouvel exil (1, 7). V.
l'introduction, p. 34 s.

9. Hypatius est consul en 359 avec Eusebius (*infra*, 2, 5
= *Ba* 7), tandis que Catullinus l'est en 349 avec Limenius.

Aucune de ces deux années ne correspond à un événement relaté dans l'ensemble du passage.

10. Théodore d'Héraclée, Narcisse de Néronias (en Cilicie) et Georges de Laodicée. Les deux premiers font partie de la délégation d'évêques orientaux envoyée auprès de Constant à Trèves après le concile d'Antioche de 341 pour justifier la condamnation d'Athanase à Tyr et lui remettre leur formule de foi (la quatrième des Encénies) (SOCRATE, II, 18, SOZOMÈNE, III, 10, ATHANASE, *De Syn.* 25). Georges de Laodicée est un ancien prêtre d'Alexandrie déposé par Alexandre (ATHANASE, *Apol. de fuga* 26, 4 et *Apol. c. Ar.* 8, 3), réfugié à Antioche (*De Syn.* 17, 5). Résidant à Aréthuse, il fut proposé en même temps qu'Euphronios pour être évêque d'Antioche à la place d'Eustathe déposé v. 330, selon la lettre de Constantin aux évêques réunis à Antioche, dans EUSÈBE, *Vita Const.*, III, 62, repris par SOZOMÈNE, II, 19. Le *Martyre des saints notaires Markianos et Martyrios*, récit de la première moitié du ve s. (après 439, selon l'éditeur, FRANCHI DE'CAVALIERI, dans *Anal. Boll.* 64, 1946, p. 132-175, plus particulièrement p. 152-168), qui utilise l'*Historia « acephala »*, indique, outre les trois évêques cités, les noms d'Acace (de Césarée), Étienne (d'Antioche), Ménophante (d'Éphèse), Ursace (de Singidunum) et Valens (de Mursa) : on reconnaît là les noms des évêques déposés à Sardique tels qu'ils figurent dans la synodale des évêques occidentaux aux Églises de Maréote et dans la lettre d'Athanase aux prêtres et diacres de l'Église d'Alexandrie et de la Parembole, conservées dans le *Codex Veronensis* LX (n°s 19 et 20), cf. ATHANASE, *Hist. Ar.* 17, 3. Cette démarche auprès de Paul aurait eu lieu, selon le *Martyre*, avant Sardique, ce qui est tout à fait invraisemblable.

11. Cet évêque fut choisi par l'empereur Constance, qui déposa Paul successeur fraîchement élu d'Alexandrie (fin 337), pour occuper le siège de la nouvelle capitale impériale jusqu'à sa mort survenue juste après le concile d'Antioche (*Encénies* 341) (SOCRATE, II, 6-7 ; SOZOMÈNE, III, 3-4). E. SCHWARTZ a proposé de voir dans cet Eusèbe non l'évêque de Nicomédie mais le *praepositus sacri cubiculi*, grand chambellan de Constance favorable aux Ariens (*Nach. Gött.*, 1904, p. 382 et n. 1 = *GS*, t. 3, p. 61 et n. 1). Ce n'est rien moins que sûr si l'on considère que l'on est en présence d'un récit fortement abrégé et par là même confus. Aucune allusion n'est faite ailleurs à un quelconque rôle du

chambellan impérial dans l'histoire de Paul, sinon un passage du *Martyre des saints notaires*, faisant état de ses pressions auprès de Constance pour qu'il réunisse un synode à Sardique (!) « pour déposer le bienheureux Paul » (éd. Franchi de'Cavalieri, *o.c.*, p. 169, 7-12). Nous sommes déjà dans la légende, comme l'a montré G. Dagron, v. note 13, *infra*. Au contraire, Athanase, rapportant les premiers déboires de Paul, montre comment les accusations portées contre lui par Macedonius furent utilisées par Eusèbe de Nicomédie qui « convoitait de s'emparer de l'épiscopat de la ville » (*Hist. Ar.* 7, 1-2) ; et il fournit un indice chronologique important puisque les accusations furent portées alors qu'il était lui-même présent à Constantinople, soit lors de son retour (non du second mais) du premier exil en oct. 337. Enfin Eusèbe est explicitement mentionné avec d'autres évêques dans le récit du *Codex Veronensis* LX (n° 10) annonçant la convocation du synode de Sardique (v. note suivante).

12. C'est la même expression qui est employée dans le court récit (n° 10) qui annonce le concile de Sardique dans le *Codex Veronensis* LX : des pressions sont exercées sur les empereurs pour qu'ils convoquent un synode, *ut insidiarentur Paulo episcopo Constantinopolitano per suggestionem Eusebii Acacii Theodori Valentis Stephani et sociorum ipsorum*. Sur la mention anachronique d'Eusèbe de Nicomédie, v. note précédente.

13. On sait qu'Athanase fut accusé d'avoir excité Constant contre son frère Constance lors de son second séjour en Occident et d'être entré en relation épistolaire avec le tyran Magnence (*Apol. ad Const.* 2-6). Rien, dans le cas de Paul, ne permet de fonder la réalité de l'accusation dont on notera le caractère vague, sans compter la chronologie : 350 est la date présumée de la mort de l'évêque exilé depuis 344. C'est un des points les plus nets où l'on voit l'image de Paul calquée sur celle d'Athanase en faire une légende, v. G. Dagron, *Constantinople*, p. 434-435. Mais si l'accusation donnée ici n'a pas de réalité, l'exil a bien eu lieu et il ne peut s'agir que du premier, celui de 337, à Thessalonique, sa ville d'origine (Socrate, II, 16) ; et non dans le Pont, comme l'indique par erreur Athanase, *Hist. Ar.* 7, 3.

14. Hermogénès est *magister equitum* selon Ammien, XIV, 10, 2. Sur le personnage, v. O. Seeck, *Die Briefe des Libanius*, Leipzig 1906, p. 173 ; Jones, Martindale, Morris, *Prosopography*, I, p. 422-423.

15. Il s'agit de l'émeute de 342 provoquée par les troubles suscités à la suite de la succession d'Eusèbe : Paul est revenu à Constantinople, mais Macedonius s'est fait consacrer par ses partisans (Socrate, II, 12-13, Sozomène, III, 7). Allusion à l'émeute dans Ammien, XIV, 10, 2 et Jérôme, *Chronic. ad a.* 342. On la rapprochera de celle qui, en 361, devait coûter la vie au comte Diodore venu soutenir l'arien Georges à Alexandrie, telle qu'elle est rapportée plus loin, 2, 8-9 (= *Ba* 8). Le *Martyre des saints notaires* précise qu'Hermogénès fut lapidé et que le préfet de la ville prit la fuite (éd. Franchi de'Cavalieri, p. 169, 24-25) ; ce dernier point est confirmé par Libanios, *Or.*, I, 44, qui est alors présent à Constantinople : il s'agit du proconsul Alexandre, v. G. Dagron, *Constantinople*, p. 220-221.

16. Il s'agit, cette fois, du deuxième exil de Paul à Singara, puis à Émèse, enfin à Cucuse en Arménie (Athanase, *Hist. Ar.* 7, 3), entre 344 (arrestation par le préfet du prétoire Fl. Philippus) et 350, date de sa mort. Sur la situation de Cucuse en Arménie II et non plus en Cappadoce depuis la réforme de Dioclétien, v. A. H. M. Jones, *The Cities of the Eastern Roman Empire*, 1972, p. 182. On notera qu'il n'est rien dit de la fin de Paul, malgré le témoignage d'Athanase.

17. Écarté du clergé par Eustathe d'Antioche, Eudoxe, disciple de Lucien au dire de Philostorge, II 14, devint évêque de Germanicie (Athanase, *Hist. Ar.* 4, 1-2). A ce titre il participe au synode des Encénies, en 341 (Id., *De Syn.* 37, 3-4). Il s'empare du siège d'Antioche à la mort de Léonce, en 357 (Socrate, II, 37, 7-10 ; Sozomène, IV, 12, 3-4 ; Théodoret, II, 20 ; Philostorge, IV, 4). Ce n'est qu'en 360 que Constance le choisit pour être l'évêque de sa capitale, v. *infra*, note 21.

18. Ce personnage n'apparaît dans cette histoire qu'*après* l'émeute de 342, alors que, rappelons-le, membre du clergé d'Alexandrie, il est déjà entré en compétition avec Paul à la mort de l'évêque, vraisemblablement en 337, pour lui succéder. Paul, proposé par Alexandre, fut choisi, tandis qu'une partie de la communauté soutenait Macedonius provoquant des troubles (Socrate, II, 6 ; Sozomène, III, 3-4). A la mort d'Eusèbe de Nicomédie, qui avait été finalement préféré par Constance pour être évêque de la nouvelle capitale, en 341, les troubles reprennent, car Paul est de retour à Constantinople et Macedonius est consacré évêque par les partisans d'Eusèbe, dont Théodore d'Héraclée,

et c'est pour mettre fin à la *stasis* populaire ainsi déclenchée
que l'empereur envoie de Thrace le maître de cavalerie
Hermogénès (Socrate, II, 1-13, Sozomène, III, 7). Macedonius est diacre à la mort d'Alexandre, et, ce « depuis longtemps » selon Socrate, II, 6 ; il est πρεσβύτερος ... ὑπ' αὐτὸν
τὸν Παῦλον, selon Athanase, *Hist. Ar.* 7, 1-2. Il aura pu être
ordonné prêtre par Paul, propose Franchi de'Cavalieri
(*o.c.*, p. 148, n. 2).

19. Nous ne connaissons aucun synode orthodoxe qui
ait condamné Macedonius avant 360. Son nom — pas plus
que celui de Paul — ne figure dans les documents de Sardique.

20. Il s'agit ici d'opposer Macedonius à Paul qui représente « la saine doctrine », c.-à-d. Nicée. En réalité, il se
rangea aux côtés des Homéousiens avec Basile d'Ancyre
et c'est pourquoi il est déposé, avec eux, en 360 (Socrate,
II, 42 ; Sozomène, IV, 24 ; Philostorge, IV, 9 et V, 1).

21. Ce n'est qu'en 360, à la suite du synode de Constantinople organisé par Constance qui condamna les Homéousiens et déposa Macedonius, qu'Eudoxe, évêque d'Antioche
depuis 357, fut nommé pour lui succéder, le 27 janvier,
en présence de 72 évêques, *Chron. pasc. ad a.* 360, cf.
Socrate, II, 43, 7 ; Sozomène, IV, 26, 1.

22. L'assimilation entre les Macédoniens et les Pneumatomaques est tardive : elle apparaît pour la première fois,
explicitement, dans un édit du 25 juil. 383 (*C. Th.* 16, 5, 11),
cf. Didyme l'Aveugle, *De Trinitate*, I, 34 (les adversaires
du Saint-Esprit sont les disciples de Makédonios) ; II, 10
(M. instigateur de l'hérésie sur le Saint-Esprit), *PG* 39,
436-437A et 634A, v. 392. Sur cette question complexe
v. G. Bardy, art. « Macédonius et les Macédoniens », dans
DTC, IX, 2, 1927, col. 1464-1468, et P. Meinhold, art.
« Pneumatomachoi », dans *RE* 21, 1951, col. 1066-1101. La
notice sur les Pneumatomaques, rédigée par Épiphane en
377 (*Pan.*, 74), ne fait pas mention des Macédoniens et, de
même, le concile de Constantinople, en 381, condamne les
« Homéousiens » et les « Pneumatomaques » (c. 1), sans que
le nom de Makédonios soit cité. Le quatrième anathème du
Tomus Damasi vise « les Macédoniens qui, descendant de
la souche d'Arius, ont changé de nom mais non d'impiété »
(Théodoret, *H.E.*, V, 11) ; sur la date du *Tomus* — 377 —
v. en dernier lieu C. Pietri, *Roma Christiana*, I, 873-880.
Jérôme, *Chron. ad a.* 342, considère, en 380, Macedonius
comme le fondateur de « l'hérésie macédonienne », *a quo
nunc haeresis macedoniana*. Selon Socrate, II, 45, les

« Homéousiens » furent appelés « Macédoniens » après 360, et il ajoute que M. commença alors d'exclure le Saint-Esprit de la Trinité, « c'est pourquoi les tenants de l'*homoousios* les appellent « Pneumatomaques », cf. Sozomène, IV, 27. Lors de sa rupture avec Eustathe de Sébaste, en 373, Basile traite ce dernier de πρωστάτης τῆς τῶν πνευματομάχων αἱρέσεως, (*ep.*, 263, 3). L'expression *naufragare circa...* est la traduction de ναυαγεῖν περὶ (τὴν πίστιν) que l'on trouve déjà dans Paul, *I Tim.*, 1, 19 ; cf. la lettre de Georges de Laodicée dénonçant le « naufrage d'Aèce », Sozomène, IV, 13, 2, et Athanase, *De Syn.*, 6, 2, ᾽Αέτιος ὁ ... ῎Αθεος ... ἐναυάγησε.

23. Le récit précédent des événements de Constantinople est daté en bloc de 349, alors qu'en réalité ceux-ci se déroulent sur près de vingt ans (341/342-360). Mais pour l'auteur de l'*Historia*, ce retour à la situation à Alexandrie en 353 vient *post hoc tempus*, *i.e.* après 349.

24. Depuis la mort de l'empereur Constant le 18 janv. 350, les Eusébiens ont redonné libre cours à leurs attaques contre Athanase, grâce à l'influence qu'ils exercent auprès de Constance resté seul empereur après Mursa (sept. 351). Un concile s'est tenu à Antioche entre la fin de 351 et le début de 352 (?) dans lequel trente évêques orientaux ont dénoncé sa réinstallation sur le siège d'Alexandrie sans qu'un autre concile l'ait innocenté de sa première condamnation à Tyr, et ont engagé les évêques à reconnaître Georges (de Cappadoce) ordonné pour lui succéder (Sozomène, IV, 8 ; cf. *infra*, n. 46). Une lettre de ces mêmes évêques parmi lesquels des égyptiens, envoyée à Libère à Rome, reprend les accusations retenues contre lui (*ep. Obsecro* 2, *ap.* Hilaire, *frg. hist.*, *CSEL* 65, p. 90 ; cf. Athanase, *Apol. ad Const.* 2, 3, 5, 6-7, 14, 19 ; Socrate, II, 26 ; Sozomène, IV, 8 ; Théodoret, II, 16). Pour faire pièce à ces accusations, l'évêque, qui n'a pas jugé bon de répondre à la convocation par Libère d'un synode à Rome (Libère, *ep. Studens paci*, *CSEL* 65, p. 155), a toutefois réuni 80 évêques égyptiens et envoyé au pape la synodale réaffirmant son innocence (*ep. Obsecro* 2, qui mentionne le nom du messager alexandrin, un certain Eusèbe), cf. Socrate, II, 26 ; Sozomène, IV, 1. Seule la mission auprès de l'empereur, jugée la plus importante, est rapportée par l'*Historia* et, à la différence des événements de 338/339 dont on pourrait croire assister à la reproduction, Athanase, cette fois, ne se réfugie pas à

Rome. Sur cette nouvelle situation, v. C. PIETRI, « Athanase
vu de Rome », dans *Politique et Théologie chez Athanase
d'Alexandrie*, coll. *Théol. hist.* n° 27, Paris 1974, p. 118-121.
— Tout au long de ce passage, Constant, pourtant mort en
350, est nommé à la place de son frère Constance et Constantin est confondu avec Constance, v. *supra*, note 5.

25. Constance y a établi sa cour à la fin de l'année 352.
Il s'agit pour l'évêque d'Alexandrie de faire pièce aux
attaques relancées par les Eusébiens contre lui auprès de
l'empereur depuis la mort de Constant et surtout après
la victoire de Mursa (SOCRATE, II, 26 et SOZOMÈNE, IV, 8).
La réunion qui se tient en Arles dans l'hiver de la même
année, à l'occasion des *tricennalia*, avec les évêques du
« synode permanent », a pour principal objectif d'obtenir
la condamnation d'Athanase, cf. C. PIETRI, *Roma Christiana*,
I, p. 241, et n. 4.

26. Cinq évêques, quatre noms : le traducteur, ou le
copiste, en a vraisemblablement sauté un. Nous ne sommes
pourtant pas en mesure de le restituer. L'*Index* des Lettres
festales pour la même année ne cite que les deux premiers,
se contentant d'ajouter « avec d'autres », et SOZOMÈNE, IV,
9, 6, parle bien de cinq évêques, mais ne nomme que le
plus connu, Sérapion de Thmuis. Triadelphus a remplacé
Sarapammon sur le siège de Nikiou (Prosopite) en 347
(ATHANASE, *19ᵉ Lettre festale*). Apollôs de Cynopolis supérieure figure sur la liste de Tyr (ATHANASE. *Apol. c. Ar.*
78, 7, n° 36) et sur celle de Sardique (*ibid.* 19, 3, n° 191),
sans nom de siège, de même que dans celle des évêques
persécutés en 356 (*Hist. Ar.* 72, 4). Il est cité par ATHANASE
parmi les moines devenus évêques dans la *Lettre à Dracontius*, 7 (sans siège) en 354. Deux Ammônios figurent sur la
liste de Sardique (n°ˢ 206 et 207), un dans la lettre à
Dracontius *(ibid.)*, trois parmi les évêques persécutés en 356
(*Hist. Ar.* 72, 2 et 4) ; enfin le *Tome aux Antiochiens*, 10
(362) (*PG* 26, 808B) donne le nom d'Ammônios, évêque de
Pachnemunis et d'une moitié de l'Héléarchia. On le trouve
à nouveau cité dans l'*Epist. Ammon.* 34 (éd. HALKIN,
Subsidia hagiog. 19, 1932, p. 119), comme évêque de
l'Héléarchia (sous Valens).

27. Les deux premiers noms figurent dans l'*Index* des
Lettres festales pour 353. Un Astericius sera envoyé en exil
sous Julien, *infra* 3, 6 (= *Ba* 11), sans doute le même.
A propos de Pierre, qualifié ici de *medicus*, un prêtre du

même nom est envoyé par Athanase pour recevoir les lettres
de paix d'Ursace et Valens en 347 (*Hist. Ar.*, 26). Est-ce
encore le même qui, après avoir accompagné Athanase
dans ses périls et ses voyages (RUFIN, II, 3), lui succédera
en 373 (v. *infra* 5, 14 = *Ba* 19)? Philéas n'est pas autrement connu.

28. Gallus devint César le 15 mars 351 (*Chron. pasc.
ad a.* 351 ; JÉRÔME, *Chron. ad a.* 351) et prit le nom officiel
de Flavius Claudius Constantius (fastes consulaires de 352 à
354 et *Index* des Lettres festales *ad a.* 352). V. l'introduction
p. 75 et n. 2.

29. Sur les *palatini*, sortes de *missi dominici*, et leurs
privilèges, outre A. H. M. JONES, *The Later Roman Empire*,
I, p. 104, v. B. BIONDO, « Il peculium dei palatini costantini »,
dans *Labeo*, 19, 1973, p. 318-329 et B. LEHMANN, « Das
Peculium castrense der palatini », *ibid.* 23, 1977, p. 49-54.
ATHANASE fait état de ce Montanus, ὁ παλατινός, dans son
récit des événements, *Apol. ad Const.* 19.

30. La correction apportée par MAFFEI, influencé sans
doute par Athanase, et reprise par OPITZ, *uetabat eos*, nous
semble introduire un contre-sens. Celle de SCHWARTZ,
inuitabat, est inutile (*Nach. Gött.*, 1904, p. 386, n. 1 = *GS*
3, p. 67, n. 1). Nous lui préférons celle proposée par FROMEN,
uocabat eum, à rapprocher de SOZOMÈNE, IV, 9 : γράμματα
τοῦ βασιλέως ἐδέξατι καλοῦντα αὐτὸν εἰς τὰ βασίλεια. Les deux
missions se sont croisées. Elles n'auront pas plus de succès
l'une que l'autre, comme l'indique l'*Index* des Lettres
festales pour 353. Selon ATHANASE, la lettre impériale serait
une réponse à une prétendue lettre que lui-même aurait
écrite à l'empereur pour demander une convocation au
palais. Or cette lettre n'est rien moins qu'un faux fabriqué
par ses détracteurs, affirme-t-il. De plus, la missive impériale
(annoncée mais non citée) ne comportait pas l'ordre de
venir, ajoute-t-il (*Apol. ad Const.* 19-21). L'évêque ne se
rendit donc pas à cette invitation traquenard.

31. Cf. *Index* des Lettres festales *ad a.* 355, beaucoup
moins précis. Diogénès n'a pu arriver que deux ans et *deux*
(ou trois) mois après le départ de Montanus. En effet, le
texte précise un peu plus loin qu'il est resté quatre mois
à Alexandrie, jusqu'au 26 choiak. Si le compte de la durée
du séjour du notaire à Alexandrie est exact, ce dernier,
venu directement de Milan, où s'est déroulé, dans le palais
impérial, au début de l'été 355, le concile condamnant

Athanase, pour en faire appliquer la sentence, est arrivé à la fin du mois d'août (30 mésorè = 23 août). Montanus, arrivé le 23 mai 353 (*supra* 1, 8 = *Ba*, 3), est resté au moins quelques jours, sinon un mois, pour tenter d'accomplir sa mission. ATHANASE indique, de son côté, que Diogénès est entré à Alexandrie *26 mois* après le départ de Montanus, effectué par conséquent vers la fin de payni (juin) 353 (*Apol. ad Const.* 22). Ce serait donc après deux ans et *deux* mois (et non pas *cinq*) que Diogénès aurait succédé à Montanus dans cette mission policière. Le rédacteur a également pu confondre dans son calcul la date de départ du notaire avec sa date d'arrivée à Alexandrie, ce qui donne en effet deux ans et cinq mois (de juin 353 à déc. 355) entre le départ de l'un et celui de l'autre.

32. Les notaires impériaux appartiennent à un corps spécial de la chancellerie impériale et jouent, avec les *agentes in rebus*, le rôle d'un « deuxième bureau », v. W. G. SINNINGEN, « Two branches of the late Roman secret service », dans *Am. Journ. Phil.*, 70, 1959, p. 238-254 et « The Roman secret service », dans *The Classical Journal*, t. 57, 1961, p. 65-72, A. H. M. JONES, *o.c.*, I, p. 127 et II, p. 572-574, et A. GIARDINA, *Aspetti della burocrazia nel basso impero, con una Prosopographia degli agentes in rebus, Filologia e critica XXII*, Univ. di Urbino, 1977. Ici, chargé d'éjecter l'évêque d'Alexandrie, le notaire Diogénès a reçu pleins pouvoirs de l'empereur pour mener à bien sa tâche de police : la répression s'abat sur la ville et va durer quatre mois. Il est appuyé dans sa tâche par les autorités civiles et militaires de la province, σὺν τοῖς ἐν τῷ ἔθνει ἄρχουσι, précise SOZOMÈNE, IV, 9, 8.

33. Il s'agit sans doute de la Théonas, qui sert alors de résidence à l'évêque et où se déroule, un mois plus tard, le dernier épisode de cette mission policière (*infra* 1, 10 = *Ba* 5). Située à l'ouest de la ville, près de la mer, c'est la plus grande église d'Alexandrie jusqu'à l'achèvement des travaux du Cesareum baptisé à son tour « la grande église » (*Apol. ad Const.* 14-15). V. A. CALDERINI, *Dizionario*, p. 169-170 et le plan d'Alexandrie à la fin de ce volume.

34. Les années bissextiles, comme c'est le cas pour 355, on ajoute un jour avant le commencement de l'année civile égyptienne, le premier thôth. Ce jour, le sixième épagomène, est appelé « jour intercalaire » (29 août dans le calendrier romain). On remarquera le flottement — extrêmement rare

dans l'*Historia* — dans la date d'arrivée de Diogénès : mésorè
se termine le 23 août ; entre cette date et le jour intercalaire,
29 août, se placent les cinq jours épagomènes : sont-ce
ces cinq jours auxquels renvoie le pluriel *intercalariorum*
utilisé par le rédacteur ? L'arrivée du notaire impérial
pourrait se situer dans cet intervalle de la fin du mois d'août
(v. note précédente), entre le 23 et le 29.

35. Cf. Athanase, *Apol. ad Const.* 24. Il s'agit ici des
membres de l'*officium* du préfet d'Égypte, chargés plus
spécialement de l'administration judiciaire, le tribunal étant
présidé par le préfet, cf. J. Lallemand, *L'administration
civile de l'Égypte*, p. 72-75, v. *infra* 5, 2, 12 et 13 (= *Ba* 15
et 18).

36. Cf. *Index* des Lettres festales *ad a.* 355. L'*Apol. ad
Const.* 22, fait état de la mission de Diogénès de manière
expéditive en la qualifiant par trois négations : ni lettre,
ni entrevue, ni ordre intimé à Athanase. On serait en droit
de se demander ce que venait faire le notaire, si l'on ne
disposait de l'*Historia*.

37. Selon Athanase, *Hist. Ar.* 48, 1, les deux notaires,
Hilarius et Diogénès seraient venus ensemble à Alexandrie,
porteurs d'une lettre de Constance au *dux* et aux soldats.
Ce n'est pas impossible ; en effet, quatorze jours seulement
séparent le départ de Diogénès de l'entrée d'Hilarius à
Alexandrie. De plus, Hilarius a dû être plus particulièrement
chargé d'entrer en contact avec le *dux* Syrianus pour
mobiliser les légions en garnison sur le territoire égyptien,
car c'est avec ce dernier qu'il entre à Alexandrie, *venant
d'Égypte*. Des pourparlers se sont déroulés avec le *dux* en
présence du préfet Maximus et d'Hilarius jusqu'au 17 janvier
(*Apol. ad Const.* 24-25), le *dux* cherchant sans doute à
gagner du temps en attendant l'arrivée de la totalité des
troupes. Sur les rapports entre le préfet et le *dux* en matière
de police, v. J. Lallemand, *L'administration civile*, p. 162
et n. 3.

38. Alexandrie est dite, en effet, *ad Aegyptum* (traduction
de Ἀλεξ. ἡ πρὸς Αἰγύπτῳ) et non *in Aegypto* car, n'étant pas
sur le Nil, elle ne faisait pas partie officiellement de l'Égypte
romaine (v. A. Calderini, *Dizionario*, p. 57-62 ; H. I. Bell,
« Alexandria ad Aegyptum », dans *JRS*, t. 36, 1946, 130-132).
L'*Historia* 2, 4(= *Ba* 6) en donne un autre exemple : *aduenit
dux Sebastianus de Aegypto* (s.e. *Alexandriam*). Ces deux
textes seraient donc à joindre à ceux, judiciaires, auxquels

H. I. Bell fait référence, ainsi que l'*Expositio totius mundi*, XXXIV.

39. Il est encore trop tôt pour que les éponymes soient connus à Alexandrie (cf. *infra* 3, 1 = *Ba* 9, 4 février 362 et 5, 6 = *Ba* 16, 1er février 366). On notera qu'ils figurent quelques lignes plus bas pour le mois de juin. Ceci tendrait à prouver que le rédacteur de l'*Historia* a puisé directement à l'éphéméride conservé dans les archives de l'Église d'Alexandrie.

40. Sur les légions chargées de veiller sur Alexandrie (*legio* II *Traiana*, *legio* I *Maximiana*, *legio* III *Diocletiana* et *legio* II *Flavia Constantia*, plus deux détachements) et leurs lieux de garnison (camp de Nicopolis, près d'Alexandrie, Andropolis, Péluse et Scenae Veteranorum dans le Delta, Babylone et Memphis), v. D. van Berchem, *L'armée de Dioclétien et la réforme constantinienne*, 1952, en particulier le ch. 4. Le *dux Aegypti* commande à l'ensemble des troupes stationnées dans les provinces d'Égypte, de Thébaïde et des deux Libye depuis Dioclétien, jusqu'à la fin du ive s., cf. *Année épigr.* 1934, 7-8 (308/309), *P. Oxy.* 1103 (360), *C. Th.*, XII, 12, 5 (364), XI, 30, 43 (384). Son pouvoir est totalement indépendant de celui du préfet et n'est soumis qu'à celui du *magister militum*.

41. Cf. *Index* des Lettres festales *ad a.* 356 ; Athanase, *Apol. ad Const.* 25 et *Hist. Ar.* 81, 6-8 (c'est la vigile). L'*Apol. de fuga sua* 24 indique plus précisément qu'une partie des soldats (au nombre de 5 000) a d'abord encerclé l'église, puis que, après en avoir forcé les portes, le reste de la troupe a cerné le chœur où se tenait le clergé. C'est seulement à la faveur de l'obscurité que l'évêque, aidé par les clercs et les moines qui l'entouraient, put fuir.

42. Soulignons que le compte, rigoureusement exact, a été établi à partir des dates du calendrier égyptien, soit du 24 phaôphi 346 au 13 méchir 356 inclus. Selon le calendrier romain, en effet, on obtiendrait 9 ans 3 mois et 17 jours.

43. Cataphronius remplace en cours d'année Maximus, qui occupe le poste depuis 355, *Index ad a.* 355, 356. — Le *comes* (Heraclius) est chargé par l'empereur de régler cette affaire d'églises, cf. Athanase, *Hist. Ar.* 54, 3. Sur ces officiers impériaux et leurs missions, v. G. Downey, *A Study of the comes orientis...*, p. 7-11 ; A. M. H. Jones, *The Later Roman Empire*, I, p. 105 ; et *infra* 2, 8 s. (= *Ba* 8) et n. 65.

44. Selon Athanase, le comte H., chargé par Constance de procéder à l'établissement de Georges à Alexandrie et de se faire remettre les églises, arriva dans la ville muni d'une ordonnance impériale enjoignant au peuple et au sénat de recevoir le nouvel évêque sous peine d'être privés de l'allocation en pain et d'être envoyés en prison (*Hist. Ar.* 54, 1-2). Le vendredi 14 juin, « la grande église » (= le Cesareum) fut l'objet de violence et de déprédations (*ibid.* 55, 2-4).

45. La confusion entre les noms des deux évêques hétérodoxes d'Alexandrie, Grégoire (339-345) et Georges (357-361), évitée quelques lignes plus bas, se trouve également dans les manuscrits de l'*Epistula encyclica ad episcopos* (339) d'Athanase (sauf un) : là, Georges est cité à la place de Grégoire, ici, c'est Grégoire qui est nommé au lieu de Georges, cinq fois sur sept. On trouve la même inversion dans l'*Epist. Sardic. occid.* contenue dans le *Codex Veronensis* LX, mais aussi dans Philostorge, III, 3 et dans Socrate, II, 11 et IV, 1.

46. Georges a été ordonné évêque par un synode d'une trentaine d'évêques orientaux réunis à Antioche, selon Sozomène, IV, 8, qui, seul à fournir ce renseignement, n'a pas pris soin d'en préciser la date. On peut hésiter entre 351 et 352, cf. Libère, *ep. Obsecro, ap.* Hilaire, *frag. hist.*, *ser.* A 7, *CSEL* 65, p. 89-93. Son nom apparaît dans les souscriptions de Sirmium I contre Photin en 351, mais Socrate, II, 29, repris par Sozomène, IV, 6, a confondu ce concile avec celui de 357. Le manque d'empressement du nouvel évêque à se rendre à Alexandrie s'explique sans doute par l'hostilité d'une bonne partie de la population chrétienne restée fidèle à Athanase, lequel, toujours recherché, se tient caché en ville ou dans la proche banlieue, *Index* des Lettres festales *ad a.* 357 et 358.

47. Ce total, là encore, calculé selon le calendrier égyptien, compte deux jours de trop. S'agit-il d'une erreur du copiste qui a pu intervertir IX et XI ?

48. Nous conservons cette lecture plutôt que la correction adoptée par Maffei et reprise par Opitz, *mensibus XVIII*. En effet, le calcul, opéré selon le calendrier égyptien comme dans le reste de l'*Historia*, correspond à la durée du séjour de Georges à Alexandrie — du 30 méchir 357 au 5 phaôphi 358 — moins cinq jours : ou bien le rédacteur n'a pas tenu compte des cinq premiers jours de phaôphi, ou, mieux,

il a fait sauter dans son calcul les cinq jours épagomènes,
ce qui lui a permis d'arrondir à dix-neuf mois entiers.
Maffei a préféré comprendre le calcul du 30 méchir au
1er thôth, jour de l'émeute dont le récit fait suite ; on
remarquera que là aussi il manque cinq jours. En outre,
on notera le silence de l'*Historia* sur les événements d'avril
et mai 357 rapportés dans l'*Apol. de fuga*, 6-7, v. l'introduction.

49. *Dominicum Dionysii* est la traduction de Κυριακόν Δ.
Ce terme, qui sert à désigner l'église et, parfois, ses annexes,
dans le langage populaire, est devenu courant à l'époque
constantinienne, v. C. Morhmann, « Les dénominations de
l'église en tant qu'édifice », dans *Revue de Sc. Relig.*, 1962,
p. 155-174, plus particulièrement, p. 166-167 ; cf. Athanase,
Hist. Ar. 81, à propos de la Théonas, et *Vita Ant.* 70 (non
précisé). Cette église, la première de la liste de neuf noms
retenus par Épiphane, *Pan.* 69, 2, 4 (éd. Holl, *GCS* 37, p. 153),
n'a pas pu être localisée, v. A. Calderini, *Dizionario*,
p. 167. Construite par l'évêque du même nom, ou peut-être
seulement par ses successeurs dans la deuxième moitié du
IIIe s., elle fut sans doute la première église épiscopale de
la cité, avant la Théonas (v. *supra*, n. 33). C'est là
qu'Athanase fut consacré, au dire de Philostorge, II, 11 ;
Socrate, II, 11, 6, rapporte qu'elle fut incendiée en 339,
lors des émeutes qui se produisirent à l'occasion de la
remise des églises à l'évêque arien Grégoire par le préfet
Philagrios, mais il confond les événements avec ceux de
356, cf. Athanase, *ep. encycl.* 2-4, qui ne cite aucun nom
d'église ; elle sera, enfin, la résidence d'Athanase après son
retour d'exil en 364, jusqu'à sa mort en 373, hormis une
brève et dernière éclipse forcée en 365-366, v. *infra*, 5,
4 et 7.

50. Tatianus : il s'agit de Datianus, sénateur de Constantinople, v. Jones, Martindale, Morris, *Prosopography*,
I, p. 243-244, cf. *Index ad a.* 358, p. 259, n. 74 *bis*. — Faut-il
comprendre que Georges a été chassé à la suite d'une
nouvelle émeute ou, comme le conjecture Opitz, *post mensem
I dies V* ? L'*Index* des Lettres festales pour 358 mentionne
également le départ de Georges le 5 phaôphi, à la suite de
troubles populaires, mais omet l'émeute du 1er thôth.
Nous avons préféré la lecture *post X <XXV> factae seditionis*, plus proche du manuscrit. Pourquoi ces trente-cinq
jours entre l'émeute et le départ de Georges ? L'agitation a pu

persister à Alexandrie durant tout le mois de septembre,
d'autant qu'Athanase, caché dans la ville, continuait de
rester introuvable, comme l'indique l'*Index*. Toutefois, l'on
sait que l'évêque hétérodoxe a participé à la commission
réunie à Sirmium entre l'hiver 358 et le 22 mai 359 et chargée
de rédiger le « pro-schéma » destiné à être soumis aux
conciles de Rimini et de Séleucie (HILAIRE, *frg. hist.*, XV, 3 ;
cf. ÉPIPHANE, *Pan.* 73, 11). Il est donc fort possible que ce
soit pour se rendre auprès de l'empereur et des évêques
palatins qu'il ait quitté Alexandrie.

51. Le calcul, exact, est obtenu toujours selon le calendrier
égyptien. Le calendrier romain eût compté un jour de moins.

52. Le *dux* Sebastianus aurait été, selon ATHANASE,
manichéen (*Apol. de fuga* 6 et *Hist. Ar.* 59, 1), manière de le
rejeter dans le camp des ennemis de l'empire. Arrivé en
Égypte dès l'été 356 (LIBANIOS, *ep.* 434), il a prêté main
forte au comte Heraclius et au préfet Cataphronius le 15 juin
à Alexandrie pour appliquer l'édit de Constance ordonnant
que les églises soient livrées aux partisans de Georges (cf.
supra 2, 1 et 2 et n. 44), bien que son nom ne soit pas
alors mentionné dans l'*Historia*. Il est en effet cité par
ATHANASE (*ibid.*, 59, 1) aux côtés du comte, du préfet et
du *katholikos*. Il intervient également, à la demande de
l'évêque Georges, fin mars 357 et le dimanche 18 mai, avec
trois mille soldats pour disperser brutalement les partisans
d'Athanase réunis près du cimetière à l'ouest de la ville
(*Apol. ad Const.* 27 et *Apol. de fuga* 6). La répression s'étend
à l'Égypte et à la Libye tout entières et il en est le bras
(*Hist. Ar.* 72) en 357 et 358. C'est en son absence que le
peuple d'Alexandrie attaque Georges dans l'église de Denys
et réussit à réoccuper les églises quelque temps. Il est donc
curieux que l'*Historia* ne se souvienne de lui que si tard.
Sur sa carrière, v. JONES, MARTINDALE, MORRIS, *Prosopography*, I, p. 812-813, Sebastianus 2. O. SEECK, art. « Sebastianus » 2, *RE* 1921, 954, le dit par erreur originaire de
Bithynie, le confondant sans doute avec le *katholikos*
Faustinus cité par ATHANASE, *Hist. Ar.*, 55, 2 et 58, 2.
Sur l'expression *de Aegypto* (s.e. *ad Alexandriam*, v. *supra*
1, 10 et n. 38).

53. Du 5 phaôphi 358 au 29 payni 359 se sont écoulés
huit mois et vingt-quatre jours exactement.

54. Sur ce personnage, surnommé « la chaîne », célèbre
pour sa cruauté, v. AMMIEN, XIV, 5, 6-9 (mission en Bretagne

pour châtier les partisans de Magnence), XV, 3, 4 (contre les amis de Gallus), XV, 6, 1 (contre les complices de Silvain, échoue), XIX, 12 (procès de Scythopolis en 359, échoue). Il sera condamné et brûlé vif en 362, sous Julien (*ep.* 97). Jones, Martindale, Morris, *o.c.*, p. 683-684, Paulus 4.

55. La lacune est à attribuer au copiste : du 29 payni 359 au 30 athyr 361, il s'est bien écoulé *deux ans et* cinq mois, à un jours près.

56. Georges fait alors partie de ces évêques qu'on appelle palatins, gravitant autour du prince et influant sur la politique religieuse décidée pour tout l'empire depuis Mursa. On le trouve en effet auprès de Constance à Sirmium en 358/359 (v. *supra*, n. 50), à Séleucie en sept 359 (Athanase, *De Syn.* 12, 2 et 6) et il participa à l'installation de Mélèce à Antioche, cf. Jérôme, *Chron. ad a.* 360 *(sic)*, où l'empereur, qui y avait installé ses quartiers d'hiver et s'y trouvait à nouveau en août 361, après la campagne contre les Perses, avait réuni un concile (Théodoret, II, 31). Il n'est pas impossible qu'il ait suivi Constance jusqu'à Tarse puis Mopsucrène où ce dernier devait mourir le 3 novembre.

57. Trois ans, un mois et vingt-cinq jours selon le calendrier égyptien.

58. Sur l'interprétation de ce passage, v. l'Introduction, p. 62 s. Le siège d'Antioche est vacant depuis l'installation d'Eudoxe à Constantinople, le 27 janvier 360 (Socrate, II, 43). Les Eustathiens, qui défendent la foi de Nicée, s'assemblent à part, depuis l'exil d'Eustathe en 330, ce qui explique leur nom (Théodoret, I, 22, III, 4), autour de Paulin (III, 5), prêtre d'Eustathe (Jérôme, *Chron. ad a.* 362). Ce dernier n'est ordonné évêque par Lucifer de Cagliari qu'en 362 (Jérôme, *ibid.*), avant le retour d'exil de Mélèce évêque de la ville depuis 360/361 (Rufin, I, 31).

59. C'est pour remplacer Eudoxe que les partisans d'Acace de Césarée, parmi lesquels Georges d'Alexandrie, choisirent Mélèce de Sébaste pendant l'hiver 360/361 en présence de l'empereur Constance alors à Antioche (Ammien, XX, 11 ; Philostorge, V, 1 ; Jérôme, *Chron. ad a.* 360 ; Socrate, II, 44, 4 ; Sozomène, IV, 28, 3 ; Théodoret, II, 31).

60. Mélèce fit, en effet, à la demande de Constance, un exposé doctrinal dont le contenu fut jugé trop proche de l'*homoousios* ; v. Épiphane, *Pan.* 73, 34 (le texte de l'exposé est rapporté en 29-33) ; Socrate, II, 44, 4 ; Sozomène, IV,

28, 6-7 ; THÉODORET, II, 31, 8. Mélèce fut exilé en Arménie
sur ordre de l'empereur (PHILOSTORGE, V, 5, cf. THÉODORET,
IV, 13), un mois après son installation (JEAN CHRYSOSTOME,
In Meletium, *PG* 50, 516 ; cf. JÉRÔME, *Chron. ad a.* 360,
post non grande temporis intervallum).

61. Euzoios était un ancien diacre d'Alexandre d'Alexandrie déposé par son évêque avec Arius (Lettre d'Alexandre
à tous les év., *ap.* SOCRATE, I, 6, 4 = Opitz, III, *urk.*,
4b, p. 7 ; cf. ATHANASE, *De syn.*, 31, 3, SOZOMÈNE, I, 15,
THÉODORET, II, 31). Sur cette élection, v. PHILOSTORGE, V, 5,
SOCRATE, II, 44, 5, SOZOMÈNE, IV, 28, 10, THÉODORET, II, 31,
40. Loin de chasser Paulin, Euzoios, qui tenait toutes les
églises pendant la persécution de Valens, lui en laissa une,
petite, dans la ville neuve, à cause du respect qu'il éprouvait
pour l'homme (SOCRATE, III, 9). V. l'introduction, p. 62-64.

62. Constance est mort le 3 nov. 361 à Mopsucrène en
Cilicie (AMMIEN, XXI, 15, SOCRATE, III, 1, SOZOMÈNE, V, 1,
6 ; *Chronicon pascale ad a.* 361). La nouvelle n'est connue à
Alexandrie que 27 jours plus tard. Sur les formes prises par
les édits du préfet, v. J. LALLEMAND, *L'adm. civile*, p. 71-72,
qui n'utilise pas ce passage ni le suivant, 3, 3 (= *Ba* 10).

63. AMMIEN, XXII, 11, 10 : *poterantque miserandi homines
ad crudele supplicium ducti Christianorum adiumento defendi,
ni Georgii odio omnes indiscrete flagrabant*. Selon l'historien,
c'étaient les païens les plus acharnés contre lui car, outre ses
délations auprès de Constance, il avait en dernier lieu insulté
le temple du Génie de la ville (*i.e.* le Serapeum) à son retour
de la cour (*ibid.* 5 et 7, v. F. THÉLAMON, *Païens et chrétiens
au IVe siècle*, Paris 1981, p. 248-249). SOZOMÈNE, V, 7,
fait état de la propagande arienne qui rendit les partisans
d'Athanase responsables du massacre de Georges. Mais,
comme Ammien, il estime que « les païens avaient bien
davantage de raisons de le haïr, en particulier pour sa
haine des statues divines et des temples et son interdiction
des sacrifices et des rites ancestraux ». Et il rapporte
comment la profanation de *mysteria* trouvés dans l'*adyton*
d'un Mithraeum désaffecté que Georges s'apprêtait à
transformer en église, déclencha l'émeute païenne qui,
ajoutée à l'annonce de la mort de Constance, devait mettre
fin au règne de l'évêque impie (cf. SOCRATE, III, 2). Enfin,
JULIEN, *ep.* 60 (aux Alexandrins, *ap.* SOCRATE, III, 3)
mentionne le pillage du « très saint temple du dieu » (= le
Serapeum) par le *dux* Artemius sur ordre de Georges. Son
zèle intempestif valut à ce dernier d'avoir la tête tranchée

un peu plus tard (362) sur ordre de Julien, *Chron. pasc. ad a.*
363 *(sic)* (THÉODORET, III, 18) ; AMMIEN, XXII, 11, 2, 3
et 8, qui tient sa mort pour antérieure au massacre de
Georges et l'ayant provoquée, est contredit par le témoignage
de l'*Historia*.

64. Au sud du temple de Sérapis sur la voie canopique, les
ruines d'une ancienne station militaire romaine ont été
mises à jour ainsi que des chambres souterraines reconnues
comme pouvant être des prisons d'État, v. NEROUTSOS-BEY,
L'ancienne Alexandrie, Paris 1888, p. 21.

65. D'après AMMIEN, XXII, 11, 9, le comte s'appelle
Diodore et il est qualifié de *veluti comes*. Il a sans doute
été chargé par l'empereur d'accompagner Georges à Alexandrie où la situation continue d'être délicate (cf. *supra* 2, 1
(= *Ba* 5) et n. 43) la mission du comte Heraclius).

66. Le rédacteur a commis une confusion entre le comte
Diodore et Dracontius, *monetae praepositus* selon Ammien
(ibid.), que J. LALLEMAND, dans *L'administration civile*,
p. 91-92, interprète comme *procurator monetae Alexandriae*.
Insistentem fabricae dominicae, que nous avons traduit par
« préposé à l'atelier impérial », correspond donc à la
fonction de Dracontius et non à celle du comte. La *fabrica
dominica* dont il est question, pourrait être, en ce cas,
l'atelier monétaire d'Alexandrie (v. A. H. M. JONES, *The
Later Roman Empire*, I, 447), lequel se serait donc trouvé
à l'intérieur de l'*area* du Cesareum.

67. La confusion est totale entre le comte et Dracontius,
qui ne forment plus ici qu'un même personnage. Tous deux
furent massacrés pour des actes contre le paganisme, v.
AMMIEN, *ibid.*

68. Lors de la persécution de Dèce, Denys d'Alexandrie
raconte comment deux chrétiens, Chronion et Julien, furent
promenés sur des chameaux à travers toute la ville, fouettés
et, finalement, brûlés avec de la chaux vive (*Lettre à Fabius
d'Antioche, ap.* EUSÈBE, VI, 41, 15).

69. Et celui de Diodore, v. *supra*, n. 67.

70. Cf. AMMIEN, XIV, 7, 15 : Montius, questeur du palais,
et Domitianus, préfet du prétoire, subirent le même sort par
les soldats de Gallus.

71. A midi.

72. Cf. *Chron. pasc. ad a.* 362 *(sic)*, qui ne mentionne que
Georges et précise que son cadavre fut mélangé à des osse-
ments de divers animaux avant d'être brûlé puis dispersé.

Ammien, XXII, 11, 10, ajoute que les cendres furent jetées
à la mer (cf. Épiphane, *Pan.*, 68, 11), de crainte qu'on en
fasse des reliques.

73. Nous avons repoussé la correction proposée par Opitz,
anno, car février se trouve, dans le calendrier égyptien, dans
la même année que décembre, dernier mois cité, et non
l'année suivante (cf. *Index* des Lettres festales *ad a.* 365).

74. Les consulats pour 362 ne sont pas encore connus à
Alexandrie, cf. *supra* 1, 10 (= *Ba* 5) et n. 39.

75. Le terme a d'abord désigné un serviteur d'ordre
inférieur (ὑπερέτης), puis un fonctionnaire de rang élevé,
préposé à la garde et à l'entretien d'un temple en même
temps qu'intendant, v. Hésychius, *s.v.* et *Souda*, *s.v.* C'est
par l'intermédiaire des néochores que se font les offrandes.
Cf. H. Hanell, art. « Neokoroi », dans *RE* 16, 2, 1935,
2422-2428.

76. Par une série de lois, Constance avait interdit les
sacrifices sous peine de mort et ordonné la fermeture des
temples (*C.Th.*, XVI, 10, 2 (341), 5 (353), 4 (356), 6 (356)).
Les biens des temples avaient été spoliés par des particuliers,
par le fisc et par les églises (v. J. Bidez, *La vie de l'empereur
Julien*, 1965², p. 225-226). Arrivé à Constantinople le 11
déc. 361, Julien promulgua ses premiers édits concernant
les affaires religieuses. Il ordonna, entre autres, la réouverture
des temples, leur restauration et leur reconstruction, et
restaura les sacrifices aux dieux, et il rendit au clergé
païen ses anciennes immunités (Ammien, XXII, 5, 2 ;
Philostorge, VII, 1 b ; Sozomène, V, 5). L'édit évoqué ici
concerne la restitution de matériaux divers (colonnes...)
et d'objets de culte permettant aux temples de retrouver
leur première destination. C'est ainsi que, sur ordre de
Julien, la coudée servant à mesurer la crue du Nil, que
Constantin avait fait transporter dans une église (Socrate,
I, 18, 2), et les objets du culte furent rendus au Serapeum
d'Alexandrie (Sozomène, V, 3, 3) ; *P. Oxy.* 1116 (363) fait
état d'objets envoyés au Cesareum d'Alexandrie retrans-
formé en temple par Julien. V. J. Bidez, *o. c.*, ch. 5.

77. L'erreur est à imputer au copiste qui a omis une haste,
écrivant *III* au lieu de *IIII*, qui correspond bien au nombre
de jours qui séparent le 10 du 14 méchir.

78. Avocat, Flavius Domitius Modestus fut élevé par
Constance à la dignité de comte d'Orient en 358 (Ammien,

XIX, 12, 6). Il le demeure jusqu'en 362. Et c'est dans cette
fonction qu'il est chargé, en 360, de recevoir et de transmettre
au fisc le produit de l'amende infligée aux Alexandrins lors
des troubles provoqués en 356-357 par les partisans
d'Athanase (LIBANIOS, *ep.* 205, à Modestus). Suspect aux
yeux de Julien, il regagne sa faveur en se convertissant au
paganisme et, dès l'hiver 362/363, on le retrouve à Constantinople comme préfet de la ville, v. W. ENSSLIN, art.
« Modestus », *RE* 15, 2, 2323-2326, O. SEECK, *Briefe des
Libanius*, p. 213-218, G. DOWNEY, *A Study of the Comes
Orientis*, p. 7-12, JONES, MARTINDALE, MORRIS, *Prosopography*, I, p. 605-608, G. DAGRON, *Constantinople*, p. 242-244.
Le titre de vicaire employé par l'*Historia* correspond dans
ce cas à la charge de vicaire du diocèse d'Orient dont
l'Égypte fait encore partie, charge dont il est démis peu après
par Julien, v. M. J. W. ARNHEIM, « Vicars in the later Roman
Empire », dans *Historia*, 19, 1970, p. 593-606. Redevenu
chrétien sous Valens, il est promu préfet du prétoire.

79. L'*Index* des Lettres festales pour 361 indique que des
ordres de Julien furent envoyés partout « pour amnistier les clercs orthodoxes qui avaient été persécutés du
temps de Constance ». Selon AMMIEN, XXII, 5, 2-3, cette
mesure de tolérance fut décidée en même temps que et en
rapport avec celle concernant l'ouverture des temples
païens, soit dès la fin de l'année 361 (v. *supra*, n. 76). Cf.
PHILOSTORGE, VI, 7, RUFIN, I, 28, SOCRATE, III, 1,
SOZOMÈNE, V, 5, 6, THÉODORET, III, 4, *Chronicon pascale
ad a.* 362.

80. Cf. *supra*, n. 62. — JULIEN, *ep.* 110, aux Alexandrins,
ignore cet édit et prétend qu'Athanase est entré dans
l'église « sans attendre de décision impériale ». Il considère,
en effet, explique-t-il non sans mauvaise foi, que son édit
concernant le rappel des évêques exilés sous Constance
autorisait ces derniers « à rentrer non dans leurs églises mais
dans leurs patries » (cf. SOZOMÈNE, V, 15, 2).

81. La lacune du texte est ici évidente. La durée du troisième exil d'Athanase, après avoir été annoncée, *ex eius
fuga ... usque ad reditum eius ...*, a été omise. L'*Historia*
5, 8 (= *Ba* 17) explicite clairement cette durée : *mens.
LXXII et d. XIIII*, ce qui correspond exactement aux dates
de départ, 14 méchir 356 (1, 11 = *Ba* 5), et de retour, 27
méchir 362 (3, 3 = *Ba* 10) fournies également par l'*Historia*.
De plus, les durées d'exil se retrouvent en 1, 1, 2e exil, 4, 4

(= *Ba* 13), 4ᵉ exil et 5, 5 (= *Ba* 16), 5ᵉ exil, exprimés dans les
mêmes termes : *ex ... usque ... predicto die ... post annos ... et
menses ... et dies ...*, ou : *hoc est post ...*, ce qui autorise avec
certitude la restitution que nous avons proposée ici. Fromen
et Opitz ont également conjecturé la lacune, mais ont
maintenu la lecture *ut sit*, proposant ainsi de rétablir
<*anni VI et dies XIV*>, et ils ont coupé la phrase avant
remansit in ecclesia.

82. Lacune du copiste ; la correction *phaophi XXVII*
s'impose, cf. *infra* 3, 5 (= *Ba* 11) : *predicto autem die phaophi
XXVII*, et l'indication de la durée du séjour d'Athanase
à Alexandrie : huit mois entiers, soit du 27 méchir au 27
phaôphi.

83. Là encore, la lacune est à imputer au copiste car,
quelques lignes plus bas, nous lisons *obtemperans eidem
Pythiodoro* : il a donc été nommé auparavant. Outre le nom
du personnage, la lacune concerne aussi sa fonction, laquelle
est indiquée dans tous les autres cas semblables, cf. 1, 8-10 ;
2, 8 ; 3, 2 ; 5, 6 (= *Ba* 3, 4, 5, 7, 8, 10,16). D'autre part,
la tournure active, *proposuit*, est, dans l'*Historia*, employée
avec un nom propre pour sujet (cf. *Paulus notarius ...
proposuit imperiale preceptum*, 2, 5 = *Ba* 7), tandis que dans
les autres cas, les plus fréquents, la tournure passive l'emporte (*Iuliani imp. preceptum propositum est*, 3, 1 = *Ba* 9,
id. 3, 3 = *Ba* 10). Enfin, l'*Index* des Lettres festales *ad a.*
363 *(sic)* le nomme : « Pythiodoros de Thèbes, le philosophe
barbu ». Selon O. Seeck, *Die Briefe des Libanius*, p. 389,
il est le même que « le beau Pythiodore » qui apporta à
Antioche le message sur la réouverture des temples, cf.
Libanios, *ep.* 694 (éd. Foerster, X, p. 628, 21 = Wolf 606),
v. également W. Ensslin, art. « Pythiodorus » dans *RE* 24,
1, 1963, 550. Jones, Martindale, Morris, *Prosopography*,
I, p. 756, ne retient pas cette hypothèse et préfère rapprocher
notre Pythiodore d'un des philosophes de l'entourage
impérial dont le nom n'est pas cité par Grégoire de
Nazianze, *Or.* 4, 86 (*Contra Iulianum* I) et qui dirigea les
troubles païens à Alexandrie. On ignore sa fonction (*comes*?
comme Heraclius, *supra*, 2, 1 = *Ba* 5, ou Diodore).

84. Cf. Julien, *ep.* 110 (d'Antioche où il réside depuis
juillet 362), aux Alexandrins : « Nous lui signifions l'ordre de
quitter *la ville* ... et sur-le-champ. S'il reste à l'intérieur de
la ville, nous lui signifions la menace de peines beaucoup
plus fortes et plus dures » (cf. l'allusion à ces menaces dans

l'*Index ad a.* 363). L'édit impérial ne comporte pas de
relégation dans un lieu précis contrairement à ce que décide
l'édit du préfet pour les deux prêtres d'Alexandrie. Mais
l'évêque ne pourra plus demeurer caché dans la ville comme
cela s'était produit sous Constance entre 356 et 361. Cet
édit impérial fut aggravé après que les partisans d'Athanase
eurent demandé son rappel à l'empereur. En effet, l'*ep.* 111,
aux Alexandrins, le proscrit cette fois de toute l'Égypte :
« nous lui avons ordonné récemment de quitter la ville (cf.
l'édit), mais maintenant aussi *toute l'Égypte* ». L'*ep.* 112, de
nov. 362, adressée à Ecdicius Olympus, préfet d'Égypte,
fait écho à la précédente : « Je jure par le grand Sérapis
que si, avant les kalendes de décembre, l'ennemi des dieux,
Athanase, n'est pas sorti de cette ville et, bien plus, également *de toute l'Égypte*, je frapperai d'une amende de cent
livres d'or ceux qui sont sous tes ordres. » Athanase obéit
au premier édit, comme l'indique l'*Historia*, mais non au
second. Il fut alors l'objet de poursuites entre Memphis et
Thèbes, lit-on dans l'*Index* des Lettres festales pour 363.
V. l'introduction, p. 97, n. 3.

85. Soit à moins de trente kilomètres de la capitale.
χαιρέου (πόλις), ou *Chereu* se trouve, en effet, selon l'*Itin.
Anton.* 154, 4 et 155, 1, à vingt milles au S.-E. d'Alexandrie,
à la jonction du bras canopique et du canal d'Alexandrie.
C'est, en même temps que Schédia avec laquelle on le
confond, le port de transbordement des marchandises.
Point de rupture de charge et station de péage, c'est aussi,
avec Schédia, la « première station d'Alexandrie » pour les
fonctionnaires obligés de se rendre en Égypte (STRABON,
Géogr., XVII, 1, 16 ; ATHANASE, *Vie d'Ant.*, 86). V. H. KEES,
s.v. dans *RE* 2 (1921), 401-403 et A. BERNAND, *Le Delta
égyptien d'après les textes grecs*, Le Caire 1970, I, *les confins
libyques* 1, p. 421-431.

86. Le changement de préfet survenu au cours de l'année
362 — en févr. Gerontius (*supra* 3,3 = *Ba* 10), en juil. Ecdicius
Olympus (JULIEN, *ep.* 107, cf. *Index* des Lettres festales pour
362) — n'est peut-être pas étranger à la nouvelle politique
inaugurée par l'empereur Julien en matière religieuse. Les
préfets, désignés par l'empereur selon son bon plaisir, lequel
ne coïncide pas nécessairement avec le début de l'année
romaine, sont à sa discrétion (C. VANDERSLEYEN, *Préfets
d'Égypte*, p. 125-128). On se souvient de la seconde nomination de Philagrios au cours de l'année 338 par Constance
pour régler l'affaire Athanase.

87. Un Paul, prêtre d'Alexandrie, a signé la lettre d'Alexandre à tous les évêques v. 319 (OPITZ, III *urk.* 4 b, 10, 31).
Le même, sans doute, fut exilé par les Eusébiens à Tyr, puis
reçu dans la communion des évêques réunis à Sardique
(ATHANASE, *Apol. c. Ar.* 40, 1). L'*ep. Ammonis*, rédigée au
temps de Théodore, le deuxième successeur de Pakhôme,
fait également état d'un Paul, prêtre de l'église appelée
Περεοῦ (éd. Halkin, *Subsidia hagiog.*, 19, p. 97, ll. 21-23) ;
cette église est citée par ÉPIPHANE, *Pan.* 69, 2, 4, parmi
celles d'Alexandrie sous le nom de ἡ Πιερίου ; les événements
auxquels le souvenir de Paul est associé se déroulent avant
l'avènement de Julien. Astericius est sans doute le même qui
fut envoyé en mission à la cour de Milan en 353, v. *supra* 1, 7
(= *Ba* 3) et n. 27. La date de l'envoi en exil, non indiquée
ici, peut être déduite de sa durée, 10 mois, fournie peu après
(4, 2), soit le 10 athyr (6 nov. 362).

88. *Andrônpolis* ou *Andrô*, sur la rive ouest du bras
canopique, au sud d'Hermopolis *parva* (STRABON, *Géogr.*,
XVII, 1, 22 ; PTOLÉMÉE, *Géogr.*, IV, 5, 18), L'*Itin. Anton.*
154, 1 - 155, 3, la situe à 65 milles (96 km) d'Alexandrie,
sur la route de Memphis. L'emplacement n'est pas précisément connu, v. A. BERNAND, *o.c.* 2, p. 551-573.

89. La mort de l'empereur Julien, survenue en Phrygie le
26 juin 363 (AMMIEN, XXV, 3 ; ZOSIME, III, 29), n'est connue
à Alexandrie qu'un mois et vingt-sept jours plus tard (cf.
supra 2, 8 = *Ba* 8, et n. 62). L'*Index* des Lettres festales
ad a. 363 a distingué, de même, les deux moments, celui de
la mort en juin et celui où elle est annoncée à Alexandrie.
Il n'y eut pourtant aucun délai entre les deux événements :
la mort de Julien et sa succession ; dès le 27 juin, selon
AMMIEN, XXV, 5, les soldats acclamaient le *primicus
domesticorum* Jovien, après le refus du préfet du prétoire
d'Orient, Salutius Secundus.

90. E. SCHWARTZ, dans *Nach. Gött.*, 1904, p. 352 (= *GS*,
t. 3, p. 24, n. 3), propose de corriger cette date en *8* thôth
(6 sept.). C'est en effet ce jour-là que selon l'*Index* des
Lettres festales pour 363, Athanase s'embarque pour
Hiérapolis afin de rencontrer Jovien. Mais l'évêque a fort
bien pu quitter Alexandrie avant que la lettre officielle ne
fût affichée, la seule chose importante pour lui étant de
savoir que le nouvel empereur était chrétien, cf. *infra*
4, 3, n. 95.

91. Cf. Sozomène, VI, 3, qui ne mentionne pas le Christ mais seulement la divinité, τὸ θεῖον.

92. V. *supra* 3, 6 (= *Ba* 11), n. 87-88.

93. Il s'agit des deux villes les plus connues de la province de Thébaïde, dont la seconde est la capitale depuis la création de celle-ci par Dioclétien (Hermopolis ἄνω est ainsi distinguée de son homonyme du Delta). Toutes deux ont abrité une communauté chrétienne dès la première moitié du iiie s. et sont le siège d'un évêché depuis le début du ive s. au plus tard. En outre, elles comptent un certain nombre de monastères dans leur région (*Vie grecque de Pakhôme*, 134, Kaior et Oui ; *Hist. mon.*, VIII, 10 et 125, Hermopolis, *ep. Ammonis* 34, Palladius, *Hist. laus.*, LVIII, Antinopolis). Les vies coptes de Pakhôme, 200-203, font état de la présence d'Athanase à Hermopolis où il célèbre la Pâques ; ce pourrait être pendant ce séjour.

94. Faisant l'éloge de Théodore de Tabennesis, entre 366 et 371, aux clercs de son entourage, Athanase raconte comment, alors qu'il était recherché par Julien, les pères Théodore et Pammon, venus le voir à Antinoé, l'avaient caché dans leur bateau pour le mener au monastère le plus proche ; et c'est là qu'il apprit de la bouche de Théodore que Julien était mort le jour même, *ap. ep. Ammonis*, 34 (éd. Halkin, p. 119-120). Une autre tradition veut que ce soit Didyme l'aveugle qui ait été averti en songe de la mort de l'Apostat et ait reçu la charge de l'annoncer à Athanase (Palladius, *Hist. laus.*, 4 ; Sozomène, VI, 2).

95. Selon l'*Historia*, c'est bien par l'édit du préfet Olympus, dont on retrouve, du reste, ici, les termes (cf. 4, 1), qu'Athanase est averti. Il faut moins de huit jours pour que la nouvelle parvienne à Antinoé ; c'est donc avant la fin du mois d'août que l'évêque en prend connaissance, et c'est le 6 septembre qu'il s'embarque clandestinement pour l'Orient (v. *supra*, n. 90).

96. La date n'en est pas indiquée, car c'est celle du retour officiel qui compte pour le rédacteur de l'*Historia*. De plus, légalement, l'évêque n'a pas le droit de retourner à Alexandrie sans autorisation officielle, étant toujours exilé, v. *infra*, n. 98.

97. L'*Index* des Lettres festales pour 363 permet de préciser qu'il s'embarqua le 8 tôth (6 sept.) et rencontra l'empereur à Hiérapolis d'Orient. L'*ep. Ammonis* 34, *l.* 16-19, indique que c'est sur le conseil de Théodore qu'il

se rendit secrètement au palais avant de rentrer dans son église, cf. Sozomène, VI, 5, 1 (sur le conseil de quelques amis). Une tradition postérieure veut qu'il ait été convoqué par l'empereur (Épiphane, *Pan.* 68, 11).

98. Cette lettre, τοῦ ἐπιεικεστάτου σου βίου (*PG* 26, 813), très courte et élogieuse, l'autorise à rentrer dans son église et à poursuivre son travail de pasteur. Socrate, III, 24, qui ignore toutefois le voyage d'Athanase à Antioche, y fait écho.

99. Athanase demeura un certain temps à Antioche où il devait rencontrer Mélèce (Basile, *ep.* 89, 214, 258). La Lettre festale pour 364 fut envoyée de cette ville : Max Pieper, « Zwei Blätter aus dem Osterbrief des Athanasius vom Jahre 364 (Pap. Berol. 11948) », dans *ZnTW* 1938, p. 73-76, donne (p. 74), le texte copte du *fol.* 107, fragment de cette lettre, dans lequel Athanase dit qu'il écrit du palais à Antioche où il a vu l'empereur « bien-aimé », cf. l'*Index* pour 364, qui donne également la date de retour de l'évêque à Alexandrie soit le 25 méchir (19 févr.). L'église est celle de Denys, où il résidera, hormis un bref intermède, jusqu'à sa mort, v. *infra*, 5, 4 et 7, et *supra*, n. 49.

100. Le calcul, opéré selon le calendrier égyptien (27 phaôphi 362 - 19 méchir 364), est exact.

101. V. *supra* 1, 6 et n. 21. En 358, Eudoxe, alors évêque d'Antioche, réunit un synode où la formule de Sirmium II (357) nettement subordinationiste, appelée « blasphème de Sirmium » (Hilaire, *De Syn.* 11), est adoptée (Sozomène, IV, 12). La même année, les Homéousiens, sous la direction de Basile d'Ancyre, obtenaient la condamnation de 70 évêques de tendance anoméenne, parmi lesquels Eudoxe, obligé de se retirer en Arménie (Philostorge, IV, 8 ; cf. Sozomène, IV, 14), tandis qu'à Constantinople, Macedonius adoptait le parti de Basile (*ibid.* 9). Mais, en 360, Macedonius est déposé au synode de Constantinople organisé par Constance, en même temps qu'un certain nombre d'évêques homéousiens (Socrate, II, 42 ; Sozomène, IV, 24 ; Philostorge, V, 1), tandis qu'Eudoxe le remplace sur le siège de Constantinople. Il disparaît peu après (Sozomène, IV, 26). C'est à partir de ce moment que, selon Sozomène, IV, 27, se répand l'hérésie « macédonienne », en Thrace, en Bithynie, dans l'Hellespont et dans les provinces voisines. Un certain nombre d'Anoméens, dont Aèce et Héliodore, sont également déposés, tandis que l'homéisme d'Acace de Césarée devient la position officielle en Orient. V. l'introduction, p. 49-53.

102. Aèce, ancien diacre de Léonce d'Antioche, a quitté Alexandrie, accompagné d'Eunome, au début de l'année 358, pour se rendre dans la capitale syrienne où Eudoxe, qui vient de s'emparer du siège épiscopal après la mort de Léonce, leur réserve un excellent accueil et les reçoit à sa table (THÉODORET, II, 27, 9, cf. SOCRATE, II, 37, 9); ils assistent au synode réuni alors par le nouvel évêque (v. note précédente), synode dont on peut dire qu'il marque l'émergence de l'anoméisme dans les débats théologiques. Mais, victime des Homéousiens de Basile d'Ancyre qui l'accusent devant l'empereur Constance d'avoir été mêlé au complot de Gallus, Aèce est envoyé en exil à Pépousa en Phrygie (PHILOSTORGE, IV, 8 ; ÉPIPHANE, *Pan.* 76, 2). Rappelé par l'empereur, ainsi qu'Eunome (*Id.* 10), il se rend au synode de Séleucie en 359, où les Acaciens se séparent de lui et le déposent du diaconat (SOZOMÈNE, IV, 24, 1). Condamné au concile de Constantinople en 360, il est relégué par l'empereur à Mopsueste, puis à Amblade en Pisidie (PHILOSTORGE, V, 1-2).

103. Cet évêque n'est pas autrement connu. Le seul évêque de Nicée attesté à cette date est Eugenius (successeur de Théognis, v. 355, LEQUIEN, *Oriens Christianus*, I, p. 640-642), en communion avec Georges d'Alexandrie (SOZOMÈNE, IV, 8), qui est hostile à l'anoméisme (*Id.*, IV, 13) et disparaît vers 370 (PHILOSTORGE, IX, 8). La liste des légats de Séleucie comprend bien un Patricius, mais ce sont des Homéousiens et la lettre dont ils sont porteurs met en garde les évêques occidentaux contre l'anoméisme d'Eudoxe et d'Aèce, *ap.* HILAIRE, *frg.*, X (*CSEL* 65, p. 174). Enfin aucun Eugenius ne figure parmi les Homéousiens déposés en 360 et susceptibles d'avoir été remplacés par des Anoméens.

104. Disciple d'Aèce, il fut promu au rang de diacre par Eudoxe d'Antioche, sans doute en 358 (PHILOSTORGE, IV, 5). Chargé par ce dernier de réhabiliter les partisans d'Aèce accusés devant Constance par Basile d'Ancyre et Eustathe de Sébaste, il est kidnappé en route par les hommes de main de Basile et conduit en exil à Midéion en Phrygie (*Id.*, 8). Rappelé un peu plus tard (v. n. 102), il assiste au concile de Séleucie où Aèce défend l'*hétéroousios* (*Id.* 12). Il semble que, comme diacre de l'Église d'Antioche, il se soit contenté de s'aligner sur les positions doctrinales de son évêque au concile de Constantinople (360), ce qui lui valut de le suivre dans sa promotion. Il est en effet consacré évêque de Cyzique,

après la déposition d'Eleusius, par Eudoxe, devenu évêque
de Constantinople, et par Maris de Chalcédoine, mais il
n'accepte qu'avec la promesse d'Eudoxe d'obtenir l'annulation de la sentence contre Aèce dans les trois mois
(Philostorge, V, 3 ; cf. Sozomène, IV, 25, 5 ; Théodoret,
II, 29). Dès 361, Eudoxe, rallié à l'homéisme triomphant,
abandonne ses deux anciens protégés, c'est la rupture
(Philostorge, VI, 3 ; Socrate, IV, 13, 1-2 qui situe les
faits à tort sous Valens ; Sozomène, VI, 26 ; Théodoret, II,
29, 10).

105. Héliodore de Sozousès en Pentapole et Étienne de
Ptolémaïs en Libye ont souscrit à Séleucie en 359 (Épiphane,
Pan., 73, 26 ; cf. Athanase. *De Syn.*, 12), et ont refusé de
souscrire à la condamnation d'Aèce à Constantinople
(Théodoret, II, 28, lettre du concile à Georges d'Alexandrie ; cf. Philostorge, VII, 6), ce qui leur valut une menace
de déposition dans les six mois, à moins qu'ils n'aient changé
d'opinion d'ici là.

106. Euzoius n'occupe le siège d'Antioche qu'en 361, à la
suite de la déposition et de l'exil de Mélèce, *supra*, 2, 7 et
n. 59 et 61. La même année, un synode fut réuni à Antioche
où la formule anoméenne faillit être adoptée (Socrate, II,
45 ; Sozomène, IV, 29), tandis que l'année suivante, sous
Julien, Euzoius, sur la pression d'Eudoxe, réunit un nouveau
synode pour réhabiliter Aèce (Philostorge, VII, 5-6).

107. Eleusius de Cyzique et Macedonius de Constantinople
furent déposés par le concile de Constantinople en 360 avec
douze autres évêques homéousiens dont les noms sont
connus par Philostorge, V, 1 et 3, Socrate, II, 42,
Sozomène, IV, 24, non tant pour des raisons doctrinales que
pour des motifs disciplinaires. Hypatianus d'Héraclée figure
parmi les signataires du concile de Sirmium qui condamna
Photin en 351, mais la liste fournie par Socrate, II, 29,
est en réalité celle de Sirmium II, de 357 ; du reste jusqu'en
355/356, son prédécesseur Théodore est attesté sur le siège
(Athanase, *ep. ad episcopos Aeg. et Lib.*, 7). Son nom ne
figure pas dans la fournée des Homéousiens déposés en 360,
on ne le retrouve qu'en 364, délégué par les Homéousiens
auprès de l'empereur Valentinien de passage en Thrace,
pour lui demander l'autorisation de se réunir, ce qui advint
à Lampsaque (Sozomène, VI, 7).

108. Cf. profession de foi d'Eunome, *PG* 67, 587-588
ἀνάρχως, αἰδίως, ἀτελευτήτως, μόνον ... μόνος θεός παντοκράτωρ

... ἀκήρατος ... ἄφθαρτος. Dieu est défini ici — non comme
Père — mais par son essence, et l'essence de Dieu est d'être
inengendré ; ce n'est pas une propriété de Dieu parmi
d'autres, mais la définition même de l'essence divine.
Εἷς ... θεός · μήτε παρ' ἑαυτοῦ, μήτε παρ' ἑτέρου γενόμενος ... ἀκο-
λουθεῖ τούτῳ τὸ ἀγέννητον · μᾶλλον δὲ αὐτός ἐστιν οὐσία ἀγέννητος,
confirme clairement EUNOME, *Apol.*, 7 ; μόνος ἀγέννητος ...,
τὴν τῶν πάντων αἰτίαν τε καὶ ἀρχήν, *ibid.*, 22. Chacun des noms,
employés ici, comme dans la profession d'Eunome, n'est
que l'explicitation de cette essence simple (ἁπλοῦς γὰρ καὶ
ἀσύνθετος, *Apol.* 28), totalement étrangère au monde du
devenir, qu'il soit exprimé en termes de génération (Fils) ou
en terme de création (*dominium*, κυριότης), laquelle est le fait
de sa δημιουργία qu'il délègue au Fils, v. *infra*, n. 111).
Sur le caractère systématique de cette théologie, v.
E.VANDENBUSSCHE, « La part de la dialectique dans la
théologie d'Eunome », dans *R.H.E.* 40, 1945, p. 47-72.
ATHANASE avait déjà relevé chez Arius l'excessive transcendance du Père l'empêchant de créer le monde sans un intermédiaire, son obligé, le Fils (*Or. adv. Ar.*, II, 24, cf. *De Syn.*
16, lettre d'Arius à Alexandre).

109. Nous devons à la perspicacité du P. Verheijen de
nous avoir suggéré cette interprétation, *origo Christi*, plutôt
que *imago Christi* ; qu'il en soit ici remercié. Que le Père
soit « principe du Christ » correspond tout à fait à la doctrine
anoméenne du Père ἀρχή, αἴτιος de toute créature et tout
particulièrement du Fils monogène (cf. *Apol.* 21, 22, 26).
Pour ce qui est de l'*imago*, orthodoxes et hérétiques
s'accordent à reconnaître dans le Christ l'*imago Dei* et non
l'inverse, cf. en particulier, EUNOME, *Apol.*, 24 et *infra*,
n. 115.

110. Cet imparfait reflète bien la position du Fils par
rapport à l'être éternel de Dieu, celle du devenir par la
volonté de Dieu, cf. *Apol.* 12 : ταύτην (οὐσίαν) δὲ γεγεννῆσθαι
μὲν οὐκ οὖσαν πρὸ τῆς ἰδίας συστάσεως, εἶναι δὲ γεννηθεῖσαν πρὸ
πάντων, γνώμῃ τοῦ θεοῦ καὶ Πατρός.

111. Le Fils est ainsi défini par sa totale soumission au
Père, par le fait qu'il tire ses qualités de la volonté du Père
et non de son être propre, en un mot, par son infériorité
totale au Père dont il ne partage ni la divinité (*dealitas*,
v. *TLL*, V, 1, vol. 81, 40-45) ni l'οὐσία. Seul engendré et créé
parfait par la puissance de l'inengendré, il est né serviteur,
ὑπουργός, pour accomplir toute création et décision du Père,

car il a reçu de Lui, dès le commencement, le pouvoir de
créer, τῆς δημιουργικῆς δυνάμεως (*Apol.* 15). C'est en quoi il
est *image de Dieu*, et l'on peut parler de ressemblance,
Apol. 24.

112. Il s'agit d'insister ici sur l'impossibilité d'une génération en Dieu sans destruction de l'être même de Dieu,
être simple, un, inengendré et inengendrant, car la génération introduit le temps, cf. profession d'Eunome, *PG* 67,
588 B 9-10, οὐκ ἐν τῷ γεννᾶν τὴν ἰδίαν οὐσίαν μερίζων, καὶ ὁ
αὐτὸς γεννῶν καὶ γεννώμενος (cf. *Apol.* 15) et Aèce, *Syntagmation, ap.* Épiphane, *Pan.*, 76, proposition 2, *PG* 42, 536,
οὔτε γὰρ παρ' ἑτέρας φύσεως εἴληφε τὸ εἶναι, οὔτε αὐτὸς ἑαυτῷ τὸ
εἶναι παρέσχεν. Le Fils ne peut être qu'une production du
Père, cf. déjà Arius, cité par Athanase, *Or. adv. Ar.*, I, 9,
PG 26, 28-29.

113. Cette similitude au Père n'a rien de commun avec
celle que reconnaissent les Homéousiens et qui implique une
ressemblance de substance ; elle relève de la qualité acquise
grâce au Père, comme toutes les autres qualités rapportées
ici, et non de l'être du Fils : similitude *ex operibus* non *ex
natura*, cf. *infra* et Eunome, *Apol.* 22 et 24.

114. Même remarque qu'à la note précédente. Ce sont
précisément ces deux termes, *similis* et *imago*, qui sont
repris par Athanase pour dénoncer la formule de Séleucie et
accuser les Homéens qui ont écarté les termes οὐσία, ὁμοούσιος,
ὁμοιούσιος d'être, en fait, des Anoméens, car « si le Fils n'est
pas semblable selon la substance, il est totalement dissemblable et ce qui est dissemblable ne saurait être une image »,
De Syn. 38, 2, εἰ γὰρ οὐχ ὅμοιος κατ' οὐσίαν πάντως ἀνόμοιός
ἐστι. Τὸ δὲ ἀνόμοιον οὐκ ἂν εἴη εἰκών.

115. Cf. *supra*, n. 112 : l'être de Dieu exclut la consubstantialité. « Comment le Dieu inengendré, lui qui est libre de
toute détermination, peut-il voir sa propre essence tantôt
seconde dans le rejeton, tantôt première dans l'inengendré,
selon une hiérarchie de premier et de second ? », remarque
Aèce dans le *Syntagmation*, proposit. 38 (*PG* 42, 544),
πῶς ἂν ὁ ἀγέννητος Θεός, ἐλεύθερος ἀποκληρώσεως ὑπάρχων, νῦν μὲν
τὴν ἑαυτοῦ οὐσίαν δευτέραν ἐν γεννήματι ὁρᾷν, νῦν δὲ προτέραν ἐν
ἀγεννήτῳ, κατὰ τὴν τοῦ πρώτου καὶ δευτέρου τάξιν ; manière
d'attaquer à la fois l'*homoousios* et l'*homoios*, qui établissait
une hiérarchie entre le Père et le Fils.

116. Les vrais athées, estime Aèce, sont ceux qui refusent
de distinguer l'Inengendré de l'Engendré quant à l'essence,

car ils font de Dieu un pur énoncé, προφορά, *Syntagmation*,
33 (*PG* 42, 541).

117. Il semble que l'anathème ainsi formulé englobe aussi
bien les Homoousiens que les Sabelliens proprement dits,
lesquels nient l'existence du Fils en dehors du temps de
l'Incarnation, et pour cette raison sont condamnés par les
Homoousiens, cf. ATHANASE, *Or. adv. Ar.*, I, 25, *PG* 26, 64.

118. Les Manichéens nient que Dieu soit créateur : cf.
ibid. 23, où ATHANASE accuse les Ariens de « se vautrer »
avec eux.

119. On aura reconnu les Homéousiens.

120. « Extérieurement » parlant, c'est-à-dire au niveau du
monde visible, des apparences, la neige et la céruse se
ressemblent par leur blancheur, mais la connaissance
mystique permet de dire que la ressemblance du Fils au
Père est de l'ordre de la puissance et de l'activité créatrice
reçues du Père ; cf. la profession d'Eunome dans laquelle
le Fils est δημιουργός, créateur de toutes choses, parce qu'il a
tout reçu du Père, πάντα γὰρ αὐτῷ παρεδόθη παρὰ τοῦ Πατρὸς ...
καὶ πάντα δέδοκεν ὁ Πατὴρ ἐν τῇ χειρὶ αὐτοῦ (*PG* 67, 588 D,
4, 8-10). — Ces *exempla* (le serpent, la statue de bronze,
les vers, évoqués auparavant, la céruse, la neige), dont on
ne trouve pas trace dans les écrits d'Aèce et d'Eunome qui
nous sont parvenus, témoignent du caractère concret que
savait parfois prendre l'enseignement théologique.

121. On notera la hiérarchie trinitaire de l'ordre des anges
ici formulée, en un temps où l'angélologie est encore peu
déterminée. Le schéma adopté par le Ps.-Denys l'Aréopagite
dans sa *Hiérarchie céleste* au début du vi^e s. superposera
trois séries de hiérarchies, schéma certes plus complexe,
mais reposant sur un principe hiérarchique identique. —
La brève mention du Saint-Esprit, subordonné au Père et
au Fils et occupant le troisième rang dans la hiérarchie
trinitaire, mérite d'être relevée. Le débat sur la question
est alors à peine commencé (sur la date de la profession —
entre 360 et 365 — v. l'introduction, p. 55). Arius avait déjà
affirmé que « les essences du Père, du Fils et du Saint-Esprit
sont séparées par nature, étrangères, distinctes et sans
participation entre elles », qu'« elles sont absolument différentes les unes des autres par leur substance et leur gloire,
pour toujours », *ap.* ATHANASE, *Or. adv. Ar.*, I, 6. Objet
d'un long développement dans la dernière partie de la
profession de foi d'Eunome, en 383, de même que dans

l'*Apol.* 25, le Saint-Esprit, dans la logique anoméenne, est au Fils ce que celui-ci est au Père : une créature du Fils, « la première et la plus importante de toutes les œuvres du Monogène, créé par ordre du Père et par l'énergie et la puissance du Fils » (*Apol.* 28). En 362, le synode d'Alexandrie a anathématisé « ceux qui semblent croire la foi de Nicée et qui n'hésitent pas à blasphémer contre le Saint-Esprit » ; peu auparavant (entre 356 et 362), Athanase, répondant à une demande de Sérapion de Thmuis concernant des hérétiques qui reconnaissaient la consubstantialité du Fils, mais refusaient celle du Saint-Esprit en qui ils voyaient une créature, annonçant ainsi les Pneumatomaques, avait affirmé la divinité et la consubstantialité du Fils et de l'Esprit. Ce sont sans doute ces mêmes hérétiques, appelés « Tropiques » par Athanase, qui sont visés par le synode. Sur cette question, v. les *lettres à Sérapion* (*SC* 15, 1947, J. Lebon) et, en dernier lieu, A. Laminski, *Der Heilige Geist als Geist Christi und Geist der Glaubigen. Der Beitrag des Athanasius von Alexandrien zur Formulierung des Trinitarischen Dogmas im vierten Jahrhundert*, Leipzig 1969, et G. Dragas, « Holy Spirit and Tradition : The Writings of St. Athanasius », dans *Sobornost*, 1979, p. 51-72. En 364, la profession de foi de la *lettre à Jovien* 3 (*PG* 26, 817), se contente de reprendre celle de Nicée dans laquelle la troisième personne de la Trinité est juste mentionnée ; les anathématismes visent encore ceux qui s'en prennent à la divinité du Fils et ce sont les mêmes que l'on retrouve dans la *lettre aux Africains* 9, en 369 (*PG* 26, 1045).

122. Sur cette hiérarchie des essences et leur incommunicabilité, v. l'introd. p. 57 s.

123. E. Schwartz, dans *Nach. Gött.* 1904, p. 383 (= *GS*, t. 3, p. 62, n. 1), propose de lire οἱ Ἀρειανοὶ οἱ περὶ Εὐδόξιον, θεόδωρον, etc. Cette expression recouvre d'ordinaire les partisans d'une même tendance théologique à un moment donné et dont un ou deux évêques sont les chefs (ainsi trouve-t-on : « les partisans d'Eusèbe », ou ceux « d'Acace », « d'Eunome », etc., ou encore : « les partisans d'Eudoxe et d'Acace » (en 357), ceux « d'Eudoxe et d'Euzoios » (en 363). Ce n'est pas le cas ici. Ces évêques appartiennent à des courants différents. Ainsi, Sophronios de Pompéiopolis assiste au concile tenu à Antioche en 363 par les Homéousiens autour de Basile d'Ancyre pour demander à l'empereur Jovien de s'en tenir aux décisions de Séleucie (Socrate,

III, 25 ; Sozomène, IV, 4), tandis qu'Eudoxe de Constantinople défend alors, avec Euzoios d'Antioche, les positions homéennes. Un Theodorus (sans siège) figure parmi les légats orientaux de Séleucie (359) hostiles à Aèce alors soutenu par Eudoxe (Hilaire, *frg. hist.*, X, *CSEL* 65, p. 174) ; le même (?) est présent à l'intronisation d'Eudoxe à Constantinople le 27 janv. 360 (*Chron. pasc. ad a.* 360). Un Hilarius est cité parmi les évêques de Jérusalem entre les troisième et quatrième retours de Cyrille, *i.e.* sous Valens, d'après Jérôme, *Chron. ad a.* 348. Serait-ce donc une commune aversion pour Athanase qui les aurait réunis à Antioche afin de soutenir le candidat arien à la succession de Georges d'Alexandrie ?

Cette manière d'amalgamer sous l'étiquette d'« Ariens » des hommes dont les positions doctrinales sont si différentes, pourrait manifester les réticences sinon le refus d'Alexandrie de se rapprocher des Homéousiens et de ceux qu'on appellera les « néo-orthodoxes » jusqu'en 381. Nulle part ailleurs il n'est fait mention de cette réunion.

124. L'*Historia,* reprise ici par Sozomène, VI, 5, est seule à fournir ce renseignement.

125. Le procès-verbal de quatre pétitions de la communauté arienne d'Alexandrie a été conservé à la suite de l'*ep. ad Jouianum* d'Athanase (*PG* 26, 819-824), l'ensemble faisant partie du dossier envoyé par l'évêque nicéen à ses collègues africains en 369 et conservé dans le *Codex Parisinus* 474, v. F. Wallis, « On some mss. of the writings of S. Athanasius », dans *J.Th.S.*, t. 3, 1902, p. 97-110 et plus particulièrement p. 99. La quatrième émane de Lucius lui-même, qui s'est rendu au palais, sans succès. C'est ce dossier auquel renvoie très certainement le rédacteur de l'*Historia,* cf. Sozomène, VI, 5, 2-4. Par ailleurs, un fragment de la Lettre festale envoyée d'Antioche pour 364, conservé en copte, permet de préciser que la délégation conduite par Lucius auprès de l'empereur fut éconduite le 3 hathor (31 oct.) 363, v. introduction, p. 30, n. 1.

126. Cette phrase n'est pas du rédacteur de l'*Historia,* mais de celui qui l'a jointe au dossier sur Sardique fourni par l'église d'Alexandrie à la demande de Carthage.

127. Jovien meurt le 17 février 364 (Ammien, XXV, 10, 13). C'est le 26 février que Valentinien fut proclamé empereur à Nicée et, le 28 mars, il fit proclamer Valens Auguste (*ibid.*, XXVI, 4), tandis qu'en juin 364 la partition de

l'empire faisait de ce dernier l'empereur en Orient. Les
premiers édits pris par les deux empereurs en matière
religieuse concernent la liberté de conscience (*C.Th.*, IX, 16,
9) et la prohibition des sacrifices nocturnes (*ibid.* 7,
9 sept. 364).

128. L'édit dont l'*Historia* constitue le seul témoignage,
repris par Sozomène, VI, 12, 5, émane, à cette date, du seul
Valens (cf. l'édit de Milan au temps de Constance, Athanase,
Hist. Ar. 31, 6 et 54, 1). Sozomène précise qu'il fut envoyé
« à tous les gouverneurs de province ». Socrate, IV, 13,
3-6, qui ne donne pas le contenu de l'édit, signale qu'il fut
envoyé par les préfets du prétoire à la suscitation d'Eudoxe
de Constantinople. (On sait que l'évêque arien baptisa
Valens : Jérôme, *Chron. ad a.* 366; Socrate, IV, 1;
Sozomène, VI, 6 ; Théodoret, IV, 12, 4.) La mesure vise
les évêques nicéens et homéousiens, qui furent persécutés,
comme en témoigne Socrate, IV, 2 (à Antioche, Mélèce),
6 (à Cyzique, Eleusius), 9 (à Constantinople, Nicéens et
Novatiens), (cf. Sozomène, VI, 7 et 8), provoquant partout
des troubles, ce que résume le *ut ecclesia uniuersa fatigaretur*
deux lignes plus bas. Les curies sont responsables localement
de l'application de l'édit.

129. J. Declareuil, dans *Quelques problèmes d'histoire
des institutions municipales au temps de l'empire romain*,
Paris 1911, p. 253, définit les *principales* comme « un groupe
de décurions plus spécialement responsables des actes et de
la gestion de la curie tout entière », choisis parmi « les
premiers de l'album, les plus riches ». Considérés comme les
représentants de la cité, chargés de la défendre, ils sont
aussi responsables de l'ordre public conjointement avec les
gouverneurs de province et c'est à eux que le pouvoir
impérial confie ici le soin d'appliquer les mesures d'expulsion
à l'encontre des évêques, cf. *C.Th.* 16, 5, 12 (383), contre
les hérétiques. L'institution de cette catégorie de dignitaires
municipaux supérieurs au reste des décurions apparaît sous
Constantin : *C.Th.* 12, 1, 5 (317). Cf. A. H. M. Jones,
The Later Roman Empire, II, p. 731, et, en dernier lieu,
C. Lepelley, *Les cités de l'Afrique romaine au Bas-Empire*,
I, Paris 1979, p. 201-205. Leur existence est attestée à
Alexandrie par *C.Th.* 12, 1, 126 (392) et 189 (436) ; l'*Historia*
« aceph. » en constitue donc un témoignage supplémentaire
important. Ce texte est pourtant ignoré de A. K. Bowman,
The Town Councils of Roman Egypt, Toronto 1971, p. 24,

qui, par ailleurs, propose de voir dans le titre προπολιτευό-
μενοι, employé dans les papyrus dès la fin du iiie s., un
synonyme de *principales* (*Appendix* III, p. 155-158). Au
temps de Libanios, à Antioche, ils étaient une douzaine,
P. Petit, *Libanius et la vie municipale d'Antioche au IVe s.*,
Paris 1955, p. 84 et 87 ; en 436, à Alexandrie, *C.Th.* 12, 1, 190,
fait état de cinq *primates ordinis*, sans que l'on puisse
affirmer qu'ils représentent la totalité des *principales* de la
cité ou seulement une partie. Cette petite élite fortunée
concentrant en permanence l'autorité et la responsabilité
témoigne du « moment de recroquevillement de l'activité
municipale » que fut la deuxième moitié du ive s. en Orient,
v. R. Rémondon, « Papyrologica », dans *Chron. d'Ég.* 41,
1966, p. 167-172, et P. Petit, *o.c.*, p. 355-356, à propos de
l'*Or.* 49 de Libanios sur la désertion des curies (388), dans
laquelle celle d'Alexandrie est citée (49, 12).

130. Les membres du bureau du préfet, désignés par le
terme *officium*, sont chargés de faire exécuter les ordres
impériaux transmis par celui-ci, v. *supra*, n. 35, et ils sont
responsables, tout comme lui, de cette exécution ; Julien,
(*ep.* 112, à Ecdicius Olympus, préfet d'Égypte) menace de
frapper d'une amende de cent livres d'or τῇ ὑπακουάσῃ σοι
τάξει, *i.e.* les membres de son *officium*.

131. On notera combien cette amende est particulièrement
élevée (trois fois celle imposée par Julien aux membres de
l'*officium* du préfet, cf. *supra*, n. 84 et 130). Seule, celle
infligée par Valentinien II en 385/386 au corps des marchands
de Milan qui soutenaient Ambroise dans son refus d'accorder
une basilique à la minorité arienne de la ville, lui est comparable : 200 livres d'or (Ambroise, *ep.* XX, 6), v. L. Ruggini,
Economia e società nell'Italia annonaria, Milan 1961,
p. 106-108, qui remarque que, d'ordinaire, elles ne dépassent
pas 20 ou 30 livres pour les plus fortes. Pour donner une
échelle de valeur, un marchand est considéré comme riche
à Alexandrie lorsque sa fortune s'élève à 70 livres d'or
(275, selon Rufin, *Hist. mon.* 16 = Palladius, *Hist. laus.*
65), tandis que les revenus fonciers d'un grand propriétaire
peuvent atteindre 1500 à 4000 livres d'or, v. A. H. M. Jones,
The Later Roman Empire, II, p. 869-871. En 392, l'amende
infligée au clergé hérétique est de dix livres d'or (*C.Th.* 16,
5, 21).

132. Cf. *supra* 1, 9 (= *Ba* 4), n. 35.

133. Nous appuyons notre correction sur le passage correspondant de Sozomène, VI, 12, 8, qui a emprunté sa source à l'*Historia* : τὸν δὲ ᾿Αθανάσιον ἔλεγον φυγεῖν μὲν ἐπὶ Κωνσταντίου, μετὰ κληθῆναι δὲ παρ' αὐτοῦ καὶ τὴν ἐπισκοπὴν ἀπολαβεῖν. ᾿Ιουλιανὸν δὲ πάντας καταγαγόντα μόνον αὐτὸν διῶξαι · πάλιν δ' αὖ ᾿Ιοβιανὸν αὐτὸν μετακαλέσεσθαι. La « fuite » d'Athanase doit être entendue comme une *fuga in persecutione*, ce que l'*Historia* traduit par *nec non Constantius eum persecutus est*. Quant au deuxième *persecutus est*, absent du texte de Sozomène, c'est une simple répétition due au copiste qui vient de le transcrire à la ligne juste au-dessus (*fol.* 110 a, l. 17), v. E. Schwartz, *Nach. Gött.*, 1901, p. 387 (= *GS*, t. 3, p. 67, n. 3).

134. Les partisans d'Athanase jouent à plaisir avec la carrière mouvementée de leur évêque pour tourner le rescrit impérial. Leur habile argumentation escamote le troisième exil (356-362) et fait ressortir le quatrième ordonné par Julien. Elle ne suffit pourtant pas à convaincre le préfet, ajoute Sozomène. On retrouve la même omission dans le compte de la durée du séjour d'Athanase à Alexandrie, tel qu'il est exprimé au début de l'*Historia* : *annis XVI et mensibus VI*. Seize années et trois jours exactement se sont écoulés en effet entre le 24 phaôphi 346 (date du retour sous Constance) et le 27 phaôphi 362 (date du quatrième exil sous Julien). On remarquera surtout qu'il n'est jamais fait mention dans l'*Historia* ni ailleurs d'un édit de Constance ordonnant l'exil d'Athanase, à la différence de l'édit de Julien (*supra*, 3, 5 = *Ba* 11) et de celui de Valens discuté ici. C'est ce qu'Athanase, du reste, s'est efforcé de mettre en valeur dans sa défense adressée à l'empereur en 356 (*Apol. ad Const.* 19-25).

135. Le préfet informa l'empereur de la menace de sédition (cf. Sozomène, VI, 12) et de son incapacité à exécuter son ordre sans recourir aux troupes du *dux*, lesquelles seront envoyées précisément trois mois plus tard pour accomplir la besogne, *infra* 5, 4.

136. Le calcul, toujours établi selon le calendrier égyptien (14 payni - 8 phaôphi 365), est exact. Le copiste a malencontreusement ajouté une haste supplémentaire au chiffre qu'il avait sous les yeux.

137. Cf. l'*Index* des Lettres festales pour 365 ; Sozomène, VI, 12, ne précise pas le lieu : εἴς τι χωρίον ἐκρύπτετο. Il s'agit de toute évidence du canal d'Alexandrie, dérivation, à partir

de Schédia, du bras canopique du Nil, qui traverse toute
la ville et l'alimente en eau. V. A. CALDERINI, *Dizionario*,
p. 165 et A. BERNAND, *Les confins lybiques* 1, ch. 5. Sur
les jardins qui le bordaient, v. le témoignage de l'historien
arabe Abou-l-Fedâ rapporté par les ingénieurs napoléoniens
Lancret et Chabrol dans la *Description de l'Égypte*, cité par
Bernand, p. 366 : « Le canal qui conduit à Alexandrie les
eaux du Nil, offre un aspect délicieux, des jardins et des
vergers plantés sur les deux rives en embellissent le cours. »
La raison de ce départ impromptu est fourni par SOCRATE,
IV, 13 : Athanase ne veut pas être rendu responsable des
désordres qui pourraient se produire (cf. SOZOMÈNE, VI, 12).
Une autre tradition veut qu'il se soit caché durant ces quatre
mois ἐν μνημείῃ πατρῴω (*ibid.*, IV, 13 et VI, 12).

138. SOZOMÈNE, VI, 12, précise que cette manière expéditive devait leur permettre d'exécuter facilement les ordres
impériaux sans avoir à redouter une sédition urbaine.

139. Cf. *supra* 2, 3 (= *Ba* 6), n. 49. Comme en 358,
au temps de Georges, l'église de Denys sert de résidence
à l'évêque d'Alexandrie, cf. *supra*, n. 99. On notera l'emploi
de *domus* pour la désigner, ainsi que l'*atrium* qui la précède.

140. Le copiste, ici, a oublié une haste. Le jour du retour
est toujours inclus dans les calculs de durée d'exil (cf. *supra*
3, 4 = *Ba* 10 ; 4, 4 = *Ba* 13 ; et *infra*, 5, 8 = *Ba* 17).

141. Le compte est exact. Dans le calendrier romain il y
aurait cinq jours de moins.

142. Le nom exact, Br*a*sidas, est fourni par l'*Index* des
Lettres festales pour 365. On le retrouve parmi les correspon-
dants de Libanios entre 388 et 393, v. JONES, MARTINDALE,
MORRIS, *Prosopography*, I, p. 164-165.

143. SOZOMÈNE, VI, 12, donne plusieurs raisons au retournement de Valens : la crainte de l'émeute populaire, le
conseil des Ariens qui redoutent qu'Athanase, une fois chassé,
en appelle aux empereurs, or Valentinien, tout comme
Constant en 346, est nicéen. En réalité, Valens est, depuis
l'automne 365, aux prises avec l'usurpateur Procope
(AMMIEN, XXVI, 7-9) et n'a sans doute pas envie de voir
le blé égyptien lui manquer.

144. Cf. 1, 10 (= *Ba* 5), n. 39.

145. Il s'agit de la résidence du préfet d'Alexandrie.
Le palais d'Hadrien, dont les vestiges ont été mis à jour à
deux cents mètres environ au sud du Cesareum, pourrait

en avoir tenu lieu, d'après Neroutsos-Bey, *L'ancienne Alexandrie*, Paris 1888, p. 21.

146. Maffei, repris par Battifol et Fromen, a coupé le texte à cet endroit, considérant que *consulatu G. et D.* devait être rattaché au paragraphe suivant. Turner a préféré rattacher les noms des consuls de 366 à la date indiquée, 7 méchir, faisant commencer le paragraphe suivant avec *usque ad sequentem.* A notre avis, par ces deux dates (366 et 367), le rédacteur indique le retour du dernier exil d'Athanase et la durée de son séjour à Alexandrie avant 368, quarantième année de son sacerdoce, repère commode à partir duquel il compte, ensuite, les années qui le séparent de sa mort en 373. Faut-il estimer qu'il y a une lacune à la suite de la date du dernier retour, le 7 méchir, lacune qui se rapporterait à la durée du séjour d'Athanase à Alexandrie, du 7 méchir 366 au 14 payni 368, choisie comme date repère (cf. *supra,* 1, 11 = *Ba* 5, entre le 2e et le 3e exil, et 3, 4 = 10, entre le 3e et le 4e)? Vraisemblablement non. Le rédacteur semble bien s'être contenté d'indiquer les années consulaires qui séparent le retour du dernier exil du 14 payni 368. C'est pour ces raisons que nous avons choisi d'éditer sans rupture de texte, en un seul paragraphe, ce qui constitue des éléments séparés chez les trois premiers éditeurs. Le rédacteur, en effet, enchaîne directement, après le retour du cinquième et dernier exil, sur le bilan des quarante années d'épiscopat de l'évêque d'Alexandrie, en nous présentant une sorte de résumé chiffré dont seules sont détaillées les années d'exil, les années passées à Alexandrie faisant seulement l'objet d'un compte global. E. Schwartz estimait au contraire que toute la fin de ce chapitre (5, 8-10 = *Ba* 17) avait été ajoutée par un rédacteur postérieur, l'*Historia* ayant été rédigée dans sa forme première pour les quarante ans de sacerdoce d'Athanase (*Nach. Gött.* 1904, p. 384-385 = *GS,* t. 3, p. 64-65). Si son hypothèse était juste, il faudrait considérer également comme de seconde main tous les calculs de durée d'exil ou de séjour à Alexandrie que l'on trouve dans l'*Historia,* dont c'est pourtant l'unique centre d'intérêt.

147. Le rédacteur annonçait sans doute ici l'épisode de Lucius qui sera développé plus loin, comme le texte l'indique : 5, 11, *sicut dictum est.* — Au début du § 8, lacune évidente du copiste ou du traducteur.

148. Lacune imputable au copiste. On trouve, en effet, quelques lignes plus bas, *fiunt ergo episcopatus Athanasii ... anni XL.*

149. C'est le 14 payni 328 en effet qu'Athanase a remplacé Alexandre sur le siège d'Alexandrie, *Index* des Lettres festales *ad a.* 328.

150. La lacune évidente du manuscrit est à imputer au copiste. Elle est simple à restituer : il suffit d'additionner les chiffres donnés pour les années d'exil et de les comparer au total indiqué, 17 ans, 6 mois et 20 jours, pour constater qu'il manque à notre opération 28 mois et 11 jours. D'autre part, des recoupements avec le reste du texte indiquant les dates de départ et de retour, et, parfois même, la durée de l'exil (4, 4 = *Ba* 13, et 5, 5 = *Ba* 16), nous autorisent à conclure que ces 28 mois et 11 jours ne peuvent que se rapporter au premier exil et que les 90 mois et 3 jours concernent la durée du second telle qu'elle aurait dû être exprimée au début de l'*Historia*, 1, 1, cf. SIEVERS, « Athanasii vita acephala », dans *Zeitschrift für die historische Theologie*, 1868, repris par O. SEECK, dans *Zeitschrift f. Kirchengeschichte*, 30, 1909, p. 410 s.

151. Nouvelle lacune du copiste : le nom du *dux* d'Égypte en février 356 est *Syrianus*, cf. *supra* 2, 1 (= *Ba* 5).

152. Ces quelques lignes résument les cinq exils d'Athanase, nouveaux stigmates de la persécution, qui frappent et que retient facilement la mémoire.

153. Le calcul est rigoureusement exact.

154. Même remarque.

155. Cette mention pose un problème, car si Athanase se rendit, en effet, à Tyr pour le concile de 335, ce déplacement se trouve déjà inclus dans la durée du premier exil qui commence à la date de départ d'Alexandrie, le 17 épiphi (11 juil.). Quant à Constantinople, l'évêque s'y rendit deux fois, la première en 331/332 pour rencontrer l'empereur dans le faubourg de Psamathie (*Index* des Lettres festales *ad a.* 332 et quatrième *Lettre festale*), la seconde, en quittant Tyr pour faire appel à l'empereur en nov. 335, juste avant d'être exilé à Trèves. Il semble que ce soit plutôt à ce deuxième voyage que se réfère ici le rédacteur, si l'on suit la disposition des noms, Tyr puis Constantinople. En ce cas, comme celui de Tyr, ce voyage est lui aussi inclus dans la durée du premier exil. La correction proposée par E. SCHWARTZ dans *Nach. Gött.*, 1904, p. 385 (= *GS* t, 3, p. 65, n. 1) : *in brevissima profectione,* n'éclaire pas davantage le texte, d'autant qu'il lit, à tort, à la suite de Maffei, *et bis*

au lieu de *ex his* que porte le *ms.*, comme s'il s'agissait de
deux voyages, l'un étant celui de Tyr en 335, l'autre celui
de Psamathie quatre ans plus tôt (*ibid.*, n. 2), alors qu'il
s'agit certainement du même déjà inclus dans le premier
exil. *Novissima profectione* est à entendre non au sens
chronologique, mais comme étant signalée *en dernier* par
le rédacteur.

156. Le manuscrit porte la forme active *praedixit*,
corrigée en *praedixi* par les éditeurs précédents. Cette forme
est tout à fait inhabituelle dans l'*Historia* où l'on ne trouve
que *sicut dictum est* (1, 9 = 4, et 5, 11 = *Ba* 18) et *sicut
praedictum est* (2, 8 = *Ba* 8, et 4, 3 = *Ba* 13). Ces quatre
emplois nous ont incité à restituer la forme passive.

157. La fin du paragraphe est constituée par la mention
des consulats successifs, depuis ceux de 368 qui marquent
la quarantième année de sacerdoce d'Athanase jusqu'à
ceux de 373, année de la mort de l'évêque. De la même
manière, entre le retour du cinquième et dernier exil (366)
et la quarantième année de sacerdoce (368), on a pu lire,
quelques lignes plus haut, les consulats de 366 et 367.
Dans cette succession fastidieuse, les négligences du copiste
ne manquent pas (on compte cinq lacunes) et sa lassitude
va jusqu'à supprimer les noms des consuls de 372 qu'il se
contente de remplacer par l'indéfini *et alio consulatu*; ce qui
ne doit pas, bien évidemment, être compris comme « un
autre consulat de Valentinien et de Valens », mais bien
comme celui de 372 (revêtu alors par Modestus et Arintheus).
Et il achève (avec une lacune) sur le quatrième consulat
des deux empereurs, 373, année de la mort d'Athanase.

158. On retrouve le fil du récit interrompu après le retour
du dernier exil d'Athanase. Le rédacteur puise toujours sa
source dans les éphémérides d'Alexandrie. Sur la place
occupée par ce passage dans l'*Historia*, v. l'introduction,
p. 24.

159. Lucius, prêtre de Georges (v. *supra* 4, 7 = *Ba* 14),
réunit la communauté arienne d'Alexandrie dès la mort de
Georges, se tenant ainsi pour son successeur. Le retour
d'Athanase, dix mois plus tard, chasse les Ariens des églises,
les obligeant à se réunir dans des maisons particulières
(SOCRATE, III, 4 et IV, 1 ; SOZOMÈNE, V, 7).

160. Il a quitté Alexandrie pour se rendre à Antioche en
363, afin de se faire reconnaître comme évêque légitime par
le nouvel empereur Jovien (v. *supra*, 4, 7).

161. C'est la première fois qu'il est fait allusion à cet événement dans l'*Historia*, mais non, sans doute, dans la source utilisée par le rédacteur. V. *supra* 5, 8, et n. 147.

162. L'*Index* des Lettres festales pour 367 précise : « dans cette maison qui était sur le côté du *pyreion* (four) de l'église ». Les canons du Ps.-Athanase, au ve s., font état du four à pain situé à l'extérieur de l'église, pour les besoins du culte (c. 34, éd. Crum et Riedel, p. 32).

163. Lacune du copiste (cf. *supra* 3, 5 = *Ba* 11), v. 5, 12. Sur la carrière de ce personnage, v. en dernier lieu, J. Lallemand, *L'adm. civile...*, p. 247-248. Flavius Eutolmius Tatianus est préfet d'Égypte entre le 27 janv. 367 et le 6 oct. 370 : v. l'*Index* des Lettres festales *ad a.* 367, *infra*, p. 302, n. 99.

164. Celle-ci en effet contrevient à la décision de l'empereur Valens de rendre les églises à Athanase (v. *supra* 5, 6 = *Ba* 16 et n. 143) et risque de provoquer une nouvelle émeute populaire, ce que ces fonctionnaires préfèrent éviter.

165. Cf. *supra* 5, 2 (= *Ba* 15), n. 129.

166. Cf. *supra* 1, 9 (= *Ba* 4), n. 35.

167. C'est-à-dire à midi.

168. Il ne peut s'agir que des Juifs, dont on sait l'importance à Alexandrie. Résidant traditionnellement dans le quartier *delta* au N.E. de la ville, ils n'y sont pourtant pas confinés. D'ordinaire, c'est aux ennemis d'Athanase, lequel représente l'Église la plus importante, qu'ils prêtent main forte, v. l'introduction. p. 101. Si l'on comprend l'animosité des païens contre le successeur de Georges (v. *supra*, n. 63), on ignore ce qui a pu provoquer celle des Juifs. Sur l'effet d'unanimité recherché par le rédacteur, v. l'introduction, *ibid.*

169. Le στρατήγιον se trouve dans le camp romain d'Alexandrie, la Parembolè, à l'Est de la ville, v. *P. Bell*, 1914, p. 58, l. 8-10. Lucius et son cortège de manifestants hostiles ont donc dû traverser toute la ville, d'ouest en est.

170. A trente stades à l'Est d'Alexandrie, près de la mer, ce faubourg, ainsi appelé par Auguste en souvenir de la victoire qu'il y remporta sur Marc Antoine, est relié au camp par la *via Nicopolitana*, v. A. Calderini, *Dizionario...*, p. 134, et A. Adriani, *Repertorio*, p. 230-231. V. le plan d'Alexandrie à la fin de ce volume.

171. Dans ces dernières lignes, on remarquera l'absence

de dates précises, à commencer par celle du consulat de
373, année de la mort d'Athanase, exprimé en 5, 10 (= *Ba* 17)
mais non repris ici, contrairement à l'habitude du rédacteur.
On attendrait en effet la formule *praedicto autem consulato...*
comme en 5, 11 (= *Ba* 18) par exemple.

172. L'*Index* des Lettres festales pour 373 indique le
7 pachôn (2 mai), date également fournie par les *Excerpta
latina Barbari*, éd. Frick, p. 366, et par le *Synaxaire arabe
jacobite* (rédaction copte), dans *PO*, 16, 2, p. 360.

173. Athanase avait été lui-même désigné par Alexandre.
Sur ce mode de désignation et sur l'élection des évêques
d'Alexandrie, nous nous permettons de renvoyer au premier
chapitre de notre thèse (en cours).

174. Cf. Rufin, II, 3, *Petrum tribulationum suorum
participem et socium delegit* (s.e. Athanase), repris par
Théodoret, IV, 20. Ce prêtre fut chargé par son évêque
d'un certain nombre de missions (v. *supra* 1, 7 = *Ba* 3, n. 27),
dont la dernière en date (371) concerne la situation délicate
créée à Antioche par le schisme : Athanase envoie son prêtre
à Basile à propos de la reconnaissance de l'orthodoxie de
Mélèce (Basile, *ep.* 69, 1).

175. L'absence d'indication de durée pourrait être
interprétée comme l'indice d'une rédaction sous l'épiscopat
de Pierre.

176. De 381 à 385. Les deux dernières phrases ont été
vraisemblablement ajoutées sous Théophile ou Cyrille,
v. l'introduction, p. 66-67.

177. Théophile fut évêque d'Alexandrie de 385 à 412.
Les *Excerpta latina Barbari* indiquent pour les trois successeurs d'Athanase la durée de leur épiscopat — preuve de
la rédaction de la chronique alexandrine dont ils sont la
traduction à l'époque de Cyrille — en des termes identiques
à chaque fois : *eo anno Athanasius episcopus obiit in Alexandria pachon VII et sedit pro eo Petrus archipresbiter
annos VII* (p. 366) ... *eo anno Petrus episcopus Alexandrinus
obiit in Alexandria mechir vicensimo* (14 févr.) *et sedit pro
eo Timotheus frater eius annos V* (p. 368) ... *eo anno
Timotheus episcopus Alexandrinus obiit epiphi XXVI*
(20 juil.) *et sedit pro eo Theofilus archidiaconus annos XXVIII*
(p. 370). — *Papa* est ici un doublet d'*episcopus*, dont l'emploi
n'est pas propre à l'Égypte. On le trouve dans ce sens au
IIIe s. dans la Passion de Perpétue et Félicité, dans la corres-

pondance de Cyrille, dans celle de Denys, pour désigner
l'évêque de Carthage et celui d'Alexandrie. De même, *P.
Amh.* I, 3 (a), désigne sous ce terme l'évêque Maxime, succes-
seur de Denys à Alexandrie. Athanase appelle ainsi
Alexandre et il est lui-même appelé *papa* par son clergé, v.
infra l'*Index* et les en-tête des *Lettres festales, passim* ;
H. Leclercq, *DACL* 13 (1937), s.v., 1099-1107. P. de
Labriolle, « Une esquisse de l'histoire du mot ' papa ' »,
dans *Bull. d'anc. litt. et d'arch. chrét.* 1911, p. 215-220, y lit
« chez ceux qui l'emploient une nuance d'affectueux respect ».
Le terme peut aussi désigner un simple prêtre, comme dans
P. Lond., II, 417 (Kaôr, *papa* d'Hermoupolis, village
d'Arsinoïte), voir également H. I. Bell, *Jews and Christians
in Egypt*, Londres 1924, p. 63, 7 à propos d'un mélitien,
Héraïscus, appelé *papas* (*P.* 1914, l. 25, p. 59).

DES LETTRES FESTALES
D'ATHANASE D'ALEXANDRIE

INDEX SYRIAQUE
DES LETTRES FESTALES
D'ATHANASE D'ALEXANDRIE

AVERTISSEMENT

L'*Index* que nous donnons ici, en première traduction française, sert de préambule au corpus des *Lettres festales* d'Athanase d'Alexandrie, écrites entre les années 329 et 373. La tradition syriaque n'en possède que seize, dont plusieurs incomplètes, auxquelles s'ajoutent quatre courts fragments. Tous ces textes sont contenus dans un unique manuscrit qui fut retrouvé partiellement et en plusieurs fois, pour moitié en 1842 et pour l'autre moitié en 1847. W. Cureton, pressé de faire connaître ces trouvailles au monde savant, les a données en deux parties, dans son édition parue à Londres en 1848, sans prendre le temps de rétablir l'ordre logique des folios, ce qui explique les renvois dans le cours de son travail.

La découverte était certes importante, aussi les traductions n'ont pas manqué : en allemand par le Dr Larsow, à Leipzig en 1852, et en anglais par H. Burgess (Oxford 1854) qui, après avoir pu ajouter les folios 41 et 48 qui étaient manquants, achevait l'œuvre que Cureton aurait voulu terminer lui-même[1]. La plus romanesque fut la traduction faite en latin par A. Mai pour les *Novae Patrum Bibliothecae* VI$_1$ (Rome 1853, p. 1-168), à l'aide de l'italien que le maronite Matthias Sciahuanus avait établi à partir du syriaque[2] ; celle-ci fut cependant, il faut bien le reconnaître, la principale publication de référence jusqu'ici,

---

1. « *To the Reader* », (sans p.).
2. P. XI.

reproduite en 1857 dans la *Patrologia Graeca*, tome 26, c. 1339-1444.

Le manuscrit porte le numéro *Add. 14.569* de la British Library (n⁰ 532 de Wright, *Catalogue of the syriac manuscripts in the British Museum*, London 1870-72, vol. I p. 406). Il comporte actuellement 69 folios, répartis en cahiers de 10 folios ; la numérotation des quinions est régulière de 1 à 7. La fin manque. Selon ce que nous lisons sur le verso du premier folio, le manuscrit devait être autrefois relié avec deux textes, ayant trait l'un à la Vierge Marie et l'autre à Syméon le Stylite. Une indication, au recto de ce même folio, nous avertit encore que le manuscrit a appartenu au célèbre monastère de Sainte-Marie des Syriens, dans le désert de Scété en Égypte. C'est un parchemin bien conservé ; il semble, toutefois, que Cureton lisait mieux que nous certaines lettres en partie effacées de nos jours et que la perte d'un morceau dans le bas du premier folio, entraînant la disparition de deux mots (au verso), n'existait pas à son époque[1]. Le texte est écrit sur une seule colonne, comprenant 26 à 33 lignes, avec une écriture estimée du VIIIᵉ s., un *esṯranghelo* déformé, déjà légèrement cursif. Le scribe n'est que relativement soigneux : plusieurs lettres se confondent (notamment ܢ, ، et ܏) et la coupure des mots n'est pas toujours au bon endroit. La ponctuation semble assez arbitraire.

Le lecteur trouvera ici l'édition critique de l'*Index* accompagnée d'une traduction et de notes. Pour être complet, nous avons jugé utile de donner, de manière similaire, en Appendice (VII), les en-tête des *Lettres* conservées, qui reproduisent à peu près les mêmes indications de dates que l'*Index*, confirmant celles-ci le plus souvent, parfois les corrigeant. En établissant le texte,

---

1. Cf. l'apparat critique aux lignes 27-29.

nous avons toujours eu un double souci. Tout d'abord, par
le respect de l'original, nous nous sommes attaché à la
fidélité envers cet unique témoin d'une pièce historique
importante : l'orthographe, irrégulière[1], en a été conservée,
en particulier les graphies, même fautives, des noms
propres[2] ; les vocalisations portées sur le manuscrit
— plus complètes dans les premiers folios — ont été
intégralement reproduites (elles sont particulièrement
importantes pour l'interprétation des noms propres) ;
enfin la ponctuation a été gardée, tant qu'elle ne conduisait
pas à une impossibilité. En second lieu, nous avons aussi
cherché à être cohérent sur le plan de la pensée, pour que
le texte soit facilement utilisable : en conséquence les
corrections, réduites au minimum, ont porté sur les
barbarismes et les confusions évidentes de dates ; la
ponctuation n'a été modifiée qu'en cas d'incompréhension
du texte. L'apparat qui accompagne l'édition permet
toujours de reconstituer une reproduction diplomatique
du manuscrit.

Il va de soi que les divisions du texte en paragraphes ont
été faites par nous-même ; nous avons également attribué,
à ces derniers, un chiffre romain, placé entre [-], correspondant au numéro de la *Lettre festale* à laquelle le
paragraphe renvoie.

Le texte a été établi d'après l'*Add. 14.569*, dont les
numéros de folios ont été portés dans la marge de gauche.
D'autre part, pour rendre sensible l'apport inestimable de
Cureton et le soin qu'il apporta pour faire sa première
édition[3] — simple transcription littérale du manuscrit,
sans correction — nous avons collationné celle-ci, au même

---

1. Par exemple, les variations du genre d'un même nom ont été
respectées.

2. L'Appendice VIII donne le relevé des noms propres syriaques,
transcrits sans modification.

3. *To the Reader* », sans p.

titre que le manuscrit lui-même[1]. Nous ne pouvons pas dire si les absences assez nombreuses de vocalisation (masc./fém., temps des verbes...) relèvent de Cureton ou de l'impression ; il est notable toutefois que la seconde partie de son édition est, sur ce point, plus rigoureuse. Les sigles adoptés ont été les suivants :

S pour le manuscrit de la British Library, *Add. 14.569* ;

C pour l'édition de W. Cureton, *Festal Letters of Athanasius*, London 1848.

Pour la traduction des noms de personnes, nous avons adopté, en les justifiant, les formes les plus vraisemblables, mais en laissant voir chaque fois — par addition, suppression, ou changement de lettres[2] — la leçon originale du manuscrit. La liste donnée en Appendice VIII reproduit leurs états morphologiques exacts : ceux-ci montrent, par leur variété, combien plusieurs d'entre eux restent incertains[3]. Nous nous sommes également abstenu de leur donner une accentuation, que nous ignorons, et d'en modifier la transcription syriaque qui n'est en fait que le décalque du grec ; toutefois nous avons francisé les noms des empereurs, par trop connus, et ceux des évêques d'Alexandrie.

Les indications marginales C.p.0 dans le texte syriaque et M.p.0 dans la traduction française renvoient respectivement à la page de l'édition de W. Cureton et à celle de la traduction faite par A. Mai. Dans les notes justificatives, *P.S.* renvoie à Payne Smith, *Thesaurus Syriacus*, Oxford 1879-1901.

---

1. Les erreurs de ponctuation sans conséquence, faites par Cureton, n'ont pas été signalées pour ne pas alourdir inutilement l'apparat.

2. Cf. Rappel des sigles et signes employés, p. 222.

3. W. Cureton faisait déjà remarquer leur manque de rigueur (« *To the Reader* », sans p.).

Ce n'est pas le lieu, ici, de commenter l'œuvre. Nous devons cependant faire deux remarques : tout d'abord, il s'agit bien d'une traduction faite sur le grec, comme le prouvent plusieurs tournures syntaxiques, transposées littéralement, et aboutissant à un texte sans style spécifique. Par surcroît, le traducteur, ou peut-être déjà l'auteur, est maladroit dans son expression (répétitions, pauvreté du vocabulaire, mauvaises transitions), si bien que nous sommes en présence d'un morceau littéraire sans grande harmonie, parfois peu clair, que volontairement nous n'avons pas cherché à modifier, mais dont le manque de précision explique plusieurs incertitudes de compréhension. Il nous faut indiquer, d'autre part, que par l'*Index* lui-même nous savons que celui-ci fut écrit à Alexandrie : « Il partit ... d'ici » (*ad ann.* 336) ; « Ayant séjourné ici, à Alexandrie » (*ad ann.* 347), ce qui permet, dans certains cas, de résoudre une difficulté d'interprétation.

M. Albert.

RAPPEL DES SIGLES ET SIGNES EMPLOYÉS

Sigles

S = *Add. 14.569* de la British Library. viiie siècle.

Ms. de base, pour l'*Index*, fo 1 vo - 10 ro ;

les en-tête, fo 10 ro, 14 vo, 18 vo, 22 vo, 25 ro, 28 ro, 33 vo, 39 ro, 45 vo, 55 ro, 58 vo, 61 vo, 62 ro, 62 vo, 68 vo.

C = W. Cureton, *Festal Letters of Athanasius*,

pour l'*Index*, p. 1-11 et ܐ - ܒ ;

les en-tête, p. 12, 20, 26, 32, 36, 41, ܐ, 45, 52, ܚ, ܠܕ, ܠܐ, ܠܐܘ ܠܘ, ܩܡܚ.

Signes

TEXTE SYRIAQUE

marge :

— fo 1 vo = folio du ms. S, débutant à l'*astérisque* (*) situé dans le texte.

— C.p.0 = page de l'édition de Cureton, commençant au *filet* (|) placé dans le texte.

apparat : *lect. inc.* = *lectio incerta* (ms. illisible).

om. = *omisit*

Traduction française

marge : elle contient les indications suivantes :

— année concernée et quantième du mois ;

— f⁰ 1 v⁰ répète l'indication du folio du ms. (cf. *supra*) ;

— M.p.0 = page de l'édition de A. Mai, commençant au *filet* (|) placé dans la traduction.

texte de la traduction francaise :

   <a>   indique une lettre ajoutée au texte syriaque ;

   [a]   indique une lettre enlevée au texte syriaque ;

   a̠   indique une lettre changée par rapport au texte syriaque ;

   (h)   indique une lettre euphonique, ajoutée au texte.

appels de notes :

   a, b, c, ... renvoient aux notes justificatives, p. 224-277 ;

   1, 2, 3 ...   —   Notes et Commentaires (de la traduction syriaque), p. 279-304.

Appendices IV à VII

Ils reproduisent les noms de la traduction française et comportent les mêmes signes que celle-ci (cf. *supra*).

. |ˣ

---

2 C ‖ 3 C ‖ C ‖
4 C ‖ 6 C ‖ C ‖ 10
C ‖ 12 sic SC ‖ 13 C ‖ 15
scripsi : SC ‖ C ‖ C.

a. Litt. : « mon seigneur », titre employé à l'adresse d'un
supérieur ecclésiastique ou d'un saint; en particulier, il est

*| LETTRES FESTALES
DU SAINT MARᵃ ATHANASE

Index du mois (pascal) pour chacune des années, des jours (de Pâques), de l'indiction, du consulat, du gouverneurᵇ d'Alexandrie, de toutes les épactes et de tout ce qui porte le nom des dieux[1] ; ainsi que la cause pour laquelle la (lettre festale) ne fut pas envoyée ou fut expédiée de l'étranger[2] – extrait des lettres festales du papeᶜ Athanase.

Lettres festales d'Athanase, évêque d'Alexandrie, qu'il envoya chaque année à chacune des villes, (à) toutes les éparchies à lui soumises, c'est-à-dire depuis la Pentapole et la Lybie inférieure – jusqu'à l'Ammoniaque et les Oasis, la petite et la grande – l'Égypte, l'Augustamnique avec aussi les Sept Nomes etᵈ la Thébaïdeᵉ supérieure et moyenne[3], depuis la 44ᵉ année de l'èreᶠ **327-328**

appliqué à Dieu et, sous la forme très fréquente de *Maran* ' notre Seigneur ', au Christ.

b. Litt. : « chef », traduction que nous modifions pour éviter la confusion avec le *dux*. La même difficulté se retrouvera *ad ann. 366*.

c. Doublet du mot ' évêque ' ; cf. *Hist. « aceph. »*, 5, 14 (= *Ba* 19) et n. 177, p. 212.

d. Ms. : « de » *(sic)*.

e. Ou bien : « Thèbes » ; l'ambiguïté existera également pour les années 330 et 363.

f. Litt. : « des temps » ; cf. *ad ann.* 369 et 370.

[I]
fº 2 rº
17 SC ‖ , C ‖ 18
 C ‖ 21 C ‖ 23 C ‖ 24

de Dioclétien, dans laquelle la fête de Pâques (était) le 19e [g] de pharmouthi[4], le 18e avant les kalendes de mai, au 18e de la lune. — Tandis qu'Alexandre son prédécesseur avait cessé de vivre le 22e de pharmouthi, | (Athanase) fut intronisé, après la Pâque, au 14e de payni[5], 1re indiction, sous le consulat de Ianoarinos et de Iostos, le gouverneur (étant) l'Italien Zenios[6], éparque d'Égypte, épacte 25[7], le 1er de ce qui est appelé les dieux[8]. 14 avril 17 avril p. 2 8 juin

[I] L'(année) suivante, le dimanche de Pâques (était) le 11e de pharmouthi, le 8e avant les ides d'avril, le 21e de la lune, * sous le huitième consulat de Constantin le Très saint[h] [8bis] et le quatrième de Constantin César, le gouverneur (étant) le même Zenios, éparque d'Égypte, 2e indiction, épacte 6, le 2e des dieux. — C'est sûrement la première lettre (qu')il envoya, car l'année d'avant celle-ci, il avait été consacré après la fête (de Pâques) comme on (l')a vu, en sorte qu'Alexandre avait réussi à envoyer (une lettre) avant la fin de (sa) vie. Elle était donc de la 45e (année) de Dioclétien. 6 avril 2 r° 329 328-329

ܐܝܛܐܠܘܣ C || 27 ܒܫܒܐ ܕܦܨܚܐ : ܐ ܕܦܨܚܐ *legitur ex editione* C || 28 ܒܦܐܪܡܘܬܝ, C || 28-29 ܬܡܢܝܐ ܐܝܕܘܢ ܐܦܪܠܐܘܢ : ܐ ܐܝܕܘܢ ܢܐ *legitur ex editione* C || 31 ܗ̣ܘ : ܗܘ C || 32 ܙܗܢܐܘܣ C || ܗܦܐܪܟܘܣ C || 34 ܫܠܝܡ C || 35 ܕܐܬܢܕܒܬ C. || 36 ܘܫܕܪ C || ܡܢ C || 37 ܐܬܝܗ *sic* SC || ܘܫܡܥܐ *sic* C || 38 ܕܕܐܘܠܝܛܐܠܘܣ C.

g. Ms. : « 16e ».

h. Litt. : « l'adorable », titre qui semble réservé par le rédacteur de l'*Index* et des en-tête des *Lettres festales* (I [*ad ann.* 329], f° 10 r° et VII [*ad ann.* 335], f° 33 v°) à l'empereur Constantin.

[II]

C. p. 2 |

[III] .

---

39 *om.* S C ‖ 42-43 *sic* S C ‖ 43 C ‖ 44 C ‖ 45 C ‖

[II] L'(année) suivante, <le dimanche>¹ de Pâques (était) le 24ᵉ de pharmouthi, le 13ᵉ avant les kalendes de mai, le 15ᵉ de la lune, sous le consulat de Gallikianos (*sic*) et de Sym<m>achos, le gouverneur éparqueʲ d'Égypte (étant) le Cappadocien Magninianos⁸ᵗᵉʳ, 3ᵉ indiction, épacte 17, le 3ᵉ des dieux. — Cette (année)-là, il visita la Thébaïdeᵏ ⁹.

19 avril
330

[III] L'(année) suivante, le dimanche de Pâques (était) le 16ᵉ de pharmouthi, le 18ᵉ de la lune, le 3ᵉ avant les ides d'avril, sous le consulat d'Ionios Bas<s>os et d'Ablabios, le gouverneur (étant) l'Italien (H)yginos¹⁰, éparque d'Égypte, p. 3 | épacte 28, 4ᵉ indiction¹. — Il envoya la (lettre) en chemin, revenant de la cour. Cette (année)-là, en effet, il était parti pour la cour auprès du grand roi Constantin qui, alors, l'avait fait mander auprès de lui, parce que, ayant été intronisé trop jeune, des ennemis l'avaient dénoncé¹¹. Mais, après qu'il se fut présenté et qu'il fut jugé digne d'être reçu et honoré, il revint¹², alors que le jeûne (en) était déjà à (son) milieu¹³.

11 avril
331

---

49 ‏ܐܠܗ ܗ‎ C ‖ 50 ‏ܘܐܪܟܣܝܐܣܪܝܐ‎ C ‖ 51 ‏ܘܐܣܠܘܗܢ‎
C ‖ 54 ‏ܐܒܪܟܒܣܘܐܢ‎ C ‖ 58 ‏ܐܗܐ‎ C ‖ ‏ܕܢ‎ C.

i. Ms. : omis.
j. Termes inversés dans le ms. : « ... et le gouverneur Symachos, l'éparque... »
k. Cf. p. 225, n. e.
l. La mention du « nombre des dieux » fait défaut dans le texte ; il faudrait suppléer : « le 4ᵉ des dieux ».

، [IV] .

، [V] .

، [VI] .

60 C ‖ 61 S C ‖ 62 C ‖ 63 S C ‖ C ‖ 64 C ‖ 65

[IV] L'(année) suivante, le dimanche de Pâques
2 v° (était) le 7e ^{m} de pharmouthi, le 20e de la lune, * le　　2 avril
4e avant les nones d'avril, épacte 9, le 6e des dieux,
sous le consulat de Pakati<a>nos et d'(H)ilaria-　　332
nos, le gouverneur (étant) le même (H)yginos^n,
éparque d'Égypte, 5e indiction. — Cette (année)-là,
il visita la Pentapole et il séjourna dans l'Ammoniaque[14].

[V] L'(année) suivante, le dimanche de Pâques
(était) le 20e de pharmouthi, le 15e ^{o} de la lune[15],　15 avril
le 17e avant les kalendes de mai, épacte 20, le 7^e
des dieux, sous le consulat de Dalmatios et de　　333
Zinop(h)ilos, le gouverneur (étant) Paterios[16],
éparque d'Égypte, 6e indiction.

[VI] L'(année) suivante, le dimanche de Pâques
(était) le 12e de pharmouthi, le 17e de la lune, le 7e　　7 avril
avant les ides d'avril, 7e indiction, épacte 1, le 1er
des dieux, sous le consulat d'Optatos et de　　334
P<a>ulinos, le gouverneur (étant) le même
Paterios[17], éparque d'Égypte. — Cette (année)-là,
il visita le pays inférieur[18]; et dans (le cours de)
celle-ci, il fut convoqué à un synode. Comme la ruse
de (ses) ennemis était déjà à l'œuvre, à Césarée de

ܘܩܝܣܪܝܐ C ǁ 66 ܪܘܡܐ C ǁ 68 ܝܡܝܢܐ C ǁ , ܟܬܒܘܪܝܟܐ
C ǁ 70 ܟܒܪ ܦܘܠܪܐ C ǁ 71 ܘܐܪܝܠܟܬܘܠܪܐܝܐ C ǁ
ܘܐܠܒܐܘܝܝܐ : ,^{2} lect. inc. S ܘܐܠܐܒܘܝܝܐ C ǁ 72
ܘܐܪܬܝܘܢܠܟܐ C ǁ 74 ܡܒܪ C ǁ 76 ܘܐܝܪ C ǁ 78 ܐܡ :
ܐܡ C ǁ 79 ܘܐܪܬܝܘܢܠܟܐ C ǁ 81 ܦܬ C.

m. Ms. : « le 17e », ce que confirme l'en-tête de la
Lettre festale IV (f° 22 v°).

n. Même indication dans l'en-tête de la *Lettre festale* IV
(f° 22 v°).

o. C'est également le quantième donné par l'en-tête
de la *Lettre festale* V (f° 25 r°). Cf. n. 15.

[VII] .
 |
[VIII] .
C. p. 3

f° 3 r°

Palestine, et qu'il avait pressenti une embûche,
il refusa de s'(y) rendre[19].

[VII] L'(année) suivante, le dimanche de Pâques
p. 4 | (était) le 4e ᵖ de pharmouthi, le 20e de la lune,   30 mars
le 3e avant les kalendes d'avril, 8e indiction,
épacte 12, le 2e des dieux, sous le consulat de   **335**
Konstantios�q et d'Albinos, le gouverneur (étant)
le même Paterios[17], éparque d'Égypte.

[VIII] L'(année) suivante, le dimanche de
Pâques (était) le 23e de pharmouthi, le 20e de la   18 avril
3 r° lune, le 14e avant les kalendes * de mai, 9e indiction, épacte 23, le 4e des dieux, sous le consulat   **336**
de Nepotianos et de P(h)akundos, le gouverneur
(étant) le Cappadocien P(h)ilagrios[17], éparque
d'Égypte. — Cette (année)-là, il se rendit au
synode de ses ennemis, qui s'était réuni à Tyr[20].
Il partit donc d'ici, le 17e d'épiphi. Mais lorsqu'il   11 juillet
vit qu'(était) manifeste la machination (montée)
contre lui, il disparut de la région et il s'enfuit à
Constantinople, après avoir emprunté une bar-
que[21]. Donc y étant arrivé le 2e d'athyr, huit jours 29 octobre

ܘܩܘܠܝܐܠܝܣܘܐܢ S C ‖ 89 ܘܐܘܒܠܐܪ̈ܝܐ C ‖ ܐܩ :
ܐܩ C ‖ ܘܘܐܪܣ ܝܣ̄ܠܝܪ̈ܐ C ‖ 90 ܘܐܟܝܪ̈ܐܩ C ‖ 91 ܡܝܐ̱ܟܘܐ
C ‖ 92 ܂ܐܟܘܐܝܪ̈ܐܒ C ‖ 94 ܚܘܐܪ̈ܝܠܦܘܤܝ̈ܪܟ C ‖
ܡ̱ܠܘܪ̈ܐܩ C ‖ ܪ̈ܐܠ̱ܐܟܐ C ‖ 95 ܪ̈ܩܡܠܪ̈ܝ C ‖
ܘܩܘܪ̈ܝܠܦܩܐܩܢ.ܝ C ‖ 96 ܘܐ.ܝܐܩܘܪ̈ܐܒ.ܝܐ C ‖ 97 ܡܒܝ C ‖
ܘܐ.ܝܩܝܩܩܡܠ C ‖ 98 ܐܟܝܟ̈ܐܪ̈ܝ.ܝ C ‖ ܂ܝܐܘ C ‖ ܀ܩ C ‖
99 ܂ܐܝܐܩܡܟ C ‖ 100 ܐܠܟܐ C ‖ ܀ܩ C ‖ 102 ܝܐܩܡܐܪ̈ܟ C ‖
ܪ̈ܐܟܟ̈ܐ C.

p. Ms. : « le 14e », mais l'en-tête de la *Lettre festale* VII
(f° 33 v°) porte la bonne date.

q. Ms. : « Constantin ». L'en-tête de la *Lettre festale* VII
(f° 33 v°) donne le nom exact : « Iolios Konstantios frère
du Très saint (Constantin) ». Il s'agit du deuxième fils
de Constance I (Chlore) et de Théodora, donc d'un demi-
frère de Constantin.

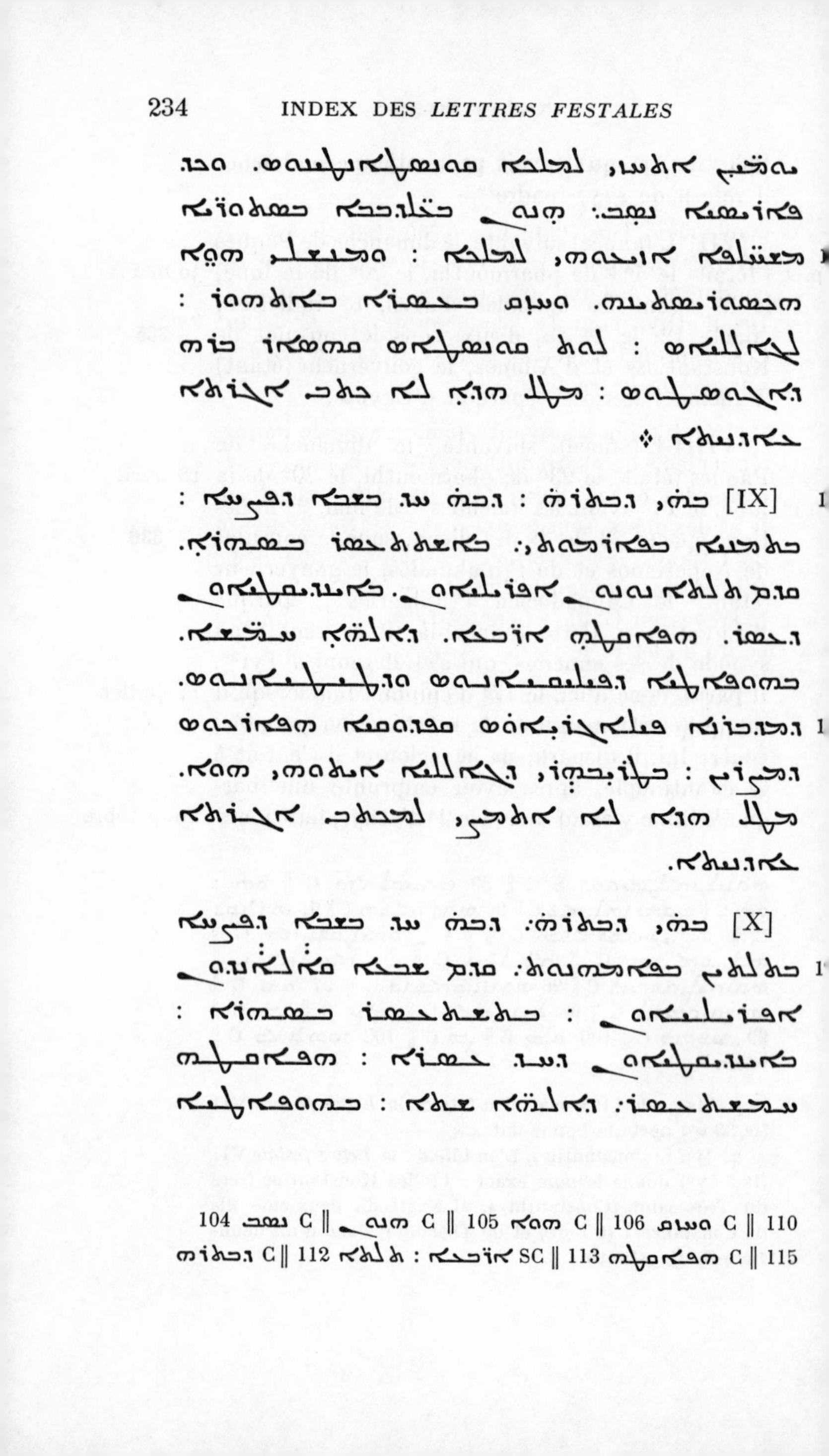

plus tard, il parut devant le roi Constantin. Cependant, bien qu'il eût reçu l'assurance de (sa)
confiance[22], (ses) ennemis ébranlèrent le roi par
diverses calomnies[23] et, tout d'un coup[24], il fut
condamné à l'exil par (celui-ci)[25]. Il partit le
10e d'athyr pour la Gaule auprès de Constant 6 novembre
César, fils de l'Auguste ; pour cette raison il n'écrivit pas de lettre festale[26].

[IX] L'(année) suivante, le dimanche de Pâques
(était) le 8e de pharmouthi, le 16e de la lune, le 3e r 3 avril
avant les nones d'avril, 10e indiction, épacte 4,
le 5e des dieux, sous le consulat de P(h)ilikianos et   **337**
de Titianos, le gouverneur (étant) le Cappadocien
P(h)ilagrios, éparque d'Égypte. — (Athanase) était
p. 5 à Trèves en Gaule ; pour cette raison | il ne put
écrire de lettre festale.

[X] L'(année) suivante, le dimanche de Pâques
(était) le 30e de phamenôth, le 7e avant les kalendes 26 mars
d'avril, le 19e de la lune[s], 11e indiction, épacte 15,
3 v° le 6e des dieux, sous le consulat * d'Orsos, et de   **338**
Polemios, le gouverneur (étant) Theodoros d'Hélio-

ܩܠܐܕܝܝܐܪܟܐ C ‖ 116 ,ܝܠܝܝܒܡܝ، C ‖ 119 ܝܟܡ،
C ‖ 120 ܟܐܪܟܐܝܘ، C ‖ 123 ܐܪܐܠܡܐ، SC.

r. Ms. : « le 4e ».

s. L'en-tête de la *Lettre festale* X porte : « le 18e et demi
de la lune » (f° 39 r°).

f° 3 v°   . *

C. p. 4 | .

[XI]

---

125 C ‖ 127 *sic* S C ‖ C ‖ 128
C ‖ C ‖ 129 C ‖ 131 C ‖ 132 C ‖ 133
 C ‖ 134 C ‖ 136 *sic* S ‖ 138-139

polis[27], éparque d'Égypte. — Cette (année)-là,
comme Constantin était mort le 27e de pachôn[28],   22 mai
(Athanase, en) ayant reçu l'autorisation[29], revint de
Gaule le 27e d'athyr[30], en grand triomphe. Cette   23 novem-
(année)-là encore[31], tandis qu'il se passait beau-   bre
coup (d'événements), Antoine l'illustre « père (des
moines)t » entra à Alexandrie et, bien qu'il n'(y)
passât seulement que deux jours, il s'étonna[u] de
beaucoup de choses et il guérit beaucoup (de
gens) <.>[v]. Il partit le 3e (jour), au mois de   fin juillet-
mésorè[32].   août

[XI] L'(année) suivante, le dimanche de Pâques
(était) le 20e de pharmouthi, le 20e de la lune, le   15 avril
17e avant les kalendes de mai, épacte 26, le 7e des
dieux, 12e indiction sous le second consulat de   **339**
Constance et le premier de Constant[w], le gouverneur (étant) le Cappadocien P(h)ilagrios[33], éparque
d'Égypte. — Cette (année)-là encore, alors qu'il
y eut beaucoup de troubles, (Athanase) fut poursuivi, de nuit, le 22e de phamenôth, et au jour du   18 mars
lendemain il s'enfuit de l'église de Théonas[x], après
avoir baptisé beaucoup (de monde)[34]. A la suite de

ܪܝܫ̈ܝܗ̇ܕ ܘܪ̈ܟܘܣܩܕܡܘ ܘܪ̈ܟܠܝ̈ܪܟܘܣܩܕ ܪܒܘܪܕ
SC ‖ 142 ܘܘܗ C ‖ ܝܗܘܡ̈ܝܣ̈ܘܪܟܒ C ‖ 144 ܗܪܕ C ‖
ܪܒܘܪ̈ܟ C.

t. Cf. H. I. MARROU, *Nouvelle Histoire de l'Église* I,
Paris 1963, p. 311.

u. Nous comprenons qu'Antoine fut scandalisé par les
agissements des Ariens (cf. n. 32).

v. Nous transformons la ponctuation faible du texte en
forte.

w. Ms. : « le premier consulat de Constance et le
second de Constant ». L'ordre des termes de l'en-tête de
la *Lettre festale* XI est le bon (f° 45 v°).

x. Ms. : « Theona » ; cf. *ad ann.* 356.

[XII] :
f° 4 r°
[XIII]
---

147 . C ‖ 148 SC ‖
, C ‖ SC ‖ 150 , C ‖
151 , C ‖ 152 C ‖ 154 C ‖ C ‖ 156

quoi, quatre jours plus tard, le Cappadocien
Grégoire[y] entra dans la ville comme évêque[35].   22 mars

[XII] L'(année) suivante, le dimanche de Pâques
(était) le 4e [z] de pharmouthi, le 15e de la lune[a], le   30 mars
3e avant les kalendes d'avril, épacte 7, le 2e des

. p. 6 | dieux, 13e indiction, sous le consulat d'Akindynos   **340**
et de Proklos *(sic)*, le gouverneur (étant) le même
P(h)il<a>grios, éparque d'Égypte. — Grégoire[b]
était un maître intolérant en beaucoup de
choses[36] ; pour cette raison, (Athanase) n'écrivit
pas de lettre festale. Comme les Ariens avaient
annoncé ce (jour de Pâques) pour le 27e de phame-   23 mars
[o] 4 r[o]   nôth et qu'ils avaient été l'objet * de beaucoup de
moqueries à cause de cette erreur[37], s'étant ravisés
dans le courant du jeûne, ils le célébrèrent en
même temps que nous, au 4e [c] de pharmouthi,   30 mars
comme il a été dit précédemment. Mais (Athanase)
le notifia aux prêtres d'Alexandrie, grâce à un
court billet[d] [38], parce qu'il n'avait pas eu la possibilité d'envoyer (la) lettre comme de coutume,
en raison de (sa) fuite et (à cause) de la perfidie
(de ses ennemis).

[XIII] L'(année) suivante, le dimanche de
Pâques (était) le 24e de pharmouthi, le 16e   19 avril
de la lune, le 13e avant les kalendes de mai,
épacte 18, le 3e des dieux, 14e indiction, sous

ܟܘܡܪܐܠ C ‖ 158 ܪܐܕܝܪܐ : ܝܡܐܕܝܪܐ SC ‖
159 ܐܝܟܐܪܐܪ C ‖ 163 ܗܪܐܕܐ C ‖ 164 ܟܘܡܕܝܪܐ C.

y. Ms. : « Grigorios ».
z. Ms. : « le 14e ».
a. Par erreur, le ms. porte : « du mois ».
b. Cf. *supra,* n. y.
c. Ms. : « le 14e » ; cf. *supra,* n. z.
d. Mot rare ; la seule attestation connue de ce dimi-
nutif de ܐܝܬܐ renvoie à notre texte (cf. *P.S.* 33).

17   <.>

[XIV]

C. p. 5 |

[XV]

166-167 C ‖ 169 C ‖ 170
C ‖ 171 C ‖ 172 C ‖ 173 C ‖ 175

le consulat de Markelli<n>os et de Probinos, **341**
le gouverneur (étant) Longinos de Nicée, éparque
d'Égypte. — L'Augustamnique fut détachée (de
l'Égypte)[39] <.>[e] Parce que Grégoire[f] habitait
dans la ville tout en l'opprimant et bien que
(celui-ci), cependant, commençât d'être malade, le
pape, lui, n'écrivit pas non plus de lettre festale,
même à (ce) moment(-là)[40].

[XIV] L'(année) suivante, le dimanche de
Pâques (était) le 16e de pharmouthi, le 20[eg] de la 11 avril
lune, le 3e avant les ides d'avril, épacte 29, le 4e
des dieux, 15e indiction, sous le troisième consulat **342**
de Constance et le second de Constant, le gouverneur (étant) Longinos de Nicée, éparque d'Égypte.
— Parce que Grégoire[h] était dans la ville tout en
étant gravement malade, le pape n'eut pas la
possibilité d'envoyer (de lettre)[41].

p. 7   [XV] L'(année) suivante, | le dimanche de
Pâques (était) le 1er de pharmouthi, le 16e [i] de la 27 mars
lune, le 6e avant les kalendes d'avril, épacte 11[j],
le 5e des dieux, 1re indiction, sous le consulat de **343**

C ‖ ܩܝܣܪܐ : ܝܘܡ ܐܝܠܝܢܐ SC ‖ 176 ܐܝܟ C ‖
180 ܘܐܟܠܩܪܨܐ C ‖ ܡܢ C ‖ 184 ܡܝܠܬܗ C ‖ 185
ܝܘܡ ܐܝܠܝܢ : ܝܘܡ ܐܝܠܝܢܐ SC ‖ 187 ܕܐܠܗܐ C.

e. Nous modifions la ponctuation en nous référant aux
événements de l'année 342.
f. Cf. p. 239, n. y.
g. Ms. : « le 16e ».
h. Cf. *supra*, n. f.
i. Ms. : « le 15e ».
j. Par suite du *saltus lunae*; le cas se reproduira pour
l'année 362.

 < . > :

[XVI]

---

189 C ‖ 191 . C ‖ 194 C ‖ 196 C ‖
 C ‖ . : *om. punctum* SC ‖ 197
C ‖ 198 C ‖ 201 C ‖ 202
C ‖ 204 SC ‖ C ‖ SC ‖ 207
 C ‖ 208 C ‖ C ‖ . C.

4 v° Plakidos et de Rom[e]ulos, * le gouverneur (étant)
le même Longinos de Nicée, éparque d'Égypte.
— Cette (année)-là il y eut un synode à Sardique[k] [42].
Quand les Ariens furent arrivés, ils changèrent
pour P(h)ilippopolis[l] [43], car là-bas, P(h)ilagrios le
leur avait conseillé[44] ; ils étaient, il est vrai, blâmés
partout et ils furent même excommuniés par
l'Église des Romains[45]. Ayant exprimé par écrit
(leur) repentir au pape Athanase, Orsakios et Valis
se rétractèrent[46] <.>[m] A Sardique[n], au sujet de
la Pâque, on s'accorda pour promulguer un décret
de cinquante ans : Romains et Alexandrins feraient
connaître celle-ci partout, selon la coutume[47]. De
nouveau (Athanase) écrivit une lettre festale[48].

[XVI] L'(année) suivante, le dimanche de
Pâques était le 20e de pharmouthi, le 16e [o] de la   15 avril
lune, le 17e avant les kalendes de mai, épacte 22[p],
le 7e [q] des dieux, sous le consulat de Leontios et   **344**
de Salotios *(sic)*[48bis], le gouverneur (étant) l'Italien
Palladios[49], éparque d'Égypte, 2e indiction. —
Comme (Athanase) était revenu du synode par
Naïs(s)us[r] [50], il y célébra la Pâque. Ce jour concer-

k. Litt. : « Serdique », ce que confirme la *Lettre synodale des évêques orientaux*, Hilaire, *Frag. hist.*, III,
C.S.E.L. 65, p. 48, 49 et 63.

l. Cette interprétation est conforme à la ponctuation ;
mais nous ne pouvons pas affirmer que ce nom de lieu ne
soit pas le complément du verbe : « furent arrivés ».

m. Ponctuation forte suggérée par la n. 46 ; le ms.
n'en comporte aucune.

n. Cf. *supra*, n. k.

o. Cureton, suivi de Mai, a copié par erreur : « le 19e ».

p. Ms. : « 21 ».

q. Ms. : « le 6e ».

r. « Naisos » dans le texte ; ville de Mésie supérieure.

[XVII]

 * [XVIII] f° 5 r°

 | C. p. 6

212 , C ‖ 213 SC ‖ 215
 SC ‖ C ‖ C ‖
sic C ‖ 218 C ‖ C ‖ 222 , SC ‖ 223
 SC ‖ 225 C ‖ 226 :
 SC ‖ 227 C ‖ 228 C ‖
 C.

nant la Pâque, il l'avait notifié brièvement aux
prêtres d'Alexandrie, mais il ne put (le faire) au
pays[51].

[XVII] L'(année) suivante, le dimanche de
Pâques (était) le 12e de pharmouthi, le 19e [s] de la
lune, le 7e avant les ides d'avril, | épacte 3[t], le
1er des dieux, 3e indiction, sous le consulat
d'<A>mantios et d'Albinos, le gouverneur
(étant) Nestorios de Gaza[52], éparque d'Égypte.
— Comme (Athanase) partait pour Aquilée[53],
il y célébra la Pâque. D'autre part, ce jour de
Pâques, il l'avait notifié brièvement aux prêtres
d'Alexandrie, mais non pas au pays[54].

[XVIII] * L'(année) suivante, le dimanche de
Pâques était le 4e de pharmouthi, le 22e [u] de la
lune[55], le 3e avant les kalendes d'avril, épacte 14,
le 2e des dieux, 4e indiction, sous le quatrième
consulat de Constance[v] et le troisième de Constant
Augustes, le gouverneur (étant) le même Nestorios
de Gaza, éparque d'Égypte. — Grégoire[w] étant

(marginalia: 7 avril / 345 / 30 mars / 346 ; . p. 8 ; ᵒ 5 rᵒ)

---

s. Ms. : « le 18e ». Le bon chiffre est confirmé par
l'en-tête de la *Lettre festale* XVII (fᵒ 61 vᵒ).

t. Ms. : « 2 ».

u. Ms. : « le 24e » ; l'en-tête de la *Lettre festale* XVIII
porte : « le 21e » (fᵒ 62 rᵒ).

v. Ms. : « Constantin » ; l'en-tête de la *Lettre festale*
XVIII a conservé le nom exact (fᵒ 62 rᵒ). La même confusion entre les noms des deux empereurs a été commise dans
l'*Hist.* « aceph. », 1, 1, 7 et 8 (= *Ba* 1 et 3). Déjà celui de
Iolios Konstantios avait fait l'objet d'une méprise identique
de la part du rédacteur de l'*Index* (*ad ann.* 335), erreur non
commise, comme nous l'avons déjà dit, par l'en-tête de
la *Lettre festale* VII, pour cette année-là (cf. p. 233, n. q).

w. Cf. p. 239, n. y.

[XIX]

[XX]

230 C ‖ C ‖ C ‖ 232 . *om.*
punctum C ‖ 233 C ‖ 235 C ‖ 237 C ‖ 238
 C ‖ SC ‖ 240 ,

mort le 2e d'épiphi[56], (Athanase) revint de Rome   26 juin
et d'Italie ; et il entra dans la ville et dans l'église[57].
Il fut même honoré d'une réception triomphale
avant le centième mille. Après que, le 24e de   21 octobre
phaôphi, les foules et toutes les autorités en fonction furent allées au-devant de lui[58], il resta (très)
considéré. Il est sûr qu'il envoya d'avance aux
prêtres, en quelques mots, la lettre festale de cette
année-là[59].

[XIX] L'(année) suivante, le dimanche de
Pâques (était) le 17e de pharmouthi, le 16e ˣ de la   12 avril
lune, le 1er avant les ides d'avril, épacte 25, le
3e des dieux, 5e indiction, sous le consulat de   **347**
Rop(h)inos et d'Eusebios, le gouverneur (étant)
le même Nestorios de Gaza, éparque d'Égypte.
— Ayant séjourné ici, à Alexandrie, il écrivit la
(lettre), en faisant savoir qu'il n'avait pas pu
(écrire) de même les précédentes[60].

[XX] L'(année) suivante, le dimanche de Pâques
(était) le 8e de pharmouthi, le 18e de la lune, le 3e   3 avril
. p. 9 avant les nones d'avril | épacte 6, le 5e ʸ des dieux,
6e indiction, sous le consulat de P(h)ilip<p>os   **348**

ܐܠܗܐ C ‖ 242 ܐܘܗ ܢܒ ܐܘܗ C ‖ ܐܘܗ ‍: ܐܘܗ C ‖ 244
ܒܗܝ C ‖ 246 ܗܒܙܝ C ‖ 248 ܐܠܗܐ C ‖ 249 ܐܡܢܐܝ
C ‖ ܐܬܝܡܝ : ܐܝܪܒܐ SC.

x. Ms. : « le 15e », de même que dans l'en-tête de la
Lettre festale XIX (f° 62 v°).

y. Ms. : « le 4e » ; il faut corriger, l'année 347 étant
bissextile.

fo 5 vo

[Syriac text, 7 lines, with marginal "25" and "251" line markers]

[XXI] [Syriac text continues, with marginal markers "255", "26"]

---

250 ܘܩܕܝܫܗܝ C ‖ 250-251 ܗܘ ܒܗ ܗܘ C ‖ 251 ܐܝܟ : ܗܘ C ‖
ܕܢ C ‖ 254 ܡܗܕ C ‖ 255 ܠܝܘܗܝܩܪܒܗ *sic* SC ‖ 257 ܐܠܗܝܐܕ
SC ‖ 258 ܒܠܐܬܝܟܐ C ‖ 259 ܕܢ C ‖ 261 ܕܐܝܪܡܒܗ C ‖
262 *spatio relicto (circa 10 litterae).*

z. Faute d'impression dans l'édition de Mai, qui a transcrit
ܡܪܝܐ pour ܡܕܝܢ.

a. C'est probablement une erreur du scribe pour le : « 21° »,
ou un lapsus du rédacteur (cf. n. 61).

b. Le scribe a laissé en blanc un espace de la valeur d'une
dizaine de signes. Selon Mr. E. Silver, conservateur des mss
orientaux de la British Library, le ms. n'a subi aucune dégradation
et le texte n'a été ni détérioré ni gratté. Nous pouvons remarquer
qu'il n'y a aucune lacune dans le développement de l'exposé,

et de Salia, le gouverneur (étant) le même Nesto-
5 v° rios * de Gaza éparque d'Égypte. — Comme
(Athanase) séjournait[z] à Alexandrie, il envoya
également la (lettre).

[XXI] L'(année) suivante, le dimanche de
Pâques (était) le 30e de phamenôth, le 19e *(sic)*[a61]   26 mars
de la lune, le 7e avant les kalendes d'avril,
épacte 17, le 6e des dieux, 7e indiction, − mais
(ceci), parce que les Romains avaient fait opposition : en effet, ils avaient dit qu'ils tenaient la
tradition qui (vient) de l'Apôtre Pierre, ne dépas-
sant pas le 26e jour de pharmouthi ni le 30e de   21 avril
phamenôth − (donc) le 21e de la lune,   26 mars
   [b], le 7e avant les kalendes d'avril, sous le
consulat de Limenios et de Katolinos, le gou-   **349**
neur (étant) le même Nestorios de Gaza, éparque

les datations du « 21e de la lune, 7e avant les kalendes
d'avril » étant la répétition de celles énoncées en tête
du paragraphe. Nous ne pensons pas que le scribe ait
été arrêté par un terme ou une expression qu'il ne
comprenait pas, car maintes fois nous avons pu constater
son manque d'esprit critique. Nous suggérons plutôt
que le ms. qui servait de modèle présentait déjà cette
particularité (par suite, peut-être, d'un ms. antérieur
détérioré à cet endroit) et que le copiste l'a reproduite.
Deux autres espaces, laissés eux aussi sans être écrits,
mais toujours sans lacune et dont le total des signes
manquants est équivalent, existent au f° 6 v° (aux lignes
345 et 347), ce que CURETON a omis de signaler. Il
n'est pas, en conséquence, invraisemblable de supposer
que l'espace resté vide du f° 5 v° ainsi que les deux
autres du f° 6 v° correspondent au r° et au v° d'une
même altération d'un ms. primitif.

C. p. 7 . | , [XXII]
 (sic) : ❖
f° 6 r° [XXIII]
265 C ‖ 267 C ‖ 269
SC ‖ 271 C ‖ 274 C ‖ 275 C ‖ 281

d'Égypte. — Comme (Athanase) séjournait à Alexandrie il envoya encore la (lettre)[62].

[XXII] L'(année) suivante, le dimanche de Pâques (était) le 13e de pharmouthi, le 15e c de la   8 avril lune à la 2e heure[d], le 6e avant les ides d'avril, épacte 28, le 7e des dieux, 8e indiction, sous le consulat de Sergios et de Nigrianos, le gouverneur   **350** (étant) le même Nestorios de Gaza, éparque d'Égypte. — Cette année-là[e] Constant fut tué par Magnence ; Constance garda seul le principat[63] et il écrivit alors au pape de ne pas craindre à cause de la mort de Constant, mais d'avoir confiance en lui comme en celui-là lorsqu'il était en vie[64].

6 r°   [XXIII] L'(année) suivante, le dimanche * de Pâques (était) le 5e de pharmouthi, le 18e de la   31 mars lune, le 1er avant les kalendes d'avril, épacte 9, p. 10 le 1er des dieux | 9e indiction, sous le consulat qui   **351** suivit celui de Sergios et de Nigrianos[65], le gouverneur (étant) encore le même Nestorios de Gaza, éparque d'Égypte.

C ‖ 284 ‏ܐܠܝܐܢ‎. C ‖ 286 ‏ܗܘ‎ : ‏ܗܘ‎ C ‖ ‏ܗܘ‎ : ‏ܗܘ‎ C ‖ 287 ‏ܣܒܪ‎ C.

c. Ms. : « le 19e ».

d. *Sic.*

e. C'est une des rares fois où apparaît, dans le texte, le mot « année » pour présenter les événements (cf. *ad ann.* 358). Cette mention justifie notre traduction dans les autres cas.

 [XXIV]

 [XXV]

288 C ‖ 291 C ‖ 294 :
 sic SC ‖ 298 SC ‖ 301 C ‖ 304

[XXIV] L'(année) suivante, le dimanche de
Pâques (était) le 24e de pharmouthi, le 18e de la   19 avril
lune, le 13e avant les kalendes de mai, épacte 20,
le 3e des dieux, 10e indiction, sous le <cin-
quième>[f] consulat de Constance Auguste et le   **352**
premier de Constance César, le gouverneur (étant)
le même Nestorios, éparque d'Égypte. — Gallos
avait été en effet proclamé César, lui dont le nom
avait été changé en (celui de) Constance[66].

[XXV] L'(année) suivante, le dimanche de
Pâques (était) le 16e de pharmouthi, le 21e de la   11 avril
lune, le 3e avant les ides d'avril, épacte 1, le 4e
des dieux, 11e indiction, sous le sixième consulat   **353**
de Constance Auguste et le second de Constance
César, le gouverneur (étant) Sebasti<an>os[g] [67]
de Thrace, éparque d'Égypte. — Cette (année)-là,
Sarapion, évêque de Thmuis[h], Triadelp(h)os de
Nikiou[i], les prêtres Petros et Ast<e>rikios[j] et
d'autres furent envoyés auprès du roi Constance
parce qu'on craignait les ruses des Ariens ; ils
revinrent sans résultat. Cette (année)-là, le silen-
tiaire Montanos, (venu) du palais entra (dans la

ܤܢ.ܐ C ‖ 305-306 ܘܐܨܐܩܡܐܩܛ ܩܐܪ̈ܝܪܟ܊ sic C ‖ 306
ܩܐ.ܪ̈ܐܒ܊ܐ.ܐ : ܩܐ.ܪ̈ܐܒ܊ܐ.ܐ sic C (cf. *P.S.* 4457) ‖ 309
ܐܠ܊ܒ.ܐ C ‖ ܨ܊ C ‖ ܪ̈ܚ܊ܒ܊ C ‖ ܩܐ.ܨ C.

f. Ms. : omis.
g. Ms. : « Sebastios » ; la correction est suggérée par
la leçon donnée pour l'année 354.
h. Ms. : « Thmoïs ».
i. Ms. : « Nikion » ; ville du nome de Prosopitide (*P.S.*
2365).
j. Cf. *Hist.* « aceph. », 1, 7 (= *Ba* 3).

C. p. 8 | : [XXVI]

fᵒ 6 vᵒ :

 [XXVII]

313 C ‖ 314 SC ‖ 320 C ‖ 321
 C ‖ 327 C ‖ 329 C.

ville) <pour s'en prendre à l'>ᵏ évêque, mais après qu'il se fut couvert de confusion, il s'(en) retourna, l'affaire n'ayant pas eu de suite⁶⁸.

[XXVI] L'(année) suivante, le dimanche de Pâques (était) le 1ᵉʳ ¹ de pharmouthi, le 17ᵉ de la lune, le 6ᵉ avant les kalendes * d'avril, épacte 12, le 5ᵉ des dieux, 12ᵉ indiction, la septième année du consulat de Constance | Auguste et la troisième de Constance César, le gouverneur étant le même Sebastianos de Thrace, éparque d'Égypte.

27 mars

354

[XXVII] L'(année) suivante, le dimanche de Pâques (était) le 21ᵉ de pharmouthi, le 18ᵉ de la lune, le 16ᵉ avant les kalendes de mai, épacte 23, le 6ᵉ des dieux, 13ᵉ indiction, sous le consulat d'Arbetion et de [L]lollianos, le gouverneur (étant) Maximos l'ancien⁶⁹ de Nicée, éparque d'Égypte.
— Cette (année)-là, Diogenis, secrétaire du roi, entra (dans la ville) voulant s'emparer de l'évêque. Mais celui-là aussi, s'étant déplacé en vain, s'en alla, ayant échoué⁷⁰.

16 avril

355

6 vᵒ

p. 11

k. Deux ou trois mots semblent avoir été omis, probablement par homéotéleute; voir le texte parallèle de 355.
l. Ms. : « le 4ᵉ ».

[XXVIII]

[XXIX]

fᵒ 7 rᵒ

---

332 SC ‖ 338 C ‖ 342 C ‖ 345 SC ‖ *spatio relicto (circa 5 litterae)* ‖ 347 *spatio relicto (circa 3 litterae)* ‖ 351 C.

[XXVIII] L'(année) suivante, le dimanche de
Pâques (était) le 12e de pharmouthi, le 20e [m] de la 7 avril
lune, le 7e avant les ides d'avril, épacte 4, le 1er
des dieux, 14e indiction, sous le huitième consulat 356
de Constance Auguste et le premier de Julien
César, le gouverneur (étant) le même Maximos
l'ancien de Nicée, éparque d'Égypte, après qui
(il y eut) Katap(h)ronios de Byblos. — Cette
(année)-là, bien que le *dux* Syrianos, le 13e de 8-9 février
méchir, causât beaucoup de trouble à l'Église, et
que le 14e, de nuit, il attaquât la Théonas[n] avec
ses troupes, il ne put se saisir d'(Athanase), car de
façon miraculeuse, (celui-ci) s'était enfui[71].

[XXIX] L'(année) suivante, le dimanche de
Pâques (était) le 27e de phamenôth, le 16e[o] [p] 23 mars
de la lune, le 10e avant les kalendes d'avril,
[q] épacte 15, le 2e des dieux, 15e indiction, la
7 rº neuvième année * du consulat | de Constance 357
12 Auguste et la seconde de Julien César, le gouverneur (étant) le même Katap(h)ronios de Byblos,
éparque d'Égypte, à qui succéda Parnasios. —
Georges entra alors (dans la ville), le 30e de 24 février
méchir[72] et gouverna durement par la violence[73].

m. Ms. : « le 17e ».

n. Ms. : « Theona » ; cf. *ad ann.* 339.

o. Ms. : « le 17e ».

p. Le ms. présente, ici, un espace blanc, d'environ cinq signes (cf. p. 248, n. b).

q. Nouvel espace laissé en blanc, de trois signes (cf. la n. précédente).

C. p. 9

 | .

[XXX]
[XXXI]
---

353 *sic* C ‖ 359 C ‖ 364
C ‖ C ‖ 365 C ‖ 368 C ‖ 372
 SC.

L'évêque Athanase, cependant, demeurait en
fuite ; or il était recherché dans la ville avec
beaucoup de soin, tandis que, pour cette
raison, beaucoup de (gens) avaient pris des risques
pour lui[74]. C'est pourquoi il ne fut pas écrit de
lettre festale.

[XXX] L'(année) suivante, le dimanche de
Pâques (était) le 17e de pharmouthi, le 1er avant   12 avril
les ides d'avril, le 17e de la lune, épacte 26, le 3e
des dieux, 1re indiction, sous le consulat de   **358**
Tatianos *(sic)*[74bis] et de Kerealios, le gouverneur
(étant) Parna<si>os[r] [75] le Corinthien, éparque
d'Égypte. — L'évêque Athanase était sûrement
dans la ville d'Alexandrie, tout en étant caché ;
Georges, d'autre part, était parti le 5e de phaôphi,   2 octobre
après qu'il eut été poursuivi par les foules[76]. Pour
cette raison, même cette année-là, le pape ne put
envoyer de lettre festale.

[XXXI] L'(année) suivante, le dimanche de
Pâques (était) le 9e [s] de pharmouthi, le 1er avant   4 avril
les nones d'avril, le 20e de la lune, épacte 7,

r. Nom corrigé par celui du gouverneur de 359. Il
n'est pas prouvé, d'autre part, qu'il s'agisse du même
personnage que celui de 357 (cf. n. 75).

s. Ms. : « le 19e ».

[XXXII] 3

fº 7 vº

[XXXIII]

376 C ǁ C ǁ 377 C ǁ 382 SC ǁ 384 *sic* SC ǁ 389 C.

le 4ᵉ des dieux, 2ᵉ indiction, sous le consulat   **359**
d'Eus<e>bios et d'(H)ypatios, le gouverneur
(étant) le même Parnasios[75] à qui succéda, dans les
trois mois[t] [77], l'Italien Italikianos à qui succéda
P(h)aus<t>i[a]nos[u], le Chalcédonien[78]. — Le
pape n'écrivit même pas la (lettre).

[XXXII] L'(année) suivante, le dimanche de
Pâques (était) le 28ᵉ de pharmouthi, le 9ᵉ avant   23 avril
7 vᵒ les kalendes de mai, le 20ᵉ ᵛ * | de la lune, épacte 18,
. 13 le 6ᵉ des dieux, 3ᵉ indiction, la dixième année du
consulat de Constance Auguste et la troisième de   **360**
Julien César, le gouverneur (étant) le Chalcédonien
P(h)austi[a]nos[w], éparque d'Égypte. — Quand
cet éparque et le *dux* Artemios montèrent à la
modeste maison et à la petite cellule, à la recherche
de l'évêque Athanase, ils tourmentèrent cruelle-
ment Eudemonis, (restée) vierge depuis toujours[79].
A cause de cela, (Athanase) n'écrivit même pas
la (lettre).

[XXXIII] L'(année) suivante, le dimanche de
Pâques (était) le 13ᵉ de pharmouthi, le 6ᵉ avant   8 avril

t. Génitif exprimant la date.

u. Ms. : « Pausianos », forme incorrecte, de même qu'en
360, « Paustianos », et en 361, « Putinos ». Il s'agit bien du
même personnage, qualifié les trois fois de « Chalcédonien » ;
cf. n. 78.

v. Ms. : « le 21ᵉ ».

w. Cf. *supra*, n.u.

C. p. 10 . |

 [XXXIV]

f° 8 r° . *

---

396 C ‖ 403 SC ‖ C ‖ 405
 C ‖ 408 SC ‖ 409 :
 SC ‖ 410 SC ‖ 414 C ‖
415 *sic* SC.

les ides d'avril, le 17e de la lune, épacte 29, le 7e
des dieux, 4e indiction, sous le consulat de Tauros   **361**
et de P(h)lorentios, le gouverneur (étant) le même
P(h)<a>u<s>tinos, à qui succéda l'Arménien
Gerontios[80], éparque d'Égypte. — (Athanase)
ne put même pas envoyer la (lettre). D'autre part,
durant cette (année)-là, Constance mourut et
comme Julien garda seul le principat, il y eut une
accalmie de la persécution contre les Orthodoxes
(et) même, partout, des ordres du roi Julien pour
amnistier les clercs orthodoxes qui avaient été
persécutés du temps de Constance[81].

[XXXIV] L'(année) suivante, le dimanche de
Pâques (était) le 5e x de pharmouthi, le 1er avant 31 mars
les kalendes d'avril, le 20e y de la lune, épacte 11z,
le 1er des dieux, 5e indiction, sous le consulat de   **362**
Mamertinos et de Nebietta, le gouverneur (étant)
le même Gerontios, à qui succéda Olympos de
Tarse[82]. — Durant cette (année)-là, en méchir[83], fin janvier-
l'évêque Athanase fit son entrée dans l'église, février
8 r° * (au retour) de (sa) fuite[84], sur l'ordre de Julien
Auguste, parce que (celui-ci) avait amnistié tous les

x. Ms. : « le 15e ».
y. Ms. : « le 25e ».
z. Ms. : « 10 »; le *saltus lunae* nous oblige à corriger
(cf. *ad ann.* 343).

[XXXV]
416 C ‖ *sic* SC ‖ 417
 C ‖ C ‖ C ‖ 420
SC ‖ 421 ‍ SC ‖ 425 ‍ C a³ *lect. inc.* S ‖
 om. C ‖ 427 ‍ C ‖ 429 ‍ C ‖ ‍ C ‖ 430 ‍
C ‖ ‍ C ‖ ‍ C ‖ 433 ‍ C ‖ 434 ‍ C ‖ ‍ C.

évêques et clercs qui (s'étaient) enfui, comme
. 14 (cela) a été dit précédemment. Il est sûr qu' | il
écrivit la (lettre).

[XXXV] L'(année) suivante, le dimanche de
Pâques (était) le 25ᵉ de pharmouthi, le 12ᵉ avant   20 avril
les kalendes de mai, le 21ᵉ ᵃ de la lune, épacte 22 ᵇ,
le 2ᵉ des dieux, 6ᵉ indiction, la quatrième année
du consulat de Julien Auguste et de Salostia   **363**
(sic)[84bis], le gouverneur (étant) le même Olympos
de Tarse, éparque d'Égypte. — Comme Pythiodoros de Thèbesᶜ [85], le philosophe barbuᵈ [86], avait
apporté, le 27ᵉ de phaôphi, un ordre de Julien (qui)   24 octobre
avait été notifié en premier lieu contre l'évêque —
(et qui) contenait aussi beaucoup de menaces —,
sur l'heure donc, (Athanase) sortit de la ville et
monta en Thébaïdeᵉ [87]. Quand, huit mois plus tard,   juin
Julien mourut et que sa mort eut été annoncée[88],
(Athanase) entra de nuit, en cachette, à Alexan-
drie. Et après que, le 8ᵉ de thôth, il eut pris un   6 septembre
navire, il rencontra le roi Jovien à Hiérapolis
d'Orientᶠ, lequel, aussi, le congédia le premier avec
les honneurs[89]. Bien que pourchassé de Memphis

a. Ms. : « le 20ᵉ ».

b. Ms. : « 21 ».

c. Litt. : « le Thébain », sans qu'il soit possible de
préciser de quelle ville il s'agit.

d. Transcription, pensons-nous, de τριχο-φιλοσοφος.
Bien que ce mot soit donné par *P.S.* 1518 comme un nom
d'homme (mais avec l'unique référence à notre texte),
nous suggérons plutôt qu'il désigne un individu avec une
barbe ou une chevelure remarquable.

e. Cf. p. 225, n. e.

f. Nous déplaçons ces quatre derniers mots pour donner
un sens à la phrase ; dans le ms., ceux-ci sont rattachés
à : « il eut pris un navire ».

[XXXVI]
 |
[XXXVII]
fo 8 vo

C. p. 11

---

436 *sic* C ‖ C ‖ C ‖ 437 C ‖
441 SC ‖ 448 C ‖ 451 SC ‖ 452
 SC.

jusqu'à Thèbes[g] [90], il envoya à tout le pays la
lettre festale donnée selon la coutume.

[XXXVI] L'(année) suivante, le dimanche de
Pâques (était) le 9e de pharmouthi, le 1er avant   4 avril
les nones d'avril, le 16e de la lune, épacte 3, le 4e
des dieux, 7e indiction, sous le consulat de Jovien   **364**
Auguste et de Beronianos, le gouverneur (étant)
le Damascène (H)ierios, éparque[h], à qui succéda
Maximos de Raphia[i], à qui succéda l'Illyrien
P(h)labianos. — Durant cette (année)-là, le pape
p. 15 fit son entrée dans la ville | d'Alexandrie * et dans
• 8 v° l'église, le 25e de méchir *(sic)* [91]. Mais il envoya   19 février
d'Antioche [92] une lettre festale à tous les évêques,
dans chaque éparchie, selon la coutume.

[XXXVII] L'(année) suivante, le dimanche de
Pâques (était) le 1er de pharmouthi, le 6e [j] avant   27 mars
les kalendes d'avril, le 19e de la lune, épacte 14,
le 5e des dieux, 8e indiction, dans la première
année du consulat de Valentinien et de Valens   **365**
Augustes, le gouverneur (étant) le même Illyrien

g. Cf. p. 225, n. e.

h. Le mot : « Égypte » est absent du texte ; il en sera
de même pour la plupart des années qui suivent.

i. Nom d'origine et non pas un surnom, comme l'écrit
P.S. 3783.

j. Ms. : « le 5e ».

[XXXVIII]

458 C ‖ 459 C ‖ C ‖ 464 C ‖
sic C ‖ C ‖ 466 C ‖ 473 C ‖ 474 C ‖
 C ‖ C ‖ 475 C ‖ 478 C.

P(h)labianos. — Nous tenions le Césarion[93]. Mais une nouvelle fois, après que le pape, parce qu'il avait été attaqué par des calomnies, se fut réfugié dans le jardin du fleuve nouveau[94], cependant quelques jours après[95], lorsque le secrétaire Brasid<a>s vint vers lui avec l'éparque, il le fit entrer dans l'église[96]. Et lorsqu'il y eut un tremblement (de terre), le 27e d'épiphi, la mer reflua de l'Orient 21 juillet et fit périr beaucoup (de gens) ; beaucoup de choses aussi furent détruites[97].

[XXXVIII] L'(année) suivante, le dimanche de Pâques (était) le 21e de pharmouthi, le 16e avant 16 avril les kalendes de mai, le 20e de la lune, épacte 25, le 6e des dieux, 9e indiction, dans la première année du consulat de Gratien fils de l'Auguste et 366 de Dagaipos *(sic)*, le gouverneur (étant) le même P(h)labianos, éparque. — Comme les païens s'étaient révoltés, le 27e d'épiphi, le Césarion fut 21 juillet incendié[98]. C'est pourquoi beaucoup de bouleutes[k][98bis] se trouvèrent réduits à la dernière extrémité et ceux qui furent tenus pour responsables furent condamnés ou exilés. Après cela, le Macédonien Proklianos devenait gouverneur[l].

k. Le syriaque a transcrit le grec πολιτευόμενοι.
l. Cf. p. 225, n. b.

[XXXIX]

f° 9 r°   ـ |

C. p. .

 ـ

: ـ

:ـ

[XL]

 ـ ـ

:ـ

 ـ .ـ

:ـ

، :ـ ـ ❖

479 , C ‖ 480 SC ‖ 482
C ‖ 483 C ـ *lect. inc.* S ‖ C ‖ 484
 C ‖ 491 . C ‖ 493 C ‖ 495 SC.

p. 16   [XXXIX] L'(année) suivante, le dimanche | de
Pâques (était) le 6e m de pharmouthi, aux kalendes   1 avril
d'avril, le 16e de la lune, épacte 6, le 7e des dieux,
» 9 r° 10e indiction, * sous le consulat de Lopi[pi]kinos   367
et de Iobinos, le gouverneur (étant) le même
Proklianos, à qui succéda le Lycien Tati<a-
n>os[99]. — Durant cette (année)-là, comme Lokios
avait essayé d'entrer (dans la ville), le 26e de thôth,   24 septem-
et qu'il s'était caché de nuit dans la maison qui   bre
(était) sur le côté du four n de l'église[100], mais
que l'éparque Tatianos, avec le *dux* Traianos,
l'(en) avait fait sortir, il sortit de la ville et fut
sauvé de justesse, alors que les foules cherchaient
à le tuer[101]. Cette (année)-là, (Athanase) écrivit
(la lettre), fixant le canon concernant les livres
divins[102].

[XL] L'(année) suivante, le dimanche de
Pâques était le 25e de pharmouthi, le 12e avant   20 avril
les kalendes de mai, le 16e de la lune, épacte 17,
le 2e des dieux, 11e indiction, dans la seconde
année du consulat de Valentinien et de Valens   368
Augustes, le gouverneur (étant) le même Tatianos
éparque. — Il[103] commença à reconstruire le
Césarion, le 6e du mois de pachôn, après qu'il   1 mai

m. Ms. : « le 16e ».
n. Transcription de πυρεῖον.

[XLI]   50

 | **C. p.**

[XLII]   * **f° 9 v°**

---

502 SC ‖ 505 C ‖ 506 :
 SC ‖ 507 SC ‖ 514
 C ‖ 515 C ‖ 517 SC ‖ 519 C,

eut obtenu un ordre royal par l'intermédiaire du
dux Traianos, celui qui avait également découvert
ceux qui (y) avaient mis le feu : d'une part, il faisait
aussitôt enlever la poussière (provenant) des ruines
et de l'incendie, ensuite, d'autre part, il relevait
encore l'édifice, au même mois de pachôn.

[XLI] L'(année) suivante, le dimanche de
Pâques (était) le 17e o de pharmouthi, le 1er avant   12 avril
les ides d'avril, le 19e p de la lune, épacte 28, le 3e
des dieux, 12e indiction, dans la première année
p. 17 du consulat | de Valentinien fils de l'Auguste et   **369**
de Biktor, le gouverneur (étant) le même Tatianos.
— Le pape commença à construire, dans le Mendi-
dion[104], l'église qui porte son nom, le 25e de thôth,   22 septem-
au moment où avait commencé la 85e année de   bre
l'ère q de Dioclétien[105].   **368-369**

9 vo [XLII] L'(année) suivante, le dimanche * de
Pâques (était) le 2e de pharmouthi, le 5e r avant   28 mars
les kalendes d'avril, le 15e de la lune, épacte 9,
le 4e des dieux, 13e indiction, dans la troisième
année du consulat de Valentinien et de Valens   **370**

o. Ms. : « le 27e ».
p. Ms. : « le 15e ».
q. Litt. : « des temps » ; cf. *ad ann.* 328 et 370.
r. Ms. : « le 4e ».

[XLIII]
[XLIV]
---

524 C ‖ 525 C ‖ . C ‖ 526 *sic* SC ‖
527 , C ‖ 528 *sic* SC ‖ 529 C ‖ 531
 C ‖ 538 *sic* SC ‖ 540 SC‖
541 SC.

Augustes, le gouverneur (étant) le même Tatianos
à qui succéda Olympios Palladios[106] de Samosate.
— Le pape termina l'église qui porte son nom,
alors qu'était achevée la 86e année de l'ère[s] de **369-370**
Dioclétien, dans laquelle[t] aussi il (en) célébra la
dédicace[u], au 14e de mésorè[107].   7 août

[XLIII] L'(année) suivante, le dimanche de
Pâques (était) le 22e de pharmouthi, le 15e avant 17 avril
les kalendes de mai, le 16e de la lune, épacte 20,
le 5e des dieux, 14e indiction, dans la seconde
année du consulat de Gratien Auguste et de   **371**
[A]probos, le gouverneur (étant) le même Palladios,
à qui succéda (A)elios Palladios le Palestinien
qui fut appelé *koureus* (« le barbier »)[v], éparque
d'Égypte.

[XLIV] L'(année) suivante, le dimanche de
Pâques (était) le 13e de pharmouthi, le 6e avant   8 avril
les ides d'avril, le 18e [w] de la lune, épacte 1, le 7e [x]
des dieux, 15e indiction, sous le consulat de   **372**

---

s. Litt. : « des temps »; cf. *ad ann.* 328 et 369.

t. En corrigeant ܘܒܗ en ܕܒܗ, puisque ce relatif
se rapporte à ܥܕܬܐ, substantif fém.

u. Unique attestation connue de ce mot (*P.S.* 1029).

v. En transcription du grec dans le texte. MAI et, à
sa suite, *P.S.* 3561 ont traduit par le nom propre Cyrus.

w. Ms. : « le 19e ».

x. Litt. : « et non pas le 1er *(sic)* ». La succession des
quantièmes conduit à corriger en « 7e », puisque l'année 371
est bissextile.

[XLV]   542
 | * :   f° 10 r°
   550   C. p. 11
---

542 C ‖ 546 C ‖ 547 C ‖ 550
 C ‖ 551 C ‖ 553 C.

Modestos et d'Arintheus, le gouverneur (étant) le même (A)elios Palladios qui fut appelé *koureus* (« le barbier »)[y], éparque d'Égypte.

p. 18 [XLV] L'(année) suivante, le dimanche | de Pâques (était) le 5e de pharmouthi, le 1er avant 31 mars les kalendes d'avril, le 21e de la lune, épacte 12, le 1er des dieux, 1re indiction, dans la quatrième

10 ro année * du consulat de Valentinien et de Valens, 373 le gouverneur (étant) le même (A)elios Palladios, éparque d'Égypte. — Alors que cette (année) arrivait à son terme, (Athanase) quitta la vie de façon admirable, au 7e[108] de pachôn. 2 mai

Fin des chapitres, c'est-à-dire des (en)-tête des lettres festales de saint Athanase, évêque d'Alexandrie.

y. Cf. p. 275, n. v.

NOTES ET COMMENTAIRES

1. Il s'agit des sept divinités planétaires auxquelles étaient attribués les sept jours de la semaine, le Soleil pour le premier jour, la Lune pour le second, Mars, Mercure, Jupiter, Vénus et Saturne pour les suivants. D'origine fort ancienne (Mésopotamie), la division hebdomadaire fut très tôt utilisée par les Juifs ; elle ne devint astrologique que tardivement, vers le IIIe s. av. J.-C. Les Chrétiens continuèrent à désigner les jours de la semaine par le nom des divinités païennes, sauf le dimanche, *dies dominica*, v. BOLL, art. « hebdomas », *RE*, 7, 2 (1912), 2547-2578, et W. et H. GUNDEL, art. « planeten », *ibid.*, 20, 2 (1950), 2017-2185.

2. En fait le rédacteur a indiqué les conditions dans lesquelles certaines lettres ont été envoyées : « revenant de la cour » en 332, de Sardique en 343, de Naïssus en 344, se rendant à Aquilée en 345, rentrant d'Antioche en 364, c'est-à-dire « de l'étranger ».

3. Cette énumération comprend d'une part les noms des quatre provinces créées par Dioclétien — Pentapole (ou Cyrénaïque), Libye inférieure, Égypte et Thébaïde — auxquelles s'ajouta, à partir de 341, l'Augustamnique, subdivision orientale de l'Égypte (cf. *Index ad a.* 341, et v. J. LALLEMAND, *L'administration civile*, p. 41-55), d'autre part des noms d'anciennes divisions administratives comme l'*Ammoniaka* (oasis d'Ammon), nome rattaché à la Libye, l'*Heptanomia*, au Sud du Delta, dont quatre nomes furent d'abord rattachés à l'Égypte puis à l'Augustamnique et trois à la Thébaïde (v. H. GAUTHIER, *Les nomes d'Égypte*, Paris 1935, p. 175), la petite Oasis, nome rattaché à l'Égypte, la grande Oasis à la Thébaïde, et enfin les districts de Thébaïde supérieure et inférieure attestés depuis 298-300, sous l'autorité du *praeses* de Thébaïde (T. C. SKEAT, *Papyri from Panopolis in the Chester Beatty Library*, Dublin 1964, *P. Beatty Panop.* I (298), l. 5, 7-9, 18, 25, 78, 79 ; H. I. BELL, V. MARTIN, E. G. TURNER, D. VAN BERCHEM, *The Abinnaeus Archive. Papers of a Roman officer in the Reign of Constan-*

tius II, Oxford 1962, p. 36, n. 5). La Thébaïde inférieure est
appelée ici « moyenne », sans doute par opposition au « pays
inférieur », ou Delta, évoqué un peu plus loin, *ad a.* 334.
La géographie l'emporte ici sur l'administration. V. la carte
des déplacements d'Athanase à la fin du volume.

4. Le comput alors en vigueur à Alexandrie est celui de
19 ans (cycle d'Anatole de Laodicée, introduit vers le milieu
du iiie s.), réformé. Mettant en relation les dates de Pâques
et l'ère de Dioclétien, la réforme fut attribuée à Pierre
d'Alexandrie, auteur d'un traité sur la Pâque, la première
année du nouveau cycle coïncidant avec le début de l'année
civile (1er thôth) de la vingtième année du règne de cet
empereur, soit 303/304. En fait, comme l'a démontré
M. RICHARD dans *Le Muséon*, 87, 1974, p. 315, ce n'est
qu'« entre 310 et 328, probablement en 323, première année
du second cycle de dix-neuf ans », que cette réforme a pu être
appliquée, c.-à-d. sous Alexandre, le successeur de Pierre,
après la persécution de 303-312, temps peu propice à une
telle réforme liturgique ; application d'autant plus aisée
que, pendant les six premières années de 323 à 328, les dates
pascales étaient identiques dans les deux calendriers.
Cf. Appendice III.

5. Un samedi, selon la coutume en vigueur à Alexandrie
(Ps. HIPPOLYTE, c. 2, éd. R. G. Coquin, *PO*, 31, 2, p. 351),
distincte de celle de Rome où la consécration a lieu un
dimanche, *Trad. Apost.*, 2, *SC* 11 *bis*, p. 40.

6. L'*Index* et les en-tête des *Lettres festales* constituent
les principales sources, parfois contradictoires, dont nous dis-
posons, et les seules qui fournissent la succession des préfets
d'Égypte, deux autres sources complémentaires et également
essentielles étant fournies par la documentation
papyrologique et la correspondance de Libanius (à partir
de 356). Depuis les études de E. SCHWARTZ, « Die Osterbriefe », dans les *Nach. Gött.*, 1904, p. 333-356 (= *GS*, 3,
p. 1-29, plus particulièrement p. 15-27), et de L. CANTARELLI,
« La serie dei prefetti di Egitto. II. Da Diocletiano alla
morte di Teodosio I° (A.D. 284-395) », *Memorie della reale
Accademia dei Lincei, classe di scienze morali, storiche e
filologiche, ser.*, 5, XIV, 6, 1911, p. 313-358, leur analyse
approfondie a été reprise par C. VANDERSLEYEN, *Chronologie
des préfets d'Égypte de 284 à 395*, Bruxelles 1962, coll.
Latomus 55, particulièrement le ch. 15 ; cf. également
J. LALLEMAND, *L'adm. civile*, p. 237-249, à compléter, dans
certains cas que nous signalerons, par les notices de la

Prosopography of the Later Roman Empire, I, 1971. Outre l'année de la succession, l'*Index* indique également l'origine géographique de chacun des préfets (24 de 328 à 373) à une exception près. La majorité d'entre eux (18) proviennent des provinces orientales de l'empire et plus particulièrement des provinces voisines (Palestine, 3 ; Phénicie, 2 ; Syrie, 2), à noter également six Occidentaux dont quatre Italiens. La *Lettre festale* I permet de connaître le nom complet du préfet de 328/329, Septimios Zenios. Elle constitue avec l'*Index*, le seul témoignage sur ce personnage. Cf. Appendice V.

7. Soit la sixième année du cycle alexandrin de 19 ans réformé. L'épacte intervient dans le calcul de la date de Pâques. L'ordre du cycle d'Anatole fut changé, la première année du cycle étant celle où une néoménie coïncidait avec le 1er thôth, soit 303-304 (cf. *supra*, n. 4), V. GRUMEL, *Traité d'Études byzantines*, I, *La Chronologie*, p. 36-40 et 54.

8. Il semble bien que ce soit la néoménie du 23 mars, à partir de laquelle, depuis 303/304, 1re année du cycle d'Anatole réformé, était calculée l'épacte, qui serve ici de référence, et non le premier jour de l'année civile égyptienne (1er thôth), ou romaine (1er janv.). En 328, le 24 mars (28 phamenôth), qui ouvre donc l'année pascale, tombe un dimanche, soit « le premier jour des dieux ».

8bis. Le terme syriaque employé ici — littéralement « adorable » — est différent de la transcription littérale *Augustos*, employée partout ailleurs (cf. Appendice IV, liste des consuls selon l'*Index* et les en-tête des *Lettres festales*). Il n'est utilisé que pour qualifier l'empereur Constantin, comme en témoignent également les en-tête des *Lettres festales* I pour 329 et VII pour 335. E. SCHWARTZ, *GS* 3, p. 15 et 17, l'a traduit à tort par Αὐγούστου, sans faire de distinction. Ce terme ne nous semble pas devoir se rapporter ici au rituel de l'*adoratio* institué par Dioclétien, mais plutôt traduire un titre réservé à Constantin, voulant désigner par là le premier empereur chrétien. La seule fois où Constantin apparaît comme *Augustus* dans l'*Index*, c'est dans l'expression « fils de l'Auguste » appliquée à Constant en 336 (pour 335), cf. 366 Gratien, et 369 Valentinien.

8ter. *P. Oxy.* 2565 (sans date) le mentionne sous le nom de Fl. Magnilianos, retenu par JONES, MARTINDALE, MORRIS, *Prosopography*, I, p. 532.

9. Ce témoignage sur les tournées pastorales du nouvel évêque dans sa province (cf. *ad a.* 332 et 334) est précieux. On en trouve un écho dans les *Vies coptes de Pakhôme*, 28 (éd. LEFORT, p. 99), *vie grecque*, 30 (éd. FESTUGIÈRE, p. 174).

10. L'en-tête de la *Lettre festale* III pour 331 permet d'établir que Phlorentios, non signalé par l'*Index*, occupe le poste jusqu'en nov. 331 (*PSI*, VII, 767 attestant qu'Hyginos est alors en place, cf. Appendice V). L'entrée en charge des préfets dépend du bon vouloir du prince, ce qui explique que la fonction ne soit pas nécessairement annuelle et qu'on puisse la revêtir à une autre date que le 1er janvier (ATHANASE, *Hist. Ar.*, 9,3 et 51,3), VANDERSLEYEN, *o.c.*, p. 121-123.

11. Accusations des Mélitiens soutenus par les Eusébiens, cf. ATHANASE, *Apol. c. Ar.*, 60, 2-3. On lui reproche, entre autres, d'avoir été élu évêque avant l'âge canonique de 30 ans, cf. concile de Néocésarée, c. 11 (314). La lettre impériale de convocation n'a pas été conservée. C'est à Psamathie, faubourg de Nicomédie, qu'il rencontra l'empereur, *ibid.*, 4. Sur la contestation de l'élection, v. notre art. « Athanase et les Mélitiens », dans *Politique et Théologie chez A. d'Alex.*, Paris 1974 (coll. *Théol. hist.* n° 27), p. 42 et n. 33-34, et p. 47.

12. *Apol. c. Ar.*, 60, 4, muni d'une lettre de Constantin au peuple d'Alexandrie lui demandant de vivre dans la bonne entente, *ibid.*, 61.

13. Il s'agit du début de l'année 332. Sur ce décalage chronologique, cf. introduction, p. 73 s.

14. La Pentapole ou Cyrénaïque a très tôt abrité des communautés chrétiennes, bien avant que cette province ne fût administrativement rattachée à l'Égypte. Ces communautés, à l'époque de Denys, dépendent d'Alexandrie (Lettres de Denys à Basilide év. des communautés de Pentapole, à Ammôn de Bérénikè, *ap.* EUSÈBE, *H.E.*, VII, 26, 1 et 3), sans que cette dépendance ait été nécessairement originelle. L'*Ammoniaka*, ou oasis d'Ammôn (qui doit son nom au sel, J. LECLANT, « Per Africae sitientia. Témoignages des sources classiques sur les sites menant à l'oasis d'Ammon », dans *Bull. Inst. Fr. Archéol. Orient.*, 49, 1950, p. 193-253) est un ancien nome (cf. *P. Fay.* 23 (a), IIe s. ap. J.-C.), qui figure parmi les cités de Libye inférieure dans les listes de Hiéroclès et de Georges de Chypre. Elle est également citée par Épiphane dans l'énumération des provinces et régions relevant de l'autorité de l'Église d'Alexandrie, qu'il donne dans *Pan.*, 68, 1, 7, τοῦτο γὰρ ἔθος ἐστί τὸν ἐν τῇ Ἀλεξανδρείᾳ

ἀρχιεπίσκοπον πάσης τε Αἰγύπτου καὶ Θηβαίδος Μαρεώτου τε καὶ
Λιβύης, Ἀμμωνιακῆς Μαρεώτιδος τε καὶ Πενταπόλεως ἔχειν τὴν
ἐκκλησιαστικὴν διοίκησιν, éd. Holl, *GCS*, 37, p. 141. L'absence
de liaison entre Λιβύης et Ἀμμωνιακῆς a été interprétée par
E. Schwartz (*Nach. Gött.*, 1904, p. 236 = *GS*, t. 3, p. 4),
suivi par J. Lallemand (*L'adm. civile*, p. 47, n. 6), comme
l'attestation du rattachement de l'oasis à la Libye sous le
nom de Libye-Ammoniaka, ceci en parfaite contradiction
avec le passage de l'*Index* (*supra*, n. 3) qui sépare les deux
noms et dont le même Schwartz donne la traduction grecque
suivante : μέχρι τῆς κάτω Λιβύης Ἀμμωνιακῆ τε καί... C'est bien
ainsi qu'il faut, à notre sens, rétablir le texte d'Épiphane
cité plus haut qui juxtapose des provinces et de simples
nomes comme le Maréotis mentionné à deux reprises. Il
semble bien difficile dans ces conditions de continuer à
l'utiliser comme un témoignage de la division administrative
de l'Égypte à un moment donné, tout comme le passage
de l'*Index* cité plus haut. L'*Ammoniaka* a servi de lieu d'exil
à des diacres d'Alexandrie qui, envoyés en relégation pendant la persécution de Dèce, y moururent, lettre de Denys à
Dométios et Didyme, *ap.* Eusèbe, *H.E.*, VII, 11, 24 (sur
son interprétation, v. A. Martin, « La réconciliation des lapsi
en Égypte de Denys à Pierre d'Alexandrie : une querelle de
clercs », dans les Actes du coll. de la CIHEC, Strasbourg,
sept. 1983, à paraître). Elle servira à nouveau au même
usage pour les évêques athanasiens au temps de Constance,
Athanase, *Apol. ad Const.*, 32. Elle n'a jamais constitué
un évêché.

15. Le comput alexandrin de 19 ans réformé donne le
22 avril, date jugée trop tardive par l'usage, si bien que les
computistes ont, selon M. Richard, *o.c.*, p. 313, « délibérément reculé d'un jour le 14e *lunae*, du dimanche 15 avril
au samedi 14 ».

16. Il est le seul préfet dont l'origine géographique ne
soit pas signalée. C'est sous sa préfecture que la lettre de
Constantin adressée à Arius et à ses partisans fut portée
à Alexandrie par deux *magistrianoi*, Syncletius et Gauden-
tius, Gélase, *H. E.*, III, 19, 43 (éd. Opitz, III, *Urk.* 34).

17. La date à laquelle Philagrios a succédé à Paterios
reste imprécise. L'en-tête de la *Lettre festale* VI le donne
pour préfet dès 334 (v. Appendice V). *P. Théad.* 24 (= 25)
atteste cependant qu'un préfet « perfectissime » est encore
en fonction le 7 déc. 334. Or Philagrios est clarissime, v.
C. Vandersleyen, *Préfets d'Égypte*, p. 128-129. Il est

préfet lors de l'enquête en Maréote en sept. 335 (ATHANASE,
Apol. c. Ar., 72, 4, 6 ; 73, 3 ; 76, 1, 5 ; 83, 3). L'évêque le
traite de παραϐάτης, « apostat » (*ibid.*, 72, 6 ; cf. *Hist. Ar.*, 9, 3) ;
entendons par là qu'il s'est placé dans le camp des Ariens
contre les Orthodoxes nicéens dont Athanase est désormais
le chef de file en Orient.

18. Il s'agit du Delta par opposition à la moyenne et à
la haute Égypte évoquées au début de l'*Index*, *supra* n. 3.

19. Cf. *P. Bell* 1913 (19 mars 334) ; allusions à ce synode
dans l'*ep. Sardic. orient.*, 7, *ap.* HILAIRE, *frg. hist.*, III,
CSEL, 65, p. 54 (qui le date par rapport à celui de Tyr,
post alterum annum in Tyro), dans la lettre des évêques égyptiens qui ont accompagné Athanase à Tyr l'année suivante,
ap. ATHANASE, *Apol. c. Ar.*, 77, 10 : Eusèbe de Césarée
est devenu notre ennemi « depuis l'an passé », ἀπὸ πέρυσιν,
(cf. SOZOMÈNE, II, 25, 1 et 17, THÉODORET, I, 28). Son refus
de se rendre à ce synode figure parmi les motifs d'accusation
retenus contre lui à Tyr.

20. Athanase ne peut se dérober une nouvelle fois à la
convocation impériale au risque d'être exilé, cf. *Apol. c. Ar.*,
71, 2 ; v. notre art. (p. 50-52) cité *supra*, n. 11.

21. P. PEETERS, « L'épilogue du synode de Tyr en 335 »,
dans *Anal. Boll.*, 63, 1945, p. 131-144, a préféré traduire
le mot *tophā* par « radeau » et a estimé que c'est « sur un
train de bois flotté qui se trouvait opportunément dans le
port » qu'Athanase réussit à s'évader en franchissant le
goulet et en gagnant la pleine mer, ce qui expliquerait
selon lui qu'il ait mis au moins deux mois à atteindre
Constantinople. (Il ne fallut en effet que 20 jours à Porphyre
de Gaza pour faire à peu près le même trajet.) Il n'est peut-
être pas nécessaire de dramatiser davantage le départ de Tyr
dont nous ignorons la date tout autant que celle de l'arrivée
à Constantinople, de plus nous savons que l'évêque s'était
fait accompagner par cinq confrères égyptiens (*Apol. c. Ar.*,
87, 2).

22. Il réussit en effet tout d'abord à persuader l'empereur
de convoquer les évêques à Constantinople pour réexaminer
sa cause devant lui (*Apol. c. Ar.*, 86, lettre aux év. de Tyr),
ceci dans des conditions particulières : Athanase parvint à
attirer l'attention de l'empereur alors qu'à cheval et sous
escorte celui-ci rentrait à Constantinople (cf. SOCRATE,
I, 34, SOZOMÈNE, II, 28, 2-14, GÉLASE, III, 18, 1-13).
Constantin est en effet à Nicopolis (en Mésie II), le 23 oct.
(*C.J.*, I, 40, 4 ; cf. O. SEECK, *Regesten*, p. 183). La date

du 29 oct., en réalité 30 oct. 335 (v. l'introduction, p. 74 s.),
pourrait être celle de cette première rencontre et non de son
arrivée dans la capitale, comme l'*Index* pourrait le laisser
croire.

23. Les Eusébiens, arrivés à leur tour à Constantinople,
chargèrent Athanase d'un nouveau « crime », l'accusant
devant l'empereur d'avoir proclamé qu'il pouvait empêcher
le départ du convoi de blé d'Alexandrie à Constantinople
(*Apol. c. Ar.*, 9, 3 et 87, 1-2). Les autres évêques ne devaient
jamais se rendre à la convocation, les Eusébiens l'ayant
en quelque sorte courcircuitée et ayant réussi à provoquer
le départ en exil de leur adversaire, v. notre art. (p. 55-58)
cité *supra*, n. 11.

24. Les Eusébiens ont réussi à circonvenir l'empereur.
La situation se retourne brutalement contre Athanase
et cela, en huit jours, ce qu'a cru bon de réfuter, à tort,
Sievers en proposant de corriger le 10 athyr du *ms* syriaque
(6 nov.) 336 — en réalité le 7 nov. 335, cf. l'introduction p. 75
et n. 1 — en 10 méchir (4 février) 336 comme date de
départ en exil, ce qui est tout à fait incompatible avec les
calculs fournis par l'*Historia* « *acephala* » concernant la
durée de ce même exil, soit 28 mois et 11 jours.

25. Nous n'arrivons pas à savoir si la scène se déroula
en présence ou non d'Athanase. En effet les récits fournis
par l'évêque sont contradictoires : *Apol. c. Ar.*, 87, atteste
que l'accusation est faite en présence de cinq évêques
égyptiens ; « quand il (= l'empereur) entendit une telle
accusation (cf. *supra*, n. 23), aussitôt il s'enflamma et,
sans nous entendre (c.-à-d. sans nous permettre de nous
défendre), il nous envoya en Gaule ». Selon les mêmes
évêques égyptiens présents auprès d'Athanase, *ibid.*, 9,
« il (= Athanase) se lamenta et affirma que c'était faux ».
L'*Index* semble dire qu'Athanase était là : « huit jours
plus tard, il parut devant le roi Constantin », soit le 10ᵉ
d'athyr (7 nov. 335), date à laquelle il fut exilé.

26. Cette remarque s'applique effectivement à l'année 336.

27. Fl. Antonius Theodorus (*P. Oxy.* 67), originaire
d'Héliopolis de Phénicie, a succédé à Philagrios avant le
1ᵉʳ janv. 338 selon l'en-tête de la *Lettre festale* X qui indique
pour cette année : « aux jours du même Theodoros ». Si
l'on suit ATHANASE (*Hist. Ar.*, 51, 2-3), Constantin dut
révoquer Philagrios avant sa mort survenue le 22 mai 337
(peut-être songeait-il réellement à rappeler l'exilé, comme
l'affirme la lettre de son fils Constantin II, *Apol. c. Ar.*, 87, 6),

car Constance, écrit-il, le nomma préfet pour la seconde
fois « contrairement au désir de son défunt père », ceci
après le 28 mars 338, date à laquelle Théodoros est encore
attesté dans cette fonction (*P. Oxy.* I, 67). Ce dernier avait
été *rationalis (katholikos)* (et non « catholique », comme
l'a traduit, à tort, Larsow !), comme le précise l'en-tête de
la *Lettre festale* X ; cf. E. Schwartz, *Nach. Gött.*, 1904,
p. 347 (= GS 3, p. 18 et n. 3) et Jones, Martindale,
Morris, *Prosopography*, I, p. 900, qui s'appuie sur *SB* 1002
(rationalis Aegypti), sans mentionner la *Lettre* X.

28. La date de la mort de Constantin est connue par
Eusèbe, *Vita Const.*, IV, 63-64.

29. Par la lettre écrite de Trèves par Constantin II,
encore César, le 17 juin (337) (*Apol. c. Ar.*, 87, *Hist. Ar.*, 8).
Sur les discussions concernant l'année, v. l'introduction,
p. 83 s.

30. Le 23 nov. de la même année que celle de la mort
de Constantin, soit 337. Sur le glissement chronologique
de l'*Index*, v. l'introduction, p. 75 et 85.

31. 338, v. l'introduction, p. 75-76.

32. Il s'agit ici de faire pièce aux menées eusébiennes
qui ont pour but l'installation sur le siège d'Alexandrie
de Pistos, puis de Grégoire de Cappadoce, élu finalement
par le synode d'Antioche, après que l'ancien prêtre
d'Alexandrie eut été déconsidéré, v. l'introduction, p. 85
et 86, n. 1. Un synode a réuni tous les évêques égyptiens
pour soutenir leur chef revenu d'exil (*Apol. c. Ar.*, 1, 2 ;
3, 1). C'est sans doute à cette occasion qu'Antoine « prié
par les évêques et tous les frères descendit de la montagne
pour aller à Alexandrie où il parla publiquement contre
les Ariens », rapporte la *Vita Ant.*, 69. On notera que l'*Index*
a retenu, comme dans les récits hagiographiques exemplaires
(*ibid.*, 70-71), le don de miracles comme signe visible de
l'orthodoxie de l'auteur et, par conséquent, de celui qu'il est
venu défendre. Sur la participation des moines à la lutte
contre l'hérésie, cf. Théodoret, *Hist. relig.*, II : Julien
Sabas, anachorète de Syrie, est exhorté à se rendre à
Antioche par Flavien et Diodore pendant la persécution
de Valens en 365. Une tradition recueillie par Sozomène, II,
31, veut qu'Antoine ait écrit à Constantin pour prendre
la défense d'Athanase après l'exil de 335. Sur ses descentes
à Alexandrie, cf. *ibid.*, 17 (sans date) et III, 15 (cf. Socrate,
IV, 25 = Rufin, II, 7), cf. Jérôme, *ep.* 68, 2 (rencontre
avec Didyme l'Aveugle).

33. Philagrios a succédé à Théodoros dès l'année 338, comme l'indique l'en-tête de la *Lettre festale* X, après le 28 mars, v. *supra*, n. 27. Sa nomination par Constance serait, selon Athanase, le résultat de la pression des Eusébiens, car il a de l'expérience en matière de persécution religieuse (cf. en 335 en Maréote) et, surtout, il est favorable à la cause des ennemis de l'évêque d'Alexandrie (*Hist. Ar.*, 9, 3). C'est en effet pour installer l'évêque arien Grégoire, de Cappadoce comme lui, élu par le synode d'Antioche au siège d'Alexandrie, qu'il est à nouveau envoyé comme préfet en Égypte (v. introduction, p. 83 n. 3 et p. 88 et n. 3). Sur sa carrière, v. Jones, Martindale, Morris, *Prosopography*, I, p. 694, qu'il faut cependant corriger sur un point : il ne fut *rationalis*, ni avant sa première préfecture comme ils l'affirment, ni après comme le soutient J. Lallemand, *o. c.*, p. 242. Le texte sur lequel s'appuient ces auteurs — en-tête de la *Lettre festale* X, pour 338 — attribue cette fonction non pas à Philagrios mais à son prédécesseur Théodoros, comme le confirme *SB* 1002, *ibid.*, I, p. 900. C'est le premier sénateur connu à être préfet d'Égypte, *P. Oxy.* XII, 1470 (336), *ll.* 4, 6 et 9.

34. V. *infra, ad a.* 343, n. 43. Allusion à la fête de Pâques qu'Athanase a passée avec ses fidèles, soit un mois après l'attaque de la Théonas, le 20e de pharmouthi (15 avril), v. l'introduction, p. 81-83. Rappelons que, primitivement, dans le calendrier liturgique égyptien, le baptême était conféré dans la nuit du vendredi au samedi de la sixième semaine du jeûne de la quarantaine qui suivait la fête du baptême de Jésus, le 11 tybi (6 janv.) ; ce n'est qu'avec le rattachement de la quarantaine à la célébration pascale, réforme introduite par Athanase dès 330 (cf. la *Lettre festale* II), qu'il le fut dans la nuit de Pâques (R. G. Coquin, *Les origines de l'Épiphanie en Égypte*, coll. *Lex Orandi* no 40, p. 146 ; cf. l'introduction, p. 70 et n. 2). Sur l'église de Théonas, v. *supra*, p. 181, n. 33.

35. *Ibid.* C'est Philagrios qui l'intronise dans l'église (cf. l'édit du préfet mentionné par l'*ep. encycl.* 2, 1-2).

36. Sur les violences commises en Égypte par Grégoire aidé du préfet Philagrios et du *dux* Balakios, cf. Athanase, *Hist. Ar.*, 12-13, *Vita Ant.*, 86 (repris dans *Hist. Ar.*, 14).

37. Sur le cycle en vigueur alors à Alexandrie, v. *supra*, n. 4. Son point de départ correspondait au début de l'année civile, 1er thôth (29 août) et non plus à l'équinoxe, et les épactes étaient calculées à partir de la néoménie du 23 mars

304, le 14ᵉ *lunae* pascal étant cette année-là le 5 avril.
Les dates de Pâques devaient être comprises non pas entre
le 22 mars et le 25 avril, comme l'a pensé V. GRUMEL
(*Chronologie*, p. 36-40 et 54), mais entre le 23 mars et le
20 avril, selon l'analyse de M. RICHARD, dans *Le Muséon*, 87
1974, p. 310-316. En 340, l'évêque arien, arrivant de
Cappadoce où le comput est différent, montre son ignorance
du cycle alexandrin en donnant comme épacte le chiffre 15
au lieu de 7, ce qui explique la risée dont il est l'objet.
Il faut attendre l'année 357 pour que Pâques tombe le
27ᵉ de phamenôth.

38. Allusion à cette lettre dans celle à Sérapion écrite
de Rome, *PG* 26, 1412 c : « Je t'ai envoyé une lettre que
j'ai écrite pendant une veille, selon la coutume, au sujet
de cette fête, pour que, par toi, les frères connaissent tous
le jour de joie... Et j'ai écrit afin que tu fasses connaître
à chacun des frères le carême et que tu les persuades du
jeûne, afin que, tandis que tout l'univers jeûne, nous,
Égyptiens, ne soyons pas ridicules parce que nous ne
jeûnons pas et que nous passons ces jours dans l'hilarité »,
preuve de la difficulté à faire adopter la réforme rattachant
le jeûne de la quarantaine à la semaine pascale, contrairement à la coutume égyptienne qui le liait à l'Épiphanie
et au Baptême de Jésus fêté le 6 janvier (v. l'introduction,
p. 70 et n. 2). La lettre contient, en outre, une liste
d'évêques d'Égypte avec lesquels Athanase est en communion, cf. *infra*, n. 60.

39. Cette division de la province d'Égypte en deux
nouvelles provinces, dont l'*Index* est un précieux témoin,
reprend celle introduite par Maximin entre 312/315 et 324,
v. J. LALLEMAND, « La création des provinces d'Égypte
Jovia et d'Égypte Herculia », dans *Bulletin de la Classe
des Lettres de l'Acad. royale de Belgique*, Bruxelles, 5ᵉ sér.,
t. 36, 1950, p. 387-395. Il s'agit sans doute, dans la ligne
de la réforme dioclétienne, d'affaiblir le pouvoir du préfet
d'Égypte en lui retirant la partie orientale du Delta (i.e. le
contrôle de la route côtière vers la Syrie) ainsi que l'Arsinoïte
et Oxyrhynchos (accès à la vallée du Nil), le *praeses* de
l'Augustamnique étant souverain, v. J. LALLEMAND,
L'administration civile, p. 53-54 et 59-60. Cf. lettre de
Constance au préfet d'Égypte et aux *praeses* de Thébaïde,
d'Augustamnique et des deux Libye en 346, *ap.* ATHANASE,
Apol. c. Ar., 56, 2.

40. La *Lettre festale* XIII pour 341 a pourtant été écrite à Rome (*PG* 26, 1414 B).

41. La *Lettre* XIV a également été conservée. La raison invoquée dans les deux cas par l'*Index* n'est guère recevable, car dans une situation identique, en 343, 344, 345, Athanase a réussi à envoyer sa lettre.

42. Avant la publication de l'*Historia* et de l'*Index*, on s'en tenait à la chronologie totalement irrecevable de Socrate et Sozomène qui dataient le concile de Sardique des consulats de 347. Celle de 343 attestée par l'*Index* fut pourtant remise en cause par E. Schwartz (suivi par Lietzmann et Telfer), en 1904 et 1911 (= *GS*, 3, p. 10-11 et 325-327) à partir du fragment n° 10 du *Codex Veronensis* LX dans lequel on peut lire : *congregata est synodus consolatu Constantini et Constantini aput Sardicam*, qu'il corrigeait en *Constantii III et Constantis II* (342). La date de 343 doit être définitivement retenue, ce que reconnaissent la majorité des historiens de l'Église désormais. (On note encore, cependant, la prise de position de M. Richard pour 342, dans *Le Muséon*, 87, 1974, p. 319-327 (cf. *infra*, n. 47), mais celle-ci repose, entre autres, sur une interprétation insoutenable de l'*Apol. ad Const.*, 4, d'Athanase, μετεπέμψατο πάλιν εἰς τὰς Γαλλίας, qu'il traduit : « il m'envoya en Gaule (cisalpine) » (p. 326), alors qu'il s'agit bien d'une convocation de l'empereur Constant pour Trèves où ce dernier se trouve en juin 343, *CTh.*, XII, 1, 36). Outre son attestation par l'*Index*, la date de 343 est, en effet, justifiée par l'ensemble des événements qui ont précédé le concile et qui sont rappelés par H. Hess, *The Canons of the Council of Sardica*, Oxford, 1958, p. 140-143, cf. Pietri, *Roma Christiana*, I, p. 212-213, n. 3, ainsi que par Barnes, dans *Phoenix*, 1980, p. 162 s., ce qui devrait mettre un point final à cette longue discussion.

43. C'est de Sardique — et non de Philippopolis, comme on le trouve parfois mentionné à tort — que les évêques orientaux envoyèrent leur synodale à tous les évêques, dénonçant ceux qu'ils avaient déposés, comme l'atteste l'en-tête : *Decretum sinodi orientalium apud Sardicam episcoporum...*, qui ne fait que reprendre l'affirmation des Orientaux eux-mêmes : *ad ciuitatem Serdicam congregati concilium celebrauimus ... placuitque nobis de Serdica scribere, ap.* Hilaire, *frg. hist.*, III, *CSEL* 65, p. 48, 49 et 63. Ils s'y étaient réunis à part, car ils refusaient de siéger en présence d'Athanase, d'Asclépas de Gaza et de Marcel d'Ancyre considérés par eux comme légalement déposés (Athanase,

Hist. Ar., 15-16 ; *Apol. c. Ar.*, 36 et 44). Sozomène, III, 11,
ajoute qu'ils s'étaient d'abord réunis à Philippopolis (dont
l'évêque, Eutikios, était eusébien), puis qu'ils se rendirent
à Sardique ; l'*Encyclique des Occidentaux* pourrait y faire
allusion, quand elle parle de « synodes (qu')ils tenaient dans
chaque ville sur le chemin de Sardique », *ap.* Hilaire,
ibid., p. 120. Selon Socrate, II, 20, au contraire, après
la rupture des négociations avec les Occidentaux, les
Orientaux quittèrent Sardique et se rendirent à Philippopolis
d'où ils envoyèrent leur synodale, ceci en totale contradiction
avec la synodale elle-même, où il n'est nullement question
de Philippopolis, ainsi qu'avec le récit d'Athanase (*Hist.
Ar.*, 16, 2), dans lequel les Orientaux quittent Sardique
sous prétexte que l'empereur leur avait annoncé sa victoire
sur les Perses. Le passage de l'*Index* pourrait accréditer
— à tort — l'idée que le synode des Orientaux s'est tenu
à Philippopolis (ce qui n'est nullement le cas de la *lettre
des Orientaux* citée plus haut, contrairement à ce qu'affirme
G. Dagron, *Constantinople*, p. 429) ; c'est ce qu'a également
retenu la *Chronique* de Michel le Syrien (trad. J. B. Chabot,
I, p. 270). Cf. H. Hess, *o. c.*, p. 12-18.

44. Le lien entre les fonctionnaires impériaux et les
évêques orientaux à Sardique est établi par Athanase
(*Hist. Ar.*, 15), qui mentionne le comte Musonianos et l'eunuque Hésychios. Philagrios, toujours selon Athanase (*ibid.*,
18, 2), occupe alors la fonction de comte, chargé de mission
auprès des évêques orientaux. C'est lui qui réprime l'émeute
d'Andrinople, qui fit dix morts parmi les ouvriers de l'arsenal
qui soutenaient leur évêque Loukios dans son refus de
communier avec les Ariens. Son rôle consiste à empêcher
que les décisions de Sardique soient appliquées.

45. Furent déposés par les Occidentaux : Théodore
d'Héraclée, Narcisse de Néronias, Étienne d'Antioche, Acace
de Césarée, Georges de Laodicée, Ursace de Singidunum,
Valens de Mursa et Ménophante d'Éphèse, ainsi que Grégoire
d'Alexandrie qui n'assista pas au concile car il était gravement malade, comme nous l'apprend l'*Index ad a.* 342
(*synodale des Occidentaux ap.* Athanase, *Apol. c. Ar.*, 47, 2-3,
Théodoret, II, 8, Hilaire, *fgr. hist.*, III, *CSEL*, 65,
p. 103-126). L'expression « Église des Romains » trahit la
rédaction tardive de l'*Index*. Sur l'effacement, au contraire,
de l'évêque de Rome à partir de Sardique, v. C. Pietri,
o. c., p. 208-268.

46. La « rétractation » d'Ursace et Valens, *ap.* HILAIRE,
frg. hist. II, 20 (*CSEL*, 65, p. 145), parvint à Athanase par
Paulin de Trèves (*Apol. c. Ar.*, 58, 1). L'évêque d'Alexandrie
en donne une traduction grecque (*ibid.*, 5, et *Hist. Ar.*,
26, 4 ; cf. SOCRATE, II, 24, et SOZOMÈNE, III, 24). Elle fut
envoyée avec celle destinée à Jules de Rome « deux ans
après la condamnation de Photin par les Romains », précise
Hilaire, soit en 347, 4 ans après le concile de Sardique et
peu après le retour d'Athanase à Alexandrie. Elle avait
pour objet d'« assurer Athanase de leur communion et de
leurs sentiments fraternels » ; sur les circonstances dans
lesquelles ils y furent contraints, v. M. MESLIN, *Les Ariens
d'Occident*, Paris 1967, p. 75, 266-268.

47. Le concile de Nicée avait tenté d'établir l'unité à ce
sujet entre l'Orient et l'Occident, cf. la *synodale à l'Égl.
d'Alex. et aux Églises d'Égypte*, *ap.* SOCRATE, I, 9, et la
lettre de Constantin aux Églises, *ap.* EUSÈBE, *Vita Const.*,
III, 17 (éd. Opitz, *Athanasius Werke* III, *urk.* 23, 12 et
26, 11). D'après CYRILLE D'ALEXANDRIE, *Prologus paschalis*,
l'Église d'Alex., à cause de sa science en la matière, aurait
été chargée d'annoncer la date de Pâques à l'Église de Rome,
laquelle devait la faire savoir aux autres Églises, cf. S. LÉON,
ep. 121 (à l'emp. Marcien), *PL* 54, 1055 (Héfélé-Leclercq,
Hist. des conciles, I, 1, p. 465-466). Mais chacune des deux
Églises continua d'employer son propre cycle. En 343,
Rome vient d'abandonner l'ancien comput par octaétéris
pour adopter le cycle de 84 ans (parfois appelé, à tort,
« cycle romain de 84 ans ») connu de l'Église latine depuis
la fin du IIIe siècle, ce qui explique la divergence de date
pour la célébration pascale entre les deux sièges, 27 mars
à Alexandrie, 3 avril à Rome, v. B. KRUSCH, *Studien zur
christlich-mittelalterlicher Chronologie. Der 84 jährige Osterzyclus und seine Quellen*, Leipzig 1880. Selon l'*Index* lui-
même, *ad a.* 349, le décret de Sardique établissait que les
dates de la fête seraient comprises entre le 30e de phamenôth
(26 mars) et le 26e de pharmouthi (21 avril), conformément
à la *supputatio romana* en vigueur à Rome au IVe s., le
calendrier julien fixant l'équinoxe au 25 mars, le 21 avril
à la fête du *Natalis Romae*. (Dans le cycle alexandrin, la
fourchette se situait entre le 23 mars, lendemain de l'équinoxe, et le 20 avril, cf. *supra*, n. 37). Alexandrie s'est pliée
à l'accord en 346, en décidant que Pâques serait le 30 mars
au lieu du 23 conforme au comput local, selon l'indication
de la 18e lettre festale d'Athanase (*PG* 26, 1423), de même

en 349, en préférant le 26 mars du calendrier romain au 23 avril jugé sans doute trop tardif également par les Alexandrins. On note une divergence en 350, où le comput alexandrin fixe la fête le 8 avril (15e *lunae*), tandis que Rome, qui répugne traditionnellement à le faire avant le 16e *lunae*, l'a reportée au dimanche suivant, 15 avril. En 357 et 360, l'évêque arien Georges fixe la fête selon le comput alexandrin, sans tenir compte de l'accord avec Rome, aux 23 mars et 23 avril (30 mars et 16 avril à Rome). Sur cette question, qui est loin d'être totalement éclaircie, v. V. GRUMEL, *Chronologie*, p. 188, et « Le problème de la date pascale aux IIIe et IVe s. », dans *Rev. Et. byz.*, 18, 1960, p. 163-178 ; M. RICHARD, « Le comput pascal par octaétéris », dans *Le Muséon*, 87, 1974, p. 307-339, plus particulièrement, p. 327-333. Achevant de consacrer la scission entre les deux parties de l'empire, les évêques orientaux, de leur côté, fixèrent un cycle pascal pour trente ans, cf. *Codex Veronensis* LX, nos 13-14, éd. TURNER, *EOMJA*, I, 2, 3, p. 641.

48. La *Lettre festale* XV, manque dans le corpus syriaque.

48 bis. Il s'agit de Fl. Iulius Sallustius, v. JONES, MARTIN-DALE, MORRIS, *Prosopography*, I, p. 798, no 7.

49. Seul témoignage attestant l'existence de ce préfet.

50. En Mésie supérieure, cf. ATHANASE, *Apol. ad Const.*, 4 et la carte des déplacements d'Athanase, *infra*.

51. La *Lettre festale* XVI, pour 344 manque, mais la XVII pour 345 indique deux dates de Pâques dont la première, le 20e de pharmouthi, est celle de 344. On peut donc supposer que les deux billets ont été confondus en un seul.

52. Ce préfet est resté huit ans en place.

53. C'est là qu'il reçoit les lettres de Constance l'autorisant à rentrer (*Apol. ad Const.*, 4, *Apol. c. Ar.*, 52, 1) ; *Hist. Ar.*, 21, 1-2 permet de préciser qu'elles sont postérieures à l'affaire d'Étienne d'Antioche, déposé et remplacé par Léonce à l'automne 344, et à la mort de Grégoire survenue « dix mois plus tard », sinon la première qui a pu être envoyée entre les deux événements, en tout cas les deux autres. PHILOS-TORGE, III, 12, SOCRATE, II, 23, SOZOMÈNE, III, 20, THÉODORET, II, 8, rapportent les pressions menaçantes auxquelles Constant fut obligé de recourir pour que son frère accepte d'agir, lequel y fera allusion dans une lettre postérieure aux Alexandrins (*Hist. Ar.*, 49, 2).

54. V. *supra*, n. 51. En l'absence de l'évêque, c'est aux prêtres qu'incombe le soin de la communauté d'Alexandrie, cf. *Apol. c. Ar.*, 37, 8.

55. Et non le 27e de phamenôth (23 mars), 15e *lunae*, comme l'indique le comput alexandrin, cf. *supra*, n. 47.

56. La mort de Grégoire est à replacer en 345 ; v. l'introduction, p. 76 et n. 1 et *Hist. « aceph »*., note 3.

57. Athanase craint un piège, ceci ressort des trois lettres de Constance (*Apol. c. Ar.*, 51, 2-8) ; il ne se décidera à rentrer dans sa capitale qu'avec de solides assurances. Une lettre de Constance à Constant postérieure à juin 346 l'invite à pousser l'évêque à quitter l'Occident (*Hist. Ar.*, 21). Enfin, sur son invitation, les comtes Polémios, Datianos, Bardio, Thalassos, Tauros et Phlorentios, hauts fonctionnaires (v. Jones, Martindale, Morris, *Prosopography*, I, p. 710, 243, 147, 886, 879) en qui Athanase a confiance, sont chargés de le rassurer (*ibid.*, 22, 1). D'Aquilée, l'évêque se rend à nouveau en Gaule auprès de Constant (*Apol. ad Const.*, 4), et c'est de là qu'il part pour l'Orient en passant par Rome (*Apol. c. Ar.*, 52, 1). Il rencontre Constance à Antioche où celui-ci se trouve à l'automne 346 (*ibid.*, 54, 1). (De là sont envoyées les lettres aux évêques, au peuple d'Alexandrie, et aux autorités civiles d'Égypte abrogeant les mesures prises contre l'évêque et ses prêtres, et rétablissant immunités et exemptions, *ibid.*, 54-56, *Hist. Ar.*, 23). Il lui propose la réunion d'un concile pour se disculper des accusations lancées contre lui depuis son départ, mais l'empereur se contente de faire retirer des archives les écrits le concernant (*ibid.*, 22, 2 et 44, 4). Puis, traversant la Syrie, il se rend à Jérusalem où les évêques de Palestine (sauf deux ou trois, *ibid.*, 25, 2), le reçoivent dans leur communion (*Apol. c. Ar.*, 57, 1). Or Maxime de Jérusalem, selon le témoignage de Socrate, II, 8 et 24 (cf. Sozomène, III, 6), avait souscrit à sa déposition à Tyr ; la lettre du synode fait allusion à la contrainte qui fut exercée alors sur les évêques pour leur faire signer la condamnation du champion de Nicée, *ap.* Athanase, *Hist. Ar.*, 25, 3. Puis il rencontre Apollinaire à Laodicée (Sozomène, VI, 25). Enfin il entre en Égypte par Péluse (Socrate, II, 24). V. la carte des déplacements d'Athanase, *infra*. Le nom de l'église n'est pas précisé, il s'agit sans doute de la Théonas qui sert alors de résidence à l'évêque, cf. *Hist. « aceph. »* 1, 9-10, et n. 33 p. 181.

58. En 338 (= 337) déjà, lors du retour de son premier exil, l'*Index* a indiqué qu'Athanase « revint de Gaule le 27e d'athyr, en grand triomphe ». L'entrée triomphale réservée ici à l'évêque, telle qu'on la rencontre pour les

personnages officiels, empereurs, et, parfois, préfets, est
évoquée en une phrase : les autorités civiles et militaires,
accompagnées des membres de la curie et de tout le peuple
de la ville, sont allées au devant de lui, « avant le centième
mille », soit durant plusieurs jours de marche. C'est ainsi
que Grégoire de Nazianze, dans son éloge, décrit le retour
du premier et du troisième exil de l'évêque (il semble ignorer
le second), auquel il compare l'entrée dans la ville du préfet
Philagrios (en 338) réclamé par la foule pour une seconde
préfecture (v. *supra*, n. 33), *Or.*, 21, 27-29, *P G* 35, 1113-1116.
De même l'*Hist.* « *aceph.* », 5, 7 (= *Ba* 16) décrit le retour
du dernier exil en 366 dans le cadre d'une réception officielle
par les autorités de la ville conduites par le notaire impérial
Brasidas entouré du peuple de la ville. Athanase de son côté
évoque l'exultation du peuple chrétien et le regain de
vocations monastiques provoqués par le retour en force
de l'orthodoxie (*Hist. Ar.*, 25, 3-4). Une députation de
moines pakhômiens s'est rendue à Alexandrie pour la
circonstance, munie d'une lettre d'Antoine le félicitant de
son retour (*Vie grecque de Pakhôme*, 77, éd. Festugière,
p. 120). Sur l'éventuel itinéraire suivi par Athanase depuis
Péluse, par Héracléopolis, Tanis, Thmuis, Kynopolis, Taua,
Andrô (où a pu avoir lieu la rencontre « avant le centième
mille »), Naukratis, Hermopolis parva, Chereu, v. K. MILLER,
Itineraria romana, Rome 1964 (= Stuttgart 1916), col. 870-
871 et carte nº 273, col. 859-860. C'est avec ce second
retour d'exil que commence l'*Historia « acephala »*.

59. La *Lettre festale* XVIII, simple billet, comme la XII
(pour 340), la XVI (pour 344) et la XVII (pour 345),
rappelle que la date de Pâques, décidée au concile de
Sardique en accord avec les Romains, « ne peut être le
27e de phamenôth (23 mars) mais bien le 4e de pharmouthi
(30 mars) ». Il s'agit d'éviter que se reproduise l'erreur
de 340, v. *supra*, n. 37 et 47.

60. Dans la *Lettre festale* XIX, Athanase rend grâce
à Dieu de l'avoir rappelé auprès des siens et de pouvoir
célébrer la Pâque avec eux. Outre les dates du carême
et de la fête, selon la coutume, il donne une liste des nouveaux
évêques d'Égypte avec lesquels il est désormais en communion, parmi lesquels on reconnaît certains Mélitiens « revenus
à la paix de l'Église », cf. déjà la *Lettre festale* XII pour 340
(v. *supra*, n. 38). Nous renvoyons pour leur étude à notre
thèse de doctorat en cours.

61. Selon le comput alexandrin, la date de Pâques est le 28e de pharmouthi (23 avril), le 19e *lunae*, en effet ; il faut donc comprendre le texte ainsi : le dimanche de Pâques était le 30e de phamenôth (26 mars) — et non le 28e de pharmouthi, le 19e de la lune — parce que les Romains avaient fait opposition. Le rédacteur, par une sorte de lapsus, n'a conservé du comput alexandrin que le jour de la lune, qu'il corrige ensuite, conformément au comput romain, en 21e *lunae*, cf. *supra*, n. 47 et Appendice III.

62. A partir de cette année 349, les lettres manquent. Des fragments en grec (dans la *Topographie chrétienne* de Cosmas Indicopleustès), en syriaque (dans la correspondance de Sévère d'Antioche) et en copte ont déjà été édités, cf. introduction, p. 124, n. 2, et continuent d'être retrouvés.

63. JÉRÔME, *Chron.*, ad a. 350.

64. La lettre a été conservée par ATHANASE, *Apol. ad Const.*, 23 (trad. grecque), *Hist. Ar.*, 24 (cf. 30 et 51). Il s'agit pour Constance de couper court à tout rapprochement entre l'Égypte et l'Occident alors aux mains de Magnence. On sait que plus tard Athanase sera accusé d'avoir eu des relations avec l'usurpateur (*Apol. ad Const.*, 6).

65. A cause de l'usurpation de Magnence, il n'y eut pas de consuls en Orient pour cette année-là.

66. C'est sous le nom de Flavius Claudius Constantius que Gallus, fils de Flavius Julius Constantius, fut proclamé César (JÉRÔME, *Chron.* ad a. 351, *Chron. pascale*, ad a. 351, le 15 mars, cf. *Hist.* « aceph. », 1, 8 = *Ba* 3, et n. 28). Sur la communauté de nom avec Constance, v. AMMIEN, XIV, 1, 1. Sur la place de ce passage dans l'*Index ad a.* 352 et non *ad a.* 351, v. l'introduction, p. 76-77.

67. Ce personnage dont l'existence n'est attestée que par l'*Index*, ne doit pas être confondu avec le *dux* d'Égypte, du même nom, v. Appendice VI.

68. Cf. *Historia* « acephala », 1, 7-8 (= *Ba* 3), plus développée, v. p. 141-143 et 178-180.

69. Il s'agit en effet de le distinguer de Maximos de Raphia qui occupe la charge quelques mois seulement en 364.

70. Cf. *Hist.* « aceph. », 1, 9 (= *Ba* 4) et commentaire, p. 182.

71. Cf. *ibid.*, 10-11 (= *Ba* 5). Le rédacteur se plaît à souligner le caractère « merveilleux » de la fuite d'Athanase, cf. *Apol. de fuga*, 24, « c'est le Seigneur qui le guidait et gardait ses pas », 25, τῆς τοίνυν Προνοίας οὕτως καὶ παραδόξως ῥυσαμένης, « la Providence m'ayant ainsi soustrait au danger

d'une manière extraordinaire ». « On raconte, dit Sozomène, IV, 9, que souvent ce fut sur les indications divines qu'il échappa à beaucoup d'autres dangers et que c'est Dieu qui lui révéla cette attaque » ; suit le récit de ces épisodes de la vie de « l'homme de Dieu », où il est l'objet de la sollicitude divine.

72. Cf. *ibid.*, 2, 2 (= *Ba* 6).

73. Sur ces excès, en particulier sur les événements d'avril-mai 357 sur lesquels l'*Historia* est muette, v. *Apol. de fuga* 6-7 et introduction, p. 93-95.

74. Athanase évolue dans la ville « comme un poisson dans l'eau », grâce au soutien populaire dont il bénéficie. Sozomène, IV, 10, raconte comment, sous Constance, il fut caché dans un réservoir (cf. Rufin, I, 19, *in lacu cisternae non habentis aquae*) par une famille dont la servante finit par vendre la mèche, mais l'évêque, averti, avait eu le temps de s'enfuir avec la famille passible de la peine de mort pour désobéissance à l'empereur.

74 bis. Il s'agit de Datianus, sénateur de Constantinople, cf. *Hist.* « *aceph.* », 2, 3 (= *Ba* 6) et n. 50.

75. Bien que l'origine géographique du préfet de 357 ne soit pas indiquée et que la mention « le même » fasse défaut en 358, il semble toutefois que l'on puisse rapprocher ce nom, déformé par le scribe, de celui du préfet de 357, Parnasios, bien connu par ailleurs, cf. Ammien, 19, 12, 10, *infra*, n. 77.

76. *Hist.* « *aceph.* », 2, 3 (= *Ba* 6).

77. Parnasios fut remplacé à la préfecture d'Égypte avant l'accusation de haute trahison lancée contre lui par le notaire Paul au procès de Scythopolis au printemps 359 (Ammien, 19, 12, 10, *ex praefecto Aegypti*) ; il fut accusé d'avoir consulté l'oracle d'Abydos et condamné à l'exil, cf. Libanius, *Or.*, XIV, 15-16 ; O. Seeck, *Die Briefe des Libanius*, p. 231-232 ; Jones, Martindale, Morris, *Prosopography*, I, p. 667-668. Nous ne pensons pas qu'on puisse rapprocher ce Parnasios de l'*Hermogenes* « ancien préfet d'Égypte » destinataire de la lettre 33 (éd. Bidez) de Julien écrite peu après la mort de Constance, comme se sont crus autorisés à le faire à la suite de Schwartz (*Nach. Gött.* 1904, p. 351, n. 3 = *GS*, 3, p. 23, n. 3) et de Cantarelli, n° 113, C. Vandersleyen, *Préfets d'Égypte*, p. 134-135, et J. Lallemand, *L'administration civile*, p. 245, n° 24. Il s'agit vraisemblablement d'une confusion avec le préfet du prétoire de 358-360, comme le font valoir Jones ...

Prosopography, I, p. 423-424. D'autre part, il semble bien
que l'indication fournie par le rédacteur porte sur la date
du remplacement (soit en mars) en rapport avec l'accusation
et non sur la durée de la préfecture d'Italikianos (durée qui
n'est jamais indiquée par ailleurs dans l'*Index*), comme
l'ont entendu C. Vandersleyen, J. Lallemand et Jones...,
à la suite de Schwartz, *o. c.* Sur la carrière postérieure
d'Italikianos, *Prosopography*, I, p. 466.

78. Ce préfet, originaire de Chalcédoine, est sans doute
le même que le *katholikos* du même nom, Bithynien et
« hérétique » (= arien), qui participa, aux côtés de Cataphronius alors préfet d'Égypte, aux affrontements auxquels
donnèrent lieu la remise des églises d'Alexandrie aux Ariens
en 356 (ATHANASE, *Hist. Ar.*, 55, 2 et 58, 2). Cf. E. SCHWARTZ,
Nach. Gött., 1904, p. 351, n. 5 (= *GS* 3, p. 23) repris par
J. LALLEMAND, *L'adm. civile*, p. 245, n° 26, et la *Prosopography*, I, p. 326-327, Faustinus 2.

79. Cet épisode ne figure pas dans l'*Historia* ; SOZOMÈNE,
V, 6, y fait allusion. Dans les *Acta Petri*, *PG* 18, 462 C,
une vierge occupe aussi une petite cellule, *asceteriolum*,
mitoyenne du cimetière de S. Marc, à l'Est de la ville.
Le même *dux* Artémios fit une descente dans les monastères
pakhômiens de Thébaïde, à Pabau en particulier, v. introduction, p. 96-97 et n. 1. RUFIN, I, 35, qui utilise vraisemblablement la *vie de Pakhôme*, a inversé le récit ; dans
la *vie* en effet c'est la barque de Théodore qui, descendant
le Nil, croise celle d'Artémios à la poursuite d'Athanase,
alors que chez Rufin c'est celle d'Athanase qui, ayant fait
volte-face et descendant le fleuve, croise celle du « comte »
(dont le nom n'est pas mentionné) qui ne se doute pas de
la ruse. « Averti par la puissance divine (cf. le dossier
« merveilleux » déjà évoqué *supra*, n. 71) Athanase revint
à Alexandrie où il séjourna en sécurité dans des cachettes
jusqu'à ce que la persécution eût pris fin ». L'événement fait
suite chez Rufin à l'exposé de la politique de l'empereur
Julien à l'égard d'Athanase. Chez SOZOMÈNE, IV, 10, qui
rapporte le fait, le récit est beaucoup plus sobre et fait
suite à celui d'un épisode du même genre se déroulant
sous le règne de Constance (v. *supra*, n. 74). Le retour
clandestin de l'évêque à Alexandrie où il attend la fin de
la persécution le situerait plutôt en 360 qu'en 363, où ce
n'est qu'à l'annonce de la mort de l'empereur Julien qu'il
rentre secrètement dans la capitale (v. *infra*). Le *dux*
Artémios devait être mis à mort sur ordre de Julien à

Antioche en 362, v. *supra*, *Hist.* « *aceph.* », n. 63, et J. DUMNER, « Fl. Artemius dux Aegypti », dans *Archiv. für Papyrusforschung*, 21, 1971, p. 121-144.

80. Ceci est confirmé par l'*Hist.* « *aceph.* », 2, 8 (= *Ba* 8), c'est en effet le préfet Gérontios qui annonce à Alexandrie la mort de Constance, le 30 nov. 361.

81. Cf. *Hist.* « *aceph.* », 3, 2 (= *Ba* 10) et commentaire, p. 191.

82. Identifié par O. SEECK, *Die Briefe des Libanius*, p. 125, avec l'Ecdicius, préfet d'Égypte à qui est adressée l'*ep.* 107 de Julien (éd. Bidez, p. 185-186), en juil. 362, lui réclamant la bibliothèque de Georges d'Alexandrie.

83. La date exacte est précisée par l'*Hist.* « *aceph* », 3, 3 (= *Ba* 10), le 27e de méchir (21 févr.) 362.

84. C'est bien une *fuga in persecutione* dont il est question en 356, v. l'introduction, p. 25.

84 ᵇⁱˢ. Il s'agit de Flavius Sallustius, préfet du prétoire des Gaules en 361-363, v. JONES, MARTINDALE, MORRIS, *Prosopography*, I, p. 797, nᵒ 5, qui ne cite pas notre texte.

85. Sur ce messager de l'empereur Julien, dont nous ignorons autrement la fonction, v. *Historia* « *acephala* », 3, 5 (= *Ba* 11) et n. 83. Rien ne permet de préciser s'il s'agit de la Thèbes égyptienne ou grecque. Sur le glissement chronologique (363 au lieu de 362), v. l'introduction, p. 77.

86. Et non *Philippi servus* comme l'a transcrit Mai ! Depuis l'époque hellénistique, les philosophes, en particulier les Cyniques et les Stoïciens, portaient la barbe. On sait également qu'à partir de Constantin, tous les empereurs étaient imberbes, sauf précisément Julien, fervent disciple de la philosophie néo-platonicienne. Voir, entre autres, les portraits de la série du Louvre, en philosophe *(pallium et volumen)* et grand-prêtre couronné de la *stéphanè* (P. LÉVÊQUE, « Observations sur l'iconographie de Julien dit l'Apostat d'après une tête inédite de Thasos », dans *Monuments et mémoires* (Fondation Piot) 51, 1960, p. 105-128, plus particulièrement les fig. 4-7 et 9) et l'admirable buste du Musée de l'Ermitage (*Id.*, « De nouveaux portraits de l'empereur Julien », dans *Latomus* 22, 1963, p. 74-84, pl. xiv). V. également les trois portraits provenant des Musées de Lyon, Genève et Florence présentés par A. ALFÖLDI, « Some portraits of Julianus Apostata », dans *American Journal of Arch.*, 66, 1962, p. 403-405. Sur l'iconographie monétaire de l'empereur barbu, v. les séries des ateliers d'Antioche et de Constantinople dans E. BABELON,

« L'iconographie monétaire de Julien l'Apostat », dans les *Mélanges numism.*, 4e série, Paris 1912, p. 36-69.

87. Cf. *Hist.* « *aceph.* », 3, 5 (= *Ba* 11) ; les deux textes insistent sur l'instantanéité du départ d'Athanase, le premier pour Chairéon, le second pour Thèbes ou la Thébaïde.

88. Le rédacteur a distingué avec raison les deux événements, celui de la mort de Julien survenue « huit mois plus tard », soit en payni (juin), et celui de l'annonce de cette mort à Alexandrie. La première date est connue par Ammien, XXV, 3 et Zosime, III, 29, le 26 juin 363, la seconde se trouve dans l'*Hist.* « *aceph.* », 4, 1 (= *Ba* 12), le 26e de mésorè (19 août 363). Un décalage analogue avait été signalé pour la mort de Constance par l'*Historia*, 2, 8 (= *Ba* 8).

89. C'est en confrontant ce passage avec l'*Hist.* « *aceph.* », 4, 3-4 (= *Ba* 13) qu'on peut reconstituer la chronologie du retour d'Athanase. Fin août, l'évêque alors à Antinoé apprend la mort de l'empereur Julien ; huit jours plus tard il arrive secrètement à Alexandrie (car il est toujours sous le coup de l'édit d'exil), d'où il s'embarque pour la Syrie, puis se rend à Hiérapolis où il rencontre l'empereur Jovien. Cette rapidité est nécessaire si Athanase veut pouvoir récupérer son siège avant que les partisans de Lucius ne réussissent à le lui faire occuper ; c'est aussi pour quoi le rédacteur insiste sur le fait que l'évêque fut reçu *le premier*, v. l'introduction, p. 30.

90. Cf. l'*Hist.* « *aceph.* », 4, 3 (= *Ba* 13) ; Athanase a remonté le Nil jusqu'à Hermopolis et Antinoé. Les *vies coptes de Pakhôme*, 200-203 (éd. Lefort, p. 220), *vie grecque*, 143-144 (éd. Festugière, p. 239) font état de sa présence en Thébaïde, à Hermopolis en particulier, où il célèbre la Pâque. Ceci pourrait s'être produit en 363, si l'on rapproche les trois sources d'information. C'était déjà la suggestion de P. Ladeuze, *Études sur le cénobitisme pakhômien*, Louvain 1898, p. 223.

91. Le 19e de méchir d'après l'*Historia*, 4, 4 (= *Ba* 13), soit « après un an, trois mois et vingt-deux jours passés en exil sur ordre de Julien », précise-t-elle, ce qui permet de vérifier que c'est bien la date fournie par l'*Historia* qui est la bonne.

92. Un fragment de cette lettre, *P. Berol.* 11948, a été conservé en copte, v. l'introduction, p. 30 et n. 1 ; le *fol.* 107 précise qu'il écrit d'Antioche.

93. V. l'introduction, p. 103 et n. 2. La mort de Julien et le retour d'Athanase dûment muni d'un édit impérial au début de 364 durent entraîner la reprise des locaux par les chrétiens qui, en 365, sont dans la place. C'est ainsi qu'il faut entendre la formule « nous tenions le Césarion », preuve indubitable que l'*Index* provient des archives de l'Église d'Alexandrie. Des fouilles entreprises en 1874 ont permis de dégager l'angle Nord-Ouest de l'ancien temple situé en face du port oriental et dont Philon a laissé une description éblouie (*Ad Caium*, 151), v. NEROUTSOS-BEY, *L'ancienne Alexandrie*, Paris, 1888, p. 10-14, et E. BRECCIA, *Alexandrea ad Aegyptum*, 1922, p. 78-79 ; v. la carte reproduite à la fin de ce volume. Mais si l'emplacement a pu être identifié grâce à deux inscriptions (E. Breccia, *Insc.*, nº 50, 14 ap. J.-C. et Neroutsos, *o. c.*, p. 12, 166 ap. J.-C.), le plan n'est pas connu. Transformé en église sous Constance, il constitua un enjeu dans les luttes entre païens et chrétiens et entre factions chrétiennes rivales jusqu'à sa destruction définitive par un incendie en 912. Le nom de *Kaisareion* désigne aussi bien l'édifice lui-même que le vaste enclos dans lequel il se trouvait, cf. Athanase, *Hist. Ar.*, 74, 2, ἐν τῇ μεγάλῃ ἐκκλησίᾳ τῇ ἐν τῷ Καισαρείῳ, de même Jean de Nikiou, *Chron.*, 64, éd. Zotenberg, p. 405. C'est à tort que la *PG* 42, 2, 205 B, édite Épiphane, *Pan.*, 69, 2, 2, τῇ Καισαρείᾳ,, cf. éd. Holl, *GCS* 37, p. 153, τῇ Καισαρίῳ, et de même Socrate, *H.E.*, VII, 15, Καισάριον, nom sous lequel l'église fut le plus souvent désignée jusqu'à la fin de l'Antiquité, Malalas, *Chronogr.*, *PG* 97, 337 A.

94. Brève allusion au cinquième exil qui fait l'objet d'un développement très précis dans l'*Hist.* « *aceph.* », 5, 1-4 (= *Ba* 15-16), p. 159-163.

95. Là encore, l'*Historia*, 5, 6, permet de préciser la date du retour, le 7e de méchir (1er févr.) 366. Sur le glissement chronologique (365 au lieu de 366), v. l'introduction, p. 77. On remarquera la formule « quelques jours après » pour des événements espacés, en réalité, de quelques mois, formule que l'on retrouve dans l'*Historia*, 3, 1 (= *Ba* 9), *proximo autem die*, séparant choiak (déc.) de méchir (févr.). Dans le calendrier égyptien, oct. (mois du départ d'Athanase non indiqué par l'*Index*), déc. et févr. se suivent en effet dans la même année.

96. Il s'agit de l'église de Denys, *Hist.* « *aceph.* », 5, 7 (= *Ba* 16).

97. Cet événement est signalé, à peu près dans les mêmes termes, dans de nombreuses chroniques, JÉRÔME, *Chron.* *ad a.* 365, repris par OROSE, *Adv. Paganos* VII, 32, 5 (365), PROSPER TIRO, *Chron. ad a.* 365, IDACE (21 juil.) ; les *Consularia Italica* (21 juil. 365), *Ravennatica* (21 juil. 363 *sic*), repris par les *Excerpta latina*, éd. Frick, p. 414 et 364 ; le *Chron. pasc. ad a.* 365 (21 août, *sic*). Ce raz de marée provoqué par un séïsme dont l'épicentre situé en Orient reste difficile à localiser avec précision (Palestine ?), fait l'objet d'un récit beaucoup plus détaillé par Ammien, XXVI, 10, 15-19, qui fournit un détail concernant plus précisément Alexandrie : *Ingentes aliae naves culminibus insedere tectorum ut Alexandriae contigit.* Sozomène, VI, 2, pour qui le tremblement de terre est l'expression de la colère de Dieu contre l'empereur Julien, n'a retenu que « ce qui arriva aux Alexandrins » : 1. les barques de mer « sur les tuiles », ὡς καὶ ἐπὶ τῶν κεράμων, ἀποχήσαντος τοῦ ὕδατος, θαλάττια εὑρεθῆναι σκάφη ; 2. la fête, le jour anniversaire du tremblement, « encore aujourd'hui », mais sans qu'il en fournisse la date. Les zones les plus touchées par le reflux des eaux marines vers l'intérieur des terres furent celles du Delta oriental, dans la région de Thennesos et Panephysis, comme en témoigne CASSIEN, *Coll.* XI, 3 (*SC* 54, p. 102), mais aussi, à Alexandrie, celle occupée par la nécropole dont les sépultures s'appelaient κέραμοι, à l'E. et au S.-E. de la ville, quartier parfois appelé la « colline aux tessons » ou encore Κοπρίαι, selon NEROUTSOS, *Alexandrie*, p. 26-30, qui explique également que, dans cette ville, les toits des maisons n'étaient pas couverts de tuiles mais d'un *pavimentum* de béton, cf. A. CALDERINI, *Dizionario*, p. 121 et 123, et A. ADRIANI, *Repertorio*, p. 224-225. SOCRATE, *H.E.* IV, 3, situe l'événement correctement sous Valens, en 365, mais n'en parle que d'une manière très générale.

98. Cet événement fait suite à la reprise des locaux par les chrétiens après la mort de Julien (v. *supra*, n. 93) et doit être compris comme une tentative par les païens de reprendre possession du temple. Et c'est sans aucun doute pour cette raison que le préfet Phlavianos, sous lequel eut lieu l'incendie, fut limogé et remplacé par Proklianos, comme l'indique l'*Index* lui-même (« Après cela... »). La carrière de Phlavianos n'est pas autrement connue. ÉPIPHANE qui mentionne l'événement, le place, à tort, sous Julien, *Pan.* 69, 2, 3, *GCS* 37, p. 153.

98 **bis**. Sur l'équivalence entre le terme πολιτευόμενοι, employé par le rédacteur, et celui de *bouleutes* à partir du IIIᵉ s., v. P. Petit, *Libanius*, p. 30 et 32, et A. K. Bowman, *The Town Councils of Roman Egypt*, Toronto 1971, p. 27 et 31. Les bouleutes sont responsables — conjointement avec le préfet — du maintien de l'ordre dans la ville et, en cas de troubles graves, ils sont sanctionnés, comme on le voit ici, cf. *Hist.* « *aceph.* », 5, 1-2 (= *Ba* 15) et n. 129. Une enquête fut sans doute décidée. Ce qui leur fut reproché, c'est de n'avoir pas su — comme à Antioche en 387 — arrêter l'émeute avant qu'elle ne mît le feu à l'ancien temple impérial.

99. Flavius Eutolmius Tatianus entre à Alexandrie le 27 janv. 367 d'après les *Excerpta Barbari* (éd. Frick, p. 364, 17), au plus tard le 10 mai (*C. Th.* XII, 18, 1). Sur la carrière de ce clarissime qui fut préfet du prétoire d'Orient, v. Dessau, *ILS* 6844 (= *CIG* 4266 e), C Vandersleyen, *o. c.*, p. 146-150, J. Lallemand, *o. c.*, p. 247-248 et Jones, Martindale, Morris, *Prosopography*, I, p. 876-878.

100. Le nom de cette église n'est pas précisé, il peut s'agir de celle de Denys où Georges avait résidé avant d'être attaqué par les partisans d'Athanase, *Hist.* « *aceph.* », 2, 3 (= *Ba* 6). Sur le « four » attenant à l'église, *ibid.*, n. 162.

101. L'épisode est rapporté plus en détail par l'*Historia*, 5, 11-13 (= *Ba* 18).

102. Cette *Lettre festale* XXXIX, a pu être presque totalement reconstituée grâce aux fragments grecs, syriaques et coptes, P. Joannou, *Discipline gén. antique*, Rome 1962, II, p. 71-76, en donne une édition-traduction, cf. Mercati, « Il canone biblico Atanasiano con sticometrie interpolate », dans *Studi e Testi*, 95, 1941, p. 78-80. Théodore, le successeur de Pakhôme, la reçut et la fit traduire en copte par les frères « pour qu'elle leur servit de règle », *vies coptes de Pakhôme*, 189 (éd. Lefort, p. 205 et 334). Il s'agit pour Athanase de mettre fin à la prolifération des écrits apocryphes répandus en particulier par les Mélitiens. Durant son séjour à Rome, en 340/341, il avait été sollicité par l'empereur Constant de dresser une table des Saintes Écritures (*Apol. ad Const.*, 4). Or le contenu et l'ordre des livres du canon de 367 sont les mêmes que ceux du *Codex Vaticanus* de l'Écriture datant du IVᵉ s., qui pourrait en ce cas provenir du travail d'Athanase. Les canons 11, 12 et 18 du Ps. Athanase rappellent que revient à l'évêque le soin de vérifier les lectures et les chants faits à l'église, et que seuls

doivent être lus et chantés les Psaumes de David (cf. concile
de Laodicée, c. 59) « de sorte que le peuple apprenne le
grand œuvre de Dieu » (c. 18, éd. RIEDEL and CRUM, p. 28).
Là encore le but est de faire pièce aux apocryphes qui
circulent nombreux en Égypte, ainsi qu'aux chants et
hymnes composés par les Mélitiens directement visés par
le c. 12. Ceux-ci sont dénoncés par Athanase (*Hist. Ar.*, 78, 1)
pour leur ignorance de « ce que nous, les chrétiens, tenons
pour les Écritures ». V. notre art. dans *Rev. Et. Aug.*, t. 25,
1979, p. 16-17.

103. Le syriaque ne donne pas de sujet. Il en est de même
pour les années 329-332, 334, 336-339, 344-349, 363 et 373
pour lesquelles il est clair qu'il s'agit d'Athanase. Ici on est
en droit d'hésiter. S'agit-il en effet d'Athanase (cf.
ÉPIPHANE, *Pan.*, 69, 2, 3, *GCS* 37, p. 153, ἀνακτισθείσης ὑπ'
αὐτοῦ τοῦ μακαρίτου Ἀθανασίου τοῦ ἐπισκόπου), ou bien du préfet
d'Égypte précédemment nommé, à qui incombe d'ordinaire
la réparation des édifices publics de la ville (v. J. LALLEMAND,
L'administration civile, p. 69-70) ? Il semble bien que cet
ancien temple antérieur à la conquête, dédié depuis Auguste
au culte impérial, soit resté la propriété de l'empereur et ne
dépende pas par conséquent de la cité d'Alexandrie, à la
différence des édifices du culte impérial dans les autres
cités. La préoccupation légitime de l'évêque est de pouvoir
réunir à nouveau ses ouailles le plus rapidement possible
dans la « grande église », la seule dans toute la ville susceptible de contenir l'ensemble du peuple chrétien (cf. *Apol.
ad Const.* 14). Mais il a besoin de l'autorisation impériale
pour pouvoir entreprendre les travaux de remise en état
de l'édifice, travaux dont l'importance requiert le concours
de l'armée (déblaiement et réfection) ; l'autorisation passe
donc par les services du *dux*. De son côté, l'empereur Valens,
dont on connaît la sympathie pour Athanase (v. l'*Index
ad a.* 365 !), ne se montre pas spécialement empressé : sa
lenteur — près de deux ans — n'a d'égale que la rapidité
avec laquelle la reconstruction sera menée !

104. Le nom de ce quartier, Mendidion/Bendideion,
s'explique par la présence d'un ancien temple dédié à la
déesse thrace Bendis (Ps.-CALLISTHÈNE, I, 31, qui le situe
au N., près de la mer) ; il prit ensuite le nom du dieu égyptien
Mendès, v. A. CALDERINI, *Dizionario*, p. 101. Les deux
formes du nom se sont cependant maintenues. SYNÉSIOS,
ep. 4, *PG* 67, 1328 B, s'embarque pour la Cyrénaïque
ἐκ βενδιδείου, et la *Vita S. Marci* métaphrastique, *PG* 115,

165 A, fait débarquer S. Marc venant de Cyrène εἰς τόπον
καλούμενον Μένδιον, enfin JEAN DE NIKIOU, *Chron.* 107,
éd. ZOTENBERG, p. 543, situe « l'église de S. Athanase »
« au bord de la mer » (le § 84, p. 465, qui l'évoque également
à propos des bagarres entre Juifs et Chrétiens au temps
de Cyrille, commet une confusion avec celle d'Alexandrie, cf.
SOCRATE, *H.E.* VII, 13, ce qui résout la contradiction
topographique soulevée par A. ADRIANI, *Repertorio*, p. 210).
G. LUMBROSO a donc localisé le quartier entre l'*emporion*
et l'Heptastade, « là où STRABON, *Geogr.* XVII, 794, situe
la station des navires », *L'Egitto al tempo dei Greci e dei
Romani*, 2e éd. Rome 1895, p. 159-160, cf. E. BRECCIA,
Alexandrea ad Aegyptum, Bergame 1922, p. 55. Elle est
encore appelée du nom du quartier dans lequel elle fut
construite au temps d'Épiphane, *Pan.* 69, 2, 4, ἡ τοῦ Μενδι-
δίου, *GCS* 37, p. 153. V. le plan d'Alexandrie à la fin du
volume.

105. C'est-à-dire le 22 septembre 368, la 85e année de
l'ère de Dioclétien s'écoulant du 29 août 368 au 28 août 369.

106. *P. Oxy.* XVII, 2110, atteste que Tatianos est encore
en poste le 6 oct. 370.

107. Celle-ci a été célébrée le 7 août 370, quelque temps
avant la fin des travaux, comme ce fut le cas pour la « grande
église » (le Césarion) sous Constance, (*Apol. ad Const.*, 14).
Ces travaux auront duré près de deux ans.

108. L'*Historia « aceph.* », 5, 14 (= *Ba* 19) indique le
8e de pachôn (3 mai) ; dans le calendrier copte, Athanase
est fêté le 2 mai. L'année égyptienne s'achève le 28 août.

APPENDICE I

TABLEAU DE CONCORDANCE DES ÉDITIONS DE L'HISTORIA

Ma = Maffei ; Ga = Galland ; Si = Sievers ; Mai = Mai ; PG = Migne ; Ba = Batiffol ;
Fr = Fromen ; Tu = Turner-Opitz ; SC = Sources chrétiennes.

Ma Ga Si	Mai PG	Ba Fr	Tu	SC
1	1	1	1	1, 1
	2 Et factum est... mensib.	2		
2 Secundum autem reuersionis eius	*deest*		2	1, 2-6
3	3	3	3	1, 7-8
	4	4	4	1, 9
	5	5	5	1, 10-11 ; 2, 1
4				
5	6	6	6	2, 2-4

Ma Ga Si	Mai PG	Ba Fr	Tu	SC
	7	7	7 Et post annos II et menses V	2, 5-7
6	8	8	8	2, 8-9
7	9	9	9	3, 1
	10	10	10 Et post dies XII	3, 2-4
8	11	11	11	3, 5-6
	12	12	12	4, 1-2
9	13	13		4, 3-4
	deest	13 bis	13-14	4, 5-6
	14	14	15	4, 7
10	15	15	16	5, 1-3
11	16	16	17	5, 4-7
12 Consulatu Gratiani	17	17	18 Usque ad sequentem Lupicini	5, 8-10
13	18	18	19	5, 11-13
	19	19	20	5, 14

APPENDICE II

DATES DE LA FÊTE DE PÂQUES

	INDEX		EN-TÊTE DES *LETTRES FESTALES*
	cal. égyptien	*cal. romain*	
328	[16e]*19e pharmouthi	18e j. av. kal. mai (14 avril)[1]	11e pharmouthi
329	11e pharmouthi	8e j. av. ides avril (6 avril)	24e pharmouthi
330	24e pharmouthi	13e j. av. kal. mai (19 avril)	16e pharmouthi
331	16e pharmouthi	3e j. av. ides avril (11 avril)	
332	[17e] 7e pharmouthi	4e j. av. nones avril (2 avril)[1]	[17e] 7e pharmouthi
333	20e pharmouthi	17e j. av. kal. mai (15 avril)	20e pharmouthi
334	12e pharmouthi	7e j. av. ides avril (7 avril)	12e pharmouthi
335	[14e] 4e pharmouthi	3e j. av. kal. avril (30 mars)[2]	4e pharmouthi
336	23e pharmouthi	14e j. av. kal. mai (18 avril)	—
337	8e pharmouthi	[4e] 3e j. av. nones avril (3 avril)[1]	—
338	30e phamenôth	7e j. av. kal. avril (26 mars)	30e phamenôth
339	20e pharmouthi	17e j. av. kal. mai (15 avril)	20e pharmouthi

* [ ] = erreur du ms.

1. Les dates égyptiennes et romaines entre crochets sont des erreurs du scribe. On notera que la date exacte a été conservée dans chaque cas par l'un des deux calendriers, le romain en 328, 332, 340, 354, 359, 362, 367 et 369, l'égyptien en 337, 365 et 370.

2. Confirmation par l'en-tête de la *Lettre* VII (335).

INDEX

EN-TÊTE DES *LETTRES FESTALES*

	cal. égyptien	cal. romain	EN-TÊTE DES LETTRES FESTALES
340 [14e]	4e pharmouthi	3e j. av. kal. avril (30 mars)[1]	24e pharmouthi
341	24e pharmouthi	13e j. av. kal. mai (19 avril)	16e pharmouthi
342	16e pharmouthi	3e j. av. ides avril (11 avril)	—
343	1er pharmouthi	6e j. av. kal. avril (27 mars)	
344	20e pharmouthi	17e j. av. kal. mai (15 avril)	20e pharmouthi[3]
345	12e pharmouthi	7e j. av. ides avril (7 avril)	12e pharmouthi
346	4e pharmouthi	3e j. av. kal. avril (30 mars)	4e pharmouthi
347	17e pharmouthi	1er j. av. ides avril (12 avril)	17e pharmouthi
348	8e pharmouthi	3e j. av. nones avril (3 avril)	8e pharmouthi
349	30e phamenôth	7e j. av. kal. avril (26 mars)	
350	13e pharmouthi	6e j. av. ides avril (8 avril)	
351	5e pharmouthi	1er j. av. kal. avril (31 mars)	
352	24e pharmouthi	13e j. av. kal. mai (19 avril)	
353	16e pharmouthi	3e j. av. ides avril (11 avril)	
354 [4e]	1er pharmouthi	6e j. av. kal. avril (27 mars)[1]	
355	21e pharmouthi	16e j. av. kal. mai (16 avril)	
356	12e pharmouthi	7e j. av. ides avril (7 avril)	
357	27e phamenôth	10e j. av. kal. avril (23 mars)[4]	
358	17e pharmouthi	1er j. av. ides avril (12 avril)	
359 [19e]	9e pharmouthi	1er j. av. nones avril (4 avril)[1]	

Année					
360		28e	pharmouthi	9e j. av. kal. mai	(23 avril)[4]
361		13e	pharmouthi	6e j. av. ides avril	(8 avril)
362	[15e]	5e	pharmouthi	1er j. av. kal. avril	(31 mars)[1]
363		25e	pharmouthi	12e j. av. kal. mai	(20 avril)
364		9e	pharmouthi	1er j. av. nones avril	(4 avril)
365		1er	pharmouthi	[5e] 6e j. av. kal. avril	(27 mars)[1]
366		21e	pharmouthi	16e j. av. kal. mai	(16 avril)
367	[16e]	6e	pharmouthi	kal. avril	(1er avril)[1]
368		25e	pharmouthi	12e j. av. kal. mai	(20 avril)
369	[27e]	17e	pharmouthi	1er j. av. ides avril	(12 avril)[1]
370		2e	pharmouthi	[4e] 5e j. av. kal. avril	(28 mars)[1]
371		22e	pharmouthi	15e j. av. kal. mai	(17 avril)
372		13e	pharmouthi	6e j. av. ides avril	(8 avril)
373		5e	pharmouthi	1er j. av. kal. avril	(31 mars)

3. La *Lettre festale* XVI manque, mais la XVII contient la date de Pâques de 344 puis celle de 345, cf. *supra*, p. 292 n. 51.

4. Ces deux dates montrent qu'Alexandrie ne s'est pas conformée au décret du concile de Sardique qui fixa les dates de Pâques pour cinquante ans, conformément à l'accord entre Rome et Alexandrie, en précisant qu'elles seraient comprises entre le 30e de phamenôth (26 mars) et le 26e de pharmouthi (21 avril), ainsi que le rappelle l'*Index ad a.* 343 et 349, cf. la *Lettre festale* XVIII pour 346. Mais le siège est alors occupé par l'évêque arien Georges qui, sans se soucier de Rome, applique le comput de 19 ans réformé, comme le fait remarquer M. RICHARD, dans *Le Muséon*, t. 87, 1974, p. 331.

APPENDICE III

CYCLE LUNAIRE D'ALEXANDRIE D'APRÈS L'INDEX DES LETTRES FESTALES

	année du cycle d'Anatole[a]	épacte	XIVe lunae[a]	j. de Pâques[b]		indiction
328	6	25	10 avril	14 a.	18e lunae	1
329	7	6	30 mars	6 a.	21e	2
330	8	17	18 a.	19 a.	15e	3
331	9	28	7 a.	11 a.	18e	4
332	10	9	27 m.	2 a.	20e	5
333	11	20	15 a.	15 a.	[15e] *14e*[1]	6
334	12	1	4 a.	7 a.	17e	7
335	13	12	24 m.	30 m.	20e	8
336	14	23	12 a.	18 a.	20e	9
337	15	4	1 a.	*3 a.*	16e	10
338	16	15	21 m.	26 m.	19e	11
339	17	26	9 a.	15 a.	20e	12
340	18	7	29 m.	30 m.	15e	13
341	19	18	17 a.	19 a.	16e	14
342	1	29	5 a.	11 a.	[16e] *20e*	15

343	2	11	25 m.	27 m. [15e] *16e*	1
344	3	[21] *22*	13 a.	15 a. 16e	2
345	4	[2] 3	2 a.	7 a. [18e] *19e*	3
346	5	14	22 m.	30 m. [24e] *22e*	4
347	6	25	10 a.	12 a. [15e] *16e*	5
348	7	6	30 m.	3 a. 18e	6
349	8	17	18 a.	23 a. → 26 m. 19e → 21e²	7
350	9	28	7 a.	8 a. [19e] *15e*	8
351	10	9	27 m.	31 m. 18e	9
352	11	20	15 a.	19 a. 18e	10
353	12	1	4 a.	11 a. 21e	11

(a) L'*Index* ne comporte pas cette mention. Cf. V. GRUMEL, *Chronologie*, p. 54 (le tableau de la p. 266 ne commence qu'en 345 et ne prend pas en compte l'accord de 343).

(b) Il est exprimé dans le calendrier égyptien et dans le calendrier romain, cf. Appendice II, ainsi que par la lunaison que nous reproduisons ici (corrigée), précédée du simple rappel de ce jour dans le cal. romain (également corrigé).

1. Cf. l'*Index*, n. 15, p. 283. Le "14e *lunae* a été délibérément reculé d'un jour, du dimanche 15 avril au samedi 14. Les épactes et les jours indiqués entre crochets sont ceux fournis par l'*Index*.

2. Le 19e *lunae* correspond au comput alexandrin qui fixe la date de Pâques le 23 avril. Mais, selon le comput romain accepté par Alexandrie en 343, celle-ci, fixée au 26 mars, correspond au 21e *lunae* également indiquée dans le texte. Cf. l'*Index*, n. 47, p. 291 s.

	année du cycle d'Anatole[a]	épacte	XIVe lunae[a]	j. de Pâques[b]	17e lunae	indiction
354	13	12	24 mars	27 m.	17e	12
355	14	23	12 avril	16 a.	18e	13
356	15	4	1 a.	7 a.	[17e] *20e*	14
357	16	15	21 m.	23 m.	[17e] *16e*	15
358	17	26	9 a.	12 a.	17e	1
359	18	7	29 m.	4 a	20e	2
360	19	18	17 a.	23 a.	[21e] *20e*	3
361	1	29	5 a.	8 a.	17e	4
362	2	[10] *11*	25 m.	31 m.	[25e] *20e*	5
363	3	[21] *22*	13 a.	20 a.	[20e] *21e*	6
364	4	3	2 a.	4 a.	16e	7
365	5	14	22 m.	*27 m.*	19e	8
366	6	25	10 a.	16 a.	20e	9
367	7	6	30 m.	1 a.	16e	10
368	8	17	18 a.	20 a.	16e	11
369	9	28	7 a.	12 a.	[15e] *19e*	12
370	10	9	27 m.	*28 m.*	15e	13
371	11	20	15 a.	17 a.	16e	14
372	12	1	4 a.	8 a.	[19e] *18e*	15
373	13	12	24 m.	31 m.	21e	1

APPENDICE IV

LISTE DES CONSULS SELON L'*INDEX* ET LES EN-TÊTE DES *LETTRES FESTALES*

Index	en-tête
328 Ianoarinos et Iostos	
329 8e de Constantin le Très saint et 4e de Constantin César	8e du Très saint Constantin et 4e de Constantin César
330 Gallikianos (*sic*) et Sym<m> *achos	Gallikinos (*sic*) et Valerios Symmachos
331 Ionios Bas<s>os et Ablabios	I[an]onios Bas<s>os et Ablabiọs
332 Pakati<a>nos et (H)ilarianos	Papios Pakatiạnos et Mekilios (H)ilarianos
333 Dalmatios et Zinop(h)ilos	Dalmatios et Zͅinop(h)ilos
334 Optatos et P<a>ulinos	Op<t>atos, patrice[1], et Anikios Paulinos
335 Konstantios et Albinos	Iolios Konstantios frère du Très saint (Constantin) et Rop(h)inos (*sic*) Albinos
336 Nepotianos et P(h)akundos	—
337 P(h)ilikianos et Titianos	—
338 Orsos et Polemios	Orsos et Polemios
339 2e de Constance et 1er de Constant	2e de Constance et 1er de Constant Augustes

* Pour les sigles, v. *supra*, p. 223.

1. C'est la première fois que ce titre est porté depuis sa création par Constantin, cf. ZOSIME, II, 40, 2, « Ὀπτᾶτον … ὃς παρὰ Κωνσταντίνου τῆς ἀξίας τετύχηκε τοῦ πατρικίου », *P. Thead.* 24, 25, *PSI*, 469, *P. Lond.* 1913, 334 : v. JONES, MARTINDALE, MORRIS, *Prosopography*, I, p. 650, Flavius Optatus 3.

Index	en-tête
340 Akindynos et Proklos *(sic)*	—
341 Markelli\<n\>os et Probinos	Markellinos et Probi[a]nos
342 3ᵉ de Constance et 2ᵉ de Constant	3ᵉ de Constance et 2ᵉ de Constant Augustes
343 Plakidos et Rom[e]ulos	—
344 Leontios et Salotios *(sic)*	—
345 \<A\>mantios et Albinos	Amantios et Albinos
346 4ᵉ de Constance et 3ᵉ de Constant Augustes	4ᵉ de Constance et 3ᵉ de Constant Augustes
347 Rop(h)inos et Eusebios	Rop(h)inos et Eusebios
348 P(h)ilip\<p\>os et Salia	P(h)ilippos et Salia[s]
349 Limenios et Katolinos	
350 Sergios et Nigrianos	
351 sous le consulat qui suivit celui de Sergios et de Nigrianos	
352 \<5ᵉ\> de Constance Auguste et 1ᵉʳ de Constance César	
353 6ᵉ de Constance Auguste et 2ᵉ de Constance César	
354 7ᵉ de Constance Auguste et 3ᵉ de Constance César	

355 Arbetion et [L]lollianos
356 8e de Constance Auguste et 1er de Julien César
357 9e de Constance Auguste et 2e de Julien César
358 Tatianos *(sic)* et Kerealios
359 Eus<e>bios et (H)ypatios
360 10e de Constance Auguste et 3e de Julien César
361 Tauros et P(h)lorentios
362 Mamertinos et Nebietta
363 4e de Julien Auguste et Salostia *(sic)*
364 Jovien Auguste et Beronianos
365 1er de Valentinien et de Valens Augustes
366 1er de Gratien fils de l'Auguste et Dagaipos *(sic)*
367 Lopi[pi]kinos et Iobinos
368 2e de Valentinien et de Valens Augustes
369 1er de Valentinien fils de l'Auguste et Biktor
370 3e de Valentinien et de Valens Augustes
371 2e de Gratien Auguste et [A]probos
372 Modestos et Arintheus
373 4e de Valentinien et de Valens

APPENDICE V

LISTE DES PRÉFETS D'ÉGYPTE
D'APRÈS L'*INDEX* ET LES EN-TÊTE DES *LETTRES FESTALES*

(Les préfets dont les noms sont précédés d'un * ne sont connus que par ces textes).

	Index	en-tête
328	*Zenios l'Italien	*Septimios Zenios
329	le même Zenios	Magninianos
330	Magninianos le Cappadocien	*P(h)lorentios
331	(H)yginos l'Italien	(H)yginos
332	le même (H)yginos	P<a>terios
333	Paterios	P(h)ilagrios le Cappadocien
334	le même Paterios	le même P(h)ilagrios
335	le même Paterios	
336	P(h)ilagrios le Cappadocien	—
337	P(h)ilagrios le Cappadocien	—
338	Theodoros d'Héliopolis	[1]le même Theodoros d'Héliopolis, ancien *katholikos*, et après lui pour la 2e année, P(h)ilagrios
339	P(h)ilagrios le Cappadocien	P(h)ilagrios le Cappadocien dans sa 2e charge
340	le même P(h)il<a>grios	—
341	Longinos de Nicée	Longinos

342 Longinos de Nicée   le même Longi[a]nos
343 le même Longinos de Nicée |
344 *Palladios l'Italien |
345 Nestorios de Gaza   Nestorios de Gaza
346 le même Nestorios de Gaza   le même Nestorios
347 le même Nestorios de Gaza   le même Nestorios
348 le même Nestorios de Gaza   le même Nestorios
349 le même Nestorios de Gaza
350 le même Nestorios de Gaza
351 le même Nestorios de Gaza
352 le même Nestorios
353 *Sebasti<an>os de Thrace
354 le même Sebastianos de Thrace
355 Maximos l'ancien, de Nicée
356 le même Maximos l'ancien, de Nicée, après qui, Katap(h)ronios de Byblos
357 le même Katap(h)ronios de Byblos, à qui succéda Parnasios
358 Parna<si>os le Corinthien

1. L'en-tête de la *Lettre festale* IX, pour 337, est perdu, mais Theodoros fut nommé préfet avant la mort de Constantin, si l'on suit ATHANASE, *Hist. Ar.*, 51, 2-3. Il l'est encore comme l'indique l'en-tête de 338, « le même Th. », cf. l'*Index*, n. 27 et 33 p. 285 et 287.

11

Index

359 le même Parnasios à qui succéda, dans les 3 mois, l'Italien Italikianos, à qui succéda
     P(h)aus<t>i[a]nos le Chalcédonien

360 P(h)austi[a]nos le Chalcédonien

361 le même P(h)<a>u<s>tinos, à qui succéda l'Arménien Gerontios

362 le même Gerontios, à qui succéda Olympos de Tarse

363 le même Olympos de Tarse

364 (H)ierios le Damascène, à qui succéda Maximos de Raphia, à qui succéda P(h)labianos
     l'Illyrien

365 le même P(h)labianos l'Illyrien

366 le même P(h)labianos /.../ après cela, Proklianos le Macédonien

367 le même Proklianos, à qui succéda Tati<an>os le Lycien

368 le même Tatianos

369 le même Tatianos

370 le même Tatianos à qui succéda Olympios Palladios de Samosate

371 le même Palladios, à qui succéda (A)elios Palladios le Palestinien, appelé *koureus* (« le barbier »)

372 le même (A)elios Palladios, appelé *koureus*

373 le même (A)elios Palladios

APPENDICE VI

LISTE DES *DUCES* D'ÉGYPTE D'APRÈS *L'HISTORIA* ET *L'INDEX*

Historia		Index	
356 janvier février	Syrianus[1]	356 janvier	Syrianos
358 décembre	Sebastianus[2]		
		360	Artemios[3]
365 octobre	Victorinus[4]		
366 février			
367 septembre	Traianus[5]	367 septembre	Traianos
		368 mai	Traianos

1. Cf. ATHANASE, *Hist. Ar.*, 81, 3 (clarissime), 9 févr. 356 ; *Apol. ad Const.*, 22, 24 (janv.), 25 (févr.), *Apol. de fuga*, 24. V. JONES, MARTINDALE, MORRIS, *Prosopography*, I, p. 872.

2. Cf. ATHANASE, *Hist. Ar.*, 59, 1 (manichéen), juin 356 ; *ibid.*, 72, 357-358 ; *Apol. de fuga*, 6, 5 (cf. *Apol. ad Const.*, 27), fin mars 357 et 18 mai 358 ; AMMIEN, XXIII, 3, 5, *S. comite ex duce Aegypti*, cf. XXV, 8, 7, 16 ; *Ep. Ammonis*, 31 (éd. HALKIN, *Subsidia hagiog.*, 19, 1932, p. 117, 34). SEECK, dans *RE* (1921), *Sebastianus* 3, col. 954, et JONES..., *Prosopography*, I, p. 812, *Sebastianus* 2.

3. Cf. AMMIEN, XXII, 11, 2 ; *Chron. pasc. ad a.* 363 ; *ep. Ammonis*, 31 ; *vies coptes* de Pakhôme, § 185 (éd. Lefort, p. 197) ; *vie grecque*, § 137-138 (éd. Festugière, p. 235). SEECK, *s.v.* dans *RE*, II, 1444, et *Prosopography*, I, p. 112, *Artemius* 2.

4. Cf. *C. Th.*, 12, 12, 5 (28 déc. 364) ; Libanius, *ep.* 1525 (v. P. PETIT, *Libanius et la vie municipale à Antioche au IVᵉ s. ap. J.C.*, Paris, 1955, p. 180, n. 6).

5. *Prosopography*, I, p. 921, *Traianus* 2.

f° 10 r° ܐܠܘܐܢ ܡܪܕܘܬܐ ܕܐܘܠܦܢܐ [I]

C. p. 12 (Syriac text)

f° 14 v° ܐܠܘܐܢ ܕܬܪܝܢ ܡܪܕܘܬܐ [II]

C. p. 20 (Syriac text)

f° 18 v° ܐܠܘܐܢ ܕܬܠܬ ܡܪܕܘܬܐ [III]

C. p. 26 (Syriac text)

I 2 ... : ... *lect. inc.* S.

II 2 ... C ǁ ... C ǁ 3, ... C ǁ 5 ... C ǁ 6 ... C.

< EN-TÊTE DES *LETTRES FESTALES*
D'ATHANASE D'ALEXANDRIE > *

10 r° [I] Première lettre festale du pape Athanase
». 18 pour laquelle le dimanche de Pâques (était) le
　　　11e de pharmouthi, le 8e avant les ides d'avril,　6 avril
　　　année 45e de Dioclétien, au huitième consulat de　**329**
　　　Constantin le Très saint et quatrième de Constan-
　　　tin César, alors que Septimios Zenios était gou-
　　　verneur, 2e indiction. Au sujet du jeûne, des
　　　trompettes et des fêtes.

14 v° [II] Deuxième lettre festale du pape Athanase
». 30 pour laquelle le dimanche[1] était le 24e de phar-　19 avril
　　　mouthi, le 13e avant les kalendes de mai, année
　　　46e de Dioclétien, sous le consulat de Galli-　**330**
　　　kinos (*sic*) et de Valerios Symmachos, alors que
　　　Magninianos (était) gouverneur, 3e indiction.

8 v° [III] Troisième lettre festale du pape Atha-
». 39 nase pour laquelle le dimanche de Pâques (était)
　　　le 16e de pharmouthi, le 3e avant les ides d'avril,　11 avril

---

* Pour les sigles et signes, cf. p. 222.
1. « de Pâques », *om.*

f° 22 v° ܟܐܐܟܐܕ ܒܒܝܪܟܐ ܟܒܚܝܕܟܐ ܟܒܗܝܨܪ [IV]

C. p. 32 ܟܒܒܚܒܐ ܟܐܝܩܒܕܐ ܟܒܒܚ ܗܝ܂ ܗܟܒܗ܂ ܘܐܡܘܐܟܐܟܐܝܟ

f° 25 r° ܟܒܠܐܒܝܪܟܒܡ ܗܒܠܗܝ܂ ܟܒܚܝܥܒܝܚܒ ܗܝܟܒܝܪ ܟܪܘܡ [V]

C. p. 36 ܘܐܟܒܕܝܗܒܓ܂ ܡܒܗܚܐܒܒ ܘܐܒܝܒܓܒܝܕܝܢܐ ܘܐܝܒܝܪܟܐܒܠܕܝܢ

f° 28 r° ܗܝܒ܂ ܗܒܠܗܝ܂ ܟܒܚܝܒܝܒܟܒܝ ܗܝܟܒܝܪ ܟܪܘܡ [VI]

C. p. 41 ܡܝܟܒ, ܟܒܥܒܝܪܟܒܐ ܝܒܡܚܒܝܝܝܪܟܒ ܟܒܒܚ ܗܝ܂ ܟܒܝܗܝܪ,

III 7 ܠܐܟܠܐܝܒܝܪܟ *sic* S.

IV 2 ܡܒܗܝ܂ C ‖ ܟܒܚܒܕ : ܝܒܡܚܒܗܒܚܒ C ܗܝ܂ et ܝܒܚ *lect. inc.* S ‖
4 ܘܐܝܟܒܠܒܘܐܟܕܝܢ C ‖ 5 ܘܐܝܒܕܟܐܕܝ C ‖ ܘܐܝܟܒܠܐܟܐܒ C ‖
6 ܘܐܝܟܒܪܟܐܠܝܟ C.

année 47e de Dioclétien, sous le consulat de   **331**
I[an]onios Bas<s>os et d'Ablabios, alors que
P(h)lorentios était gouverneur, 4e indiction.

2 v°   [IV] Quatrième lettre festale du pape Atha-
. 48 nase pour laquelle le dimanche de Pâques (était)
le 7e² de pharmouthi, le 4e avant les nones d'avril,   2 avril
année 48e de Dioclétien, le consulat étant (celui)   **332**
de Papios Pakatianos et de Mekilios (H)ilarianos,
alors que le gouverneur (était) (H)yginos, 5e indiction. Il envoya cette (lettre) de la cour, avec
l'aide d'un serviteur.

25 r°   [V] Cette (lettre) est sa cinquième, sous le
. 53 consulat de Dalmatios et de Zinop(h)ilos, aux jours
de P<a>terios éparque, 6e indiction, dans
laquelle le dimanche³ était le 17e avant les
kalendes de mai qui était le 20e de pharmouthi,   15 avril
le 15e de la lune, le 7e des dieux, année 49e de   **333**
Dioclétien.

28 r°   [VI] Cette (lettre) est sa sixième, pour
. 60 laquelle le dimanche était le 12e de pharmouthi,   7 avril

---

V 1 ᕮᔆᕽᕽᕐ *sic* SC ‖ 2 ᕮᐱᒐᔆᕮᕬᒐᕬᕮᐱ C ‖ 3 ᕮᔆᕽ *sic*
SC ‖ 4 ᕬᔆ C ᔆ *lect. inc.* S ‖ 5 ,ᕮᐱᕮᕽᔆᕽᕐᕮ C ᔆ *lect. inc.* S ‖
6 ᕮᔆᕽᕽᕐ *sic* SC.
  VI 1 ᕮᔆᕽᕽᕐ *sic* SC.

  2. Ms. : « le 17e ».
  3. « de Pâques », *om.* ; il en sera de même pour les
années suivantes.

f° 33 v°   [VII]

C. p.
[VIII]

[IX]

f° 39 r°   [X]

C. p. 45
VII 1 *sic* SC ‖ *sic* SC ‖ 4 C ‖
 C ‖ 5 C.

le 7e avant les ides d'avril, le 17e de la lune, année
50e de Dioclétien, sous le consulat d'Op<t>atos,   **334**
patrice[4], et d'Anikios Paulinos, aux jours du
Cappadocien P(h)ilagrios éparque, 7e indiction.

3 v°   [VII] Cette (lettre) est sa septième, dans
. 72   laquelle le dimanche était le 4e de pharmouthi, 30 mars
le 3e avant les kalendes d'avril, le 20e de la lune,
année 51e de Dioclétien, sous le consulat de Iolios   **335**
Konstantios frère du Très saint (Constantin) et
de Rop(h)inos *(sic)* Albinos, aux jours du même
P(h)ilagrios éparque, 8e indiction.

[VIII] *(année 336 : la lettre manque)*.

[IX] *(année 337 : la lettre manque)*.

9 r°   [X] Cette (lettre) est sa dixième, sous le
. 85   consulat d'Orsos et de Polemios, aux jours du
même Theodoros, celui d'Héliopolis, (ancien)
katholikos[5], éparque, et après lui pour la seconde
année P(h)ilagrios, 11e indiction, dans laquelle le

X 1 ܐܛܠܛܣ *sic* SC ‖ 3 ܐܡ ܒܠ ܐܡ C.

4. Sur ce titre, cf. *supra*, p. 313, n. 1.
5. Cf. *supra*, p. 286, n. 27.

f° 45 v°   [XI]
C. p. 52
[XII]

f° 55 r°   [XIII]
C. p.
f° 58 v°   [XIV]
C. p.

X 9 C.
XI 5 *sic* SC ‖ 6 *sic* SC ‖ 7
 C ‖ 8 C.

dimanche était le 7ᵉ avant les kalendes d'avril
ce qui est le 30ᵉ de phamenôth, le 18ᵉ et demi de la 26 mars
lune, année 54ᵉ de Dioclétien.   **338**

45 vᵒ   [XI] Cette (lettre) est celle qui (est) sa
ρ. 97 onzième, sous le consulat des Augustes, second
        de Constance et premier de Constant, aux jours
        du Cappadocien P(h)ilagrios éparque, dans sa
        seconde (charge), 12ᵉ indiction, (année) dont le
        dimanche était le 17ᵉ avant les kalendes de mai
        ce qui est le 20ᵉ de pharmouthi, année 55ᵉ depuis 15 avril
        Dioclétien.   **339**

        [XII] *(année 340 : le début de la lettre manque).*

55 rᵒ   [XIII] Cette (lettre) est sa treizième, sous
ρ. 116 le consulat de Markellinos et de Probi[a]nos, aux
        jours de Longinos éparque, 14ᵉ indiction, celle dont
        le dimanche était le 13ᵉ avant les kalendes de mai
        ce qui est le 24ᵉ de pharmouthi, année 57ᵉ depuis 19 avril
        Dioclétien.   **341**

58 vᵒ   [XIV] Cette (lettre) est sa quatorzième,
ρ. 124 sous le consulat des Augustes, troisième de

XIII 4 ܡܠܝܐ *sic* SC ‖ 5 ܐܘܪܟܣܝܐ C ‖ 7 ܣܒܥܐ C.
XIV 1 ܪܝܡܣܒܪܝܐ C.

[XV]

[XVI]

[XVII]

f° 61 v° [XVII]
C. p.
f° 62 r° [XVIII]
C. p. .
<hr>

XIV 6 *sic* SC ‖ C ‖ 7
sic S.

Constance et second de Constant, le même
Longi[a]nos (étant) éparque, 15ᵉ indiction, celle
dont le dimanche était le 3ᵉ avant les ides d'avril
ce qui est le 16ᵉ de pharmouthi, année 58ᵉ depuis 11 avril
Dioclétien.　　　　　　　　　　　　　　　　　　　　342

　　[XV] *(année 343 : la lettre manque).*

　　[XVI] *(année 344 : la lettre manque).*

61 vᵒ　　[XVII] Cette (lettre) est sa dix-septième,
p. 131 sous le consulat de Amantios et d'Albinos, aux
jours de Nestorios de Gaza éparque, 3ᵉ indiction,
celle dont le dimanche était le 7ᵉ avant les ides
d'avril ce qui est le 12ᵉ de pharmouthi, le 19ᵉ de　7 avril
la lune, année 61ᵉ depuis Dioclétien.　　　　　　345

62 rᵒ　　[XVIII] Cette (lettre) est sa dix-huitième
p. 132 sous le consulat des Augustes, quatrième de
Constance et troisième de Constant, aux jours du
même Nestorios éparque, 4ᵉ indiction, celle dont

XVII 1 ܥܒ݂ܕ݂ܐ *sic* SC ‖ 6 ܨܘ C.
XVIII 1 ܥܒ݂ܕ݂ܐ *sic* SC ‖ 5 ܐܕ݂ܠܒ݂ܝܢܘܣ C ‖ ܥܡܪܘ C.

f° 62 v°   [XIX]

C. p.
f° 68 v°   [XX]

C. p.
XVIII 7 , C ‖ 8 C ‖ C.

le dimanche était le 3e avant les kalendes d'avril,
ce qui est le 4e de pharmouthi, le 21e de la lune,   30 mars
année 62e depuis Dioclétien.   **346**

▸ 62 vo   [XIX] Cette (lettre) est sa dix-neuvième,
p. 133 sous le consulat de Rop(h)inos et d'Eusebios, aux
jours du même Nestorios éparque, 5e indiction,
celle dont le dimanche était le 1er avant les ides
d'avril ce qui est le 17e de pharmouthi, année 63e   12 avril
depuis Dioclétien, le 15e de la lune.   **347**

▸ 68 vo   [XX] Cette (lettre) est sa vingtième, sous
p. 146 le consulat de P(h)ilippos et de Salia[s], aux jours
du même Nestorios éparque, 6e indiction, celle
dont le dimanche était le 3e avant les nones
d'avril ce qui est le 8e de pharmouthi, année 64e   3 avril
depuis Dioclétien, le 18e de la lune.   **348**

XIX 4 ܪܒܝܥܝ C.
XX 3 ܣܐܠܝܘܣ *sic* SC ‖ 6 ܕܦܪܡܘܬܝ C.

Appendice VIII

LISTE DES NOMS PROPRES DE L'INDEX

ET DES EN-TÊTE DES LETTRES FESTALES D'ATHANASE D'ALEXANDRIE

(331) 1re année concernée
50 ligne de l'édition de l'Index
III 6 n° de la Lettre et ligne de l'édition de son en-tête

Orthographe la plus probable			Autres orthographes		
ܐܒܠܒܝܘܣ:	(331)	Ablabios	50	ܐܒܠܒܝܘܣ	Ablabias	III 6
ܘܠܢܛܝܢܝܢܘܣ	(365)	1 Valentinianos (emp.)	456, 497, 521, 549			
	(369)	2 Valentinianos (fils de l'emp.)	510			
ܘܠܪܝܘܣ	(330)	Valerios (Symachos)	II 6			
ܘܠܣ	(365)	1 Valis (emp.)	497	ܘܠܝܣ	Vlis	456, 550
	(343)	2 Valis (év.)	196	ܘܠܝܣ	Valis	521
ܐܘܐܣܝܣ	(328)	Oasis	13			

Orthographe la plus probable				*Autres orthographes*		
ܐܘܓܘܣܛܡܢܝܩܝ	(328)	Augustamniki	170	ܐܓܘܣܛܐܡܢܝܩܝ	Agustamniki	14
ܐܘܓܘܣܛܝܘ	(346)	Augusteu	456, 498, 521	ܐܘܓܘܣܛܐܗܘ	Augusteu	227
				ܐܘܓܘܣܛܘ	Augustu	XI 2, XIV 2, XVIII 2
ܐܘܓܘܣܛܘܣ	(336)	Augustos	293, 303, 318, 336, 349, 385, 415, 423, 442, 471, 511, 533	ܐܓܘܣܛܘܣ	Agustos	108
ܐܘܠܘܡܦܘܣ	(362)	Olympos	413, 425			
ܐܘܠܘܡܦܝܘܣ	(370)	Olympios	523			
ܐܘܠܝܣ		(Palladios) cf. ܐܘܐܠܝܣ				
ܐܘܦܛܐܛܘܣ	(334)	Optatos	78	ܐܘܦܐܛܘܣ	Opatos	VI 5
ܐܘܪܣܐܩܝܘܣ	(343)	Orsakios	196			
ܐܘܪܣܘܣ	(338)	Orsos	124, X 2			
ܐܝܘܢܝܘܣ	(331)	Ionios	50	ܝܐܢܘܢܝܘܣ	Ianonios	III 5
ܐܝܢܘܐܪܝܢܘܣ	(328)	Ianoarinos	23			
ܐܝܗܪܝܘܣ	(364)	Ierios	443			
ܐܝܗܪܦܘܠܝܣ	(363)	Ierpolis	433			

Orthographe la plus probable				Autres orthographes		
(syriaque)	(363)	1 Iobianos (emp.)	434, 442	*(syriaque)*	Iobinos	483
	(367)	2 — (cons.)	—			
(syriaque)	(335)	Iolios (Konstantios 2)	VII 5			
(syriaque)	(356)	Iolianos	336, 350, 386, 402, 404, 415, 423, 427, 431			
(syriaque)		Italos	24			
		(Zenios)	51			
		(Yginos)	207			
		(Palladios)	377			
		(Italikianos)	377			
(syriaque)	(359)	Italikianos	230	*(syriaque)*	Iladianos	IV 6
(syriaque)	(346)	Ilia	64	*(syriaque)*	Illeorios	458
(syriaque)	(332)	Ilarianos	446			
(syriaque)	(364)	Illyrios	89			
(syriaque)	(335)	1 Albinos (Ropinos)		*(syriaque)*	Albinos	VII 6

	Orthographe la plus probable			Autres orthographes		
ܐܠܒܝܢܘܣ	(345)	2 Albinos	216, XVII 2			
ܐܠܟܣܢܕܪܘܣ	(328)	Alexandros	19, 36	ܐܠܟܣܢܕܪܝܐ	Alexandria	220, 253, 266, 366, 554
ܐܠܟܣܢܕܪܝܐ	(328)	Alexandria	4, 9, 131, 160, 210, 244, 432, 447			
ܐܠܟܣܢܕܪܝܐ	(343)	Alexandriē	199	ܡܢܛܝܘܣ	Mantios	216
ܐܡܢܛܝܘܣ	(345)	Amantios	VII 2	ܐܡܘܢܝܐܩܝ	Ammoniaki	66
ܐܡܘܢܝܐܩܝ	(328)	Amoniaki	12			
ܐܢܛܘܢܝܘܣ	(338)	Antonios	130			
ܐܢܛܝܘܟܝܐ	(364)	Antiochia	449			
ܐܢܝܩܝܘܣ	(334)	Anikios	VI 5			
ܐܣܛܪܝܩܝܘܣ	(353)	Astrikios	307			
ܐܦܪܘܒܘܣ	(371)	Aprobos	534			
ܐܩܘܠܝܝ	(345)	Akylii	218			
ܐܩܝܢܕܘܢܘܣ	(340)	Akindynos	151			
ܐܪܒܛܝܘܢ	(355)	Arbetion	326			
ܐܪܛܡܝܘܣ	(360)	Artemios	388			
ܐܪܝܐܢܘ	(340)	Arianeu	155, 191, 309			

Orthographe la plus probable			Autres orthographes		
ܩܘܣܝܬܢܝܐ	(372)	Arintheus	542		
ܐܪܡܢܝܐ	(361)	Armnia	399		
ܐܬܢܐܣܝܘܣ	(328)	Athanasios	7, 8, 354, 366, 414, I 2, III 2, IV 2	ܐܬܢܐܣܝܘܣ	Athanasios	195
				ܐܬܢܐܣܐܣܝܘܣ	Athanaeasios	390
				ܐܬܢܣܝܘܣ	Athansios	1, 554
				ܐܬܢܣܝܣ	Athansis	II 2

ף

Orthographe la plus probable			Autres orthographes		
ܒܐܣܘܣ	(331)	Basos	50, III 6		
ܒܪܘܢܝܢܘܣ	(364)	Beronianos	443		
ܒܝܒܠܝܘܣ	(356)	Biblios	339	ܒܝܒܠܝܘܣ	Biblios	351
ܒܝܩܛܘܪ	(369)	Biktor	511		
ܒܪܐܣܝܕܣ	(365)	Brasids	461		

Orthographe la plus probable			Autres orthographes		
ܓܙܐ	(345)	Gaza — 217, 228, 243, 251, 265, 274, 287, XVII 3			
ܓܠܘܣ	(352)	Gallos (Konstantios 3) — 295			
ܓܠܝܐܣ	(336)	Gallias — 107	ܓܠܝܐ	Gallia	116, 128
ܓܠܝܩܝܢܘܣ	(330)	Gallikianos — 42	ܓܠܝܩܝܢܘܣ	Gallikinos	II 5
ܓܐܘܪܓܝܘܣ	(357)	Georgios — 367	ܓܐܘܪܓܝܘܣ	Gaorgios	353
ܓܪܘܢܛܝܘܣ	(361)	Gerontios — 399	ܓܪܘܢܛܝܘܣ	Georntios	412
ܓܪܛܝܢܘܣ	(366)	Gratianos — 471, 533			
ܓܪܝܓܘܪܝܘܣ	(339)	Grigorios — 145, 153, 229	ܓܪܝܓܘܪܝܘܣ	Grigorios	171, 181

5.

Orthographe la plus probable				Autres orthographes		
ܘܕܓܪܐܝܦܘܣ	(366)	Dagraipos	472			
ܘܕܠܡܛܝܘܣ	(333)	Dalmatios	71	ܘܕܠܡܛܝܘܣ	Dalmatios	V 2
ܘܕܝܘܓܢܝܣ	(355)	Diogenis	328			
ܘܕܝܘܩܠܝܛܝܢܘܣ	(328)	Dioklitianos	16, 38, 515, 526, I 4, II 5, III 5, IV 4, V 7, VI 4, VII 4, X 9, XI 8, XIII 7, XIV 7, XVII 7, XVIII 8, XIX 7, XX 6			
ܘܕܪܡܘܣܩܝܐ	(364)	cf. ܘܕܡܘܣܩܝܐ Drmuskia	444			

	Orthographe la plus probable			Autres orthographes	
ܗܘܓܝܢܘܣ	(331)	Yginos	51, 64, IV 7		
ܐܘܕܡܘܢܝܣ	(360)	Eudemonis	391		
ܐܘܣܒܝܘܣ	(347)	1 Eusebios	241, XIX 2	ܐܘܣܒܝܘܣ Eusbios	375
ܐܦܐܛܝܘܣ	(359)	2 —	—		
ܐܦܠܝܘܣ	(359)	Ypatios	375		
	(371)	Elios (Palladios 3)	535, 543, 550		

Orthographe la plus probable		Autres orthographes	
ܐܝܠܘܢ	cf. ܐܝܠܐ		

	Orthographe la plus probable			Autres orthographes		
ـ					Dinopilos	V 2
ܐܘܣܝܢܝܘܣ	(328)	Zenios	24, 32, I 7			
ܙܝܢܘܦܝܠܘܣ	(333)	Zinopilos	71	ܕܝܢܘܦܝܠܘܣ		

	Orthographe la plus probable			Autres orthographes		
ⲁ					Tatios	484
ܛܘܪܘܣ	(361)	Tauros	397	ܛܛܝܢܘܣ		
ܛܛܝܢܘܣ	(358)	1 Tatianos (cons.)	363			
	(367)	2 Tatianos (éparque)	487, 498, 512, 522			
ܛܝܛܝܢܘܣ	(337)	Titianos	114			
ܛܪܐܝܢܘܣ	(367)	Traianos	488, 501			
ܛܪܝܐܕܠܦܘܣ	(353)	Triadelpos	306			
ܛܪܝܒܪܝ	(337)	Triberi	116			
ܛܪܣܝܐ	(362)	Trsia	413, 425			

Orthographe la plus probable			Autres orthographes		
ܐ܊ܘܣܛܘܣ	(328)	cf. ܐ܊ܘܣܛܘܣ / Iostos 23			

Orthographe la plus probable			Autres orthographes		
ܟܠܩܝܕܘܢܝܐ	(359)	Chalkidonios 378, 387			

Orthographe la plus probable			Autres orthographes		
ܠܐܘܢܛܝܘܣ	(344)	Leontios	205		
ܠܘܢܓܝܢܘܣ	(341)	Longinos	169, 180, 189, XIII 3	ܠܘܢܓܝܢܐ Longianos	XIV 4
ܠܘܦܝܦܝܩܝܢܘܣ	(367)	Lopipikinos	483		
ܠܘܩܝܘܣ	(367)	Lokios (nom)	485		
	(367)	Lokios (adj.)	484		
ܠܘܒܝ	(328)	Libyi	12		
ܠܝܡܢܝܘܣ	(349)	Limenios	264		
ܠܠܝܢܘܣ	(355)	Llollianos	326		

ܡ

Orthographe la plus probable				Autres orthographes		
ܡܐܓܢܢܛܝܐܘܣ	(350)	Magnentios	276			
ܡܐܓܢܝܢܝܐܢܘܣ	(330)	Magninianos	43, II 7			
ܡܐܟܣܝܡܘܣ	(355)	**1** Maximos (l'Ancien)	327, 337			
	(364)	**2** Maximos (de Raphia)	444			
ܡܐܡܪܛܝܢܘܣ ܡܐܢܛܝܐܘܣ	(362)	Mamertinos cf. ܐܡܐܢܛܝܐܘܣ	411			
ܡܐܪܩܠܠܝܢܘܣ	(341)	Markellinos	XIII 2	ܡܐܪܩܠܠܝܘܣ	Markellios	168
ܡܕܝܢܬ ܫܡܫܐ	(338)	*Héliopolis* (litt. *medinat šemšō*)	125, X 3			
ܡܡܦܝܣ	(363)	Mempis	436			
ܡܢܕܝܕܝܐܘܣ	(369)	Mendidios	513			
ܡܩܝܠܝܐܘܣ	(332)	Mekilios	IV 6			
ܡܘܕܣܛܘܣ	(372)	Modestos	542			
ܡܘܢܛܐܢܘܣ	(353)	Montanos	310			
ܡܩܕܘܢܝܐ	(366)	Mikdonia	478			
ܡܨܪܝܢ		*Égypte* (litt. *meṣren*)	*passim*			

		Orthographe la plus probable		2	Autres orthographes		
ܩܘܐܣܘܣ	(344)	Naisos	208				
ܢܒܝܐܛܐ	(362)	Nebietta	411				
ܢܣܛܘܪܝܘܣ	(345)	Nestorios	217, 228, 242, 251, 265, 274, 286, 295, XVII 3, XVIII 4, XIX 3, XX 3				
ܢܦܘܛܝܢܘܣ	(336)	Nepotianos	95				
ܢܓܪܝܢܘܣ	(350)	Nigrianos	273, 285				
ܢܝܩܐܐ	(341)	Nikea	169, 180, 189				
		(Longinos)					
		(Maximos)	338				
ܢܝܩܝܘܢ	(353)	Nikion	307		ܢܝܟܐ Nika		327

ܣ

Orthographe la plus probable				Autres orthographes		
ܣܐܠܘܛܝܘܣ	(344)	Salotios	205			
ܣܐܠܘܣܛܝܐ	(363)	Salostia	424			
ܣܐܠܝܐ	(348)	Salia	250	ܣܐܠܝܐܣ	Salias	XX 2
ܣܐܪܐܦܝܘܢ	(353)	Sarapion	305			
ܣܓܝܕܐ	(329)	« le Très saint » (litt. *s*ᵉ*ggidō*)	30, I 5, VII 6			
ܣܒܐܣܛܝܐܢܘܣ	(353)	Sebastianos	319	ܣܒܐܣܛܝܘܣ	Sebastios	304
ܣܘܡܐܟܘܣ	(330)	Symachos	42	ܣܘܡܡܐܟܘܣ	Symmachos	II 6
ܣܘܪܝܐܢܘܣ	(356)	Syrianos	340			
ܣܦܛܝܡܝܘܣ	(329)	Septimios	I 6			
ܣܪܓܝܘܣ	(350)	Sergios	273, 285			
ܣܪܕܝܩܝ	(343)	Serdiki	191	ܣܪܕܝܣܩܝ	Serdiski	197

ܦ

Orthographe la plus probable				Autres orthographes		
ܦܐܘܠܝܢܘܣ	(334)	Paulinos	VI 6	ܦܘܠܝܢܘܣ	Pulinos	78
ܦܐܘܣܛܝܐܢܘܣ	(359)	Paustianos	386	ܦܐܘܣܝܐܢܘܣ	Pausianos	378
				ܦܘܛܝܢܘܣ	Putinos	399
ܦܐܛܪܝܘܣ	(333)	Paterios	72, 79, 89	ܦܛܪܝܘܣ	Pterios	V 2

Orthographe la plus probable				Autres orthographes		
ܦܠܕܝܘܣ	(344)	1 Palladios (Italien)	206			
	(370)	2 Palladios (de Samosate)	523, 535			
	(371)	3 Palladios (de Palestine)	535, 543, 551	ܦܩܛܝܠܘܣ	Pakatialos	IV 5
ܦܦܝܘܣ	(332)	Papios	IV 5			
ܦܩܛܝܢܘܣ	(332)	Pakatinos	63			
ܦܩܘܢܕܘܣ	(336)	Pakundos	96			
ܦܪܢܣܝܘܣ	(357)	1 Parnasios	352	ܦܪܢܐܘܣ	Parnaos	364
	(358)	2 — (= 1?)	—	ܦܪܢܣܝܘܣ	Parnasios	376
ܦܘܬܝܘܕܘܪܘܣ	(363)	Pythiodoros	426			
ܦܛܪܘܣ	(349)	1 Petros (apôtre)	259			
	(353)	2 Petros (prêtre)	307			
ܦܢܛܦܘܠܝܣ	(328)	Pentapolis cf. ܦܢܛܦܘܠܝܣ	12, 66			
ܦܘܠܡܝܘܣ	(338)	Polemios cf. ܦܘܠܡܝܣ	124	ܦܘܠܡܝܣ	Polemias	X 2
ܦܝܠܓܪܝܘܣ	(336)	Pilagrios	115, 140, 192, VII 7	ܦܝܠܐܓܪܝܘܣ	Pilagrios	96, VI 6, X 5, XI 4
				ܦܝܠܓܪܝܘܣ	Pilgrios	152

Orthographe la plus probable				Autres orthographes		
ܦܝܠܝܦܘܣ	(348)	Pilipos	250	ܦܝܠܝܦܦܘܣ	Pilippos	XX 2
ܦܝܠܝܦܦܘܦܘܠܝܣ	(343)	Pilippopolis	192			
ܦܝܠܝܩܝܐܢܘܣ	(337)	Pilikianos	114			
ܦܠܐܒܝܐܢܘܣ	(364)	Plabianos	445, 457, 473			
ܦܠܐܣܛܝܢܝ	(334)	Plaestini	82	ܦܠܣܛܝܢܝܐ	Plstinia	536
ܦܠܐܩܝܕܘܣ	(343)	Plakidos	188			
ܦܠܘܪܢܛܝܘܣ	(361)	**1** Plorentios (cons.)	398			
	(331)	**2** Plorentios (éparque)	III 6			
ܦܪܘܒܝܢܘܣ	(341)	Probinos	168	ܦܪܘܒܝܐܢܘܣ	Probianos	XIII 2
ܦܪܘܩܠܘܣ	(340)	Proklos	152			
ܦܪܘܩܠܝܐܢܘܣ	(366)	Proklianos	477, 484			

ܨ

Orthographe la plus probable				Autres orthographes		
ܨܘܪ	(336)	Tur (litt. *ṣur*)	98			

q

Orthographe la plus probable				Autres orthographes		
ܩܘܛܐܦܪܘܢܝܘܣ	(356)	Katapronios	339, 351			
ܩܘܛܘܠܝܢܐ	(349)	Katolinos	264			
ܩܣܪ	(329)	Kesar	31, 107, 294, 296, 304, 319, 336	ܩܣܪ	Ksr	350
				ܩܐܣܪ	Keasr	386
				ܩܐܣܪ	Kaesar	I 6
ܩܣܪܝܐ	(334)	Kesaria	82			
ܩܣܪܝܘܢ	(365)	Kesarion	458, 474	ܩܣܪܝܘܢ	Kesarion	499
ܩܪܠܝܘܣ	(358)	Kerealios	364			
ܩܘܢܣܛܢܛܝܘܣ	(339)	1 Konstantios (emp.)	139, 179, 226, 277, 293, 302, 308, 317, 335, 385, 401, 406, XIV 2, XVIII 2	ܩܘܢܣܛܢܛܝܘܣ	Konstantios	349, XI 2
	(335)	2 Konstantios (Iolios, frère de l'emp.)	88, VII 5			

Orthographe la plus probable				Autres orthographes		
ܩܘܣܛܢܛܝܢܘܣ	(352)	3 Konstantios (Gallos)	294, 297, 303, 318	ܩܘܣܛܢܛܝܢܘܣ	Konstantinos	30
	(329)	1 Konstantinos (I) («le Très saint»)	55, 103, 126	ܩܘܣܛܢܛܝܢܘܣ	Konstntinos	I 5
ܡܪܝ ܩܘܣܛܢܛܝܢܘܣ	(329)	2 Konstantinos (II)	31, I 6			
ܩܘܣܛܢܛܝܢ	(336)	Konstantinopolis	101			
	(336)	Konstas	107, 139, 179, 227, 275, 279, XI 3, XIV 3, XVIII 3			
ܩܘܪܢܬܝܘܣ	(358)	Korinthios	365	ܩܦܘܕܩܝܐ	Kpdokia	115
ܩܦܘܕܩܝܐ	(330)	Kpodkia	44	ܩܦܘܕܩܝܐ	Kapodkia	XI 4
		(Magninianos)	96, 140, VI 6			
		(Pilagrios)	145			
		(Grigorios)				

ܪ

	Orthographe la plus probable		Autres orthographes
ܐܦܪܥܛܝܣ	(364)	Rapeotis	445
ܐܦܠܘܡܘܣ	(343)	Romeulos	188
ܪܗܘܡܝ	(346)	Romi	230
ܪܗܘܡܝܐ	(343)	Romiē	194, 199, 258
ܪܘܦܝܢܘܣ	(347)	1 Ropinos	241, XIX 2
	(335)	2 Ropinos (Albinos)	VII 6

ܫ

	Orthographe la plus probable		Autres orthographes
ܫܒܥܐ ܢܡܘܣܐ	(328)	Sept Nomes (litt. šabbeʿō nomusē)	14
ܣܡܣܛܝܐ	(370)	Smstia	523

ܬ

Orthographe la plus probable				Autres orthographes		
ܘܐܝܘܐܪܘܣܬ	(338)	Theodoros	X 3	ܘܐܝܘܐܪܘܣܬ	Thaodoros	125
ܐܢܘܐܬ	(339)	Theona	342	ܐܢܘܐܬ	Theona	143
ܣܝܐܒܐܬ	(328)	Thiabais	15	ܣܝܐܒܐܬ	Thibais	46
				ܣܝܐܒܐܬ	Thiabais	430
				ܣܝܐܒܐܬ	Thibais	436
ܣܒܝܗܬ	(363)	Thieibos	426			
ܣܘܡܗܬ	(353)	Thmois	306			
ܣܪܐܬ	(353)	Thraki	305	ܣܪܐܬ	Tharki	320

APPENDICE IX

LISTE DES MOTS GRECS ET LATINS DE L'INDEX
ET DES EN-TÊTE DES LETTRES FESTALES D'ATHANASE D'ALEXANDRIE

(361) 1ʳᵉ année concernée
405   ligne de l'édition de l'*Index*
I 7   n° de la *Lettre* et ligne de l'édition de son en-tête

Orthographe la plus courante				Autres orthographes	
(361) ܐ...	orthodoxes ides indiction	ὀρθόδοξοι idus ἰνδικτιών	403, 405 *passim* *passim*	ܐ... ܐ... ܐ... ܐ... ܐ...	22 44 137 348 441
(328) ܐ...	étranger avril	ξενία aprilis	6 *passim*	ܐ...	480
(356) ܩܘܣܐ	*dux*	dux	340, 388, 488, 501		

Orthographe la plus courante					Autres orthographes	
ܗܓܡܘܢܐ	(329)	gouverneur	ἡγεμών	I 7, II 6, III 7, IV 6		
ܗܘܦܐܛܝܐ		consulat	ὑπατεία	*passim*	ܗܘܦ̈ܛܝܐ	3, 29, 542, III 5
					(sic) ܗܘܦܐܛܗܘ	I 5
ܗܟܣܘܪܝܐ	(366)	exil	ἐξορία	477		
ܗܟܣܘܪܝܣܛܝܐ	(336)	exiler	ἐξορίζειν	106		
ܗ̈ܢܟܢܝܐ	(370)	dédicace	ἐγκαίνια	526		
ܗܦܐܩܛܗ		épacte	ἐπακτή	*passim*	ܗܦܩܛܗ	69, 315, 333, 373
					ܗܦܐܩܛܝ	77
					ܗ̈ܦܐܩܛܗ	87
					ܗܐܦܐܩܛܗ	395
ܗܦܐܪܟܘܣ		éparque	ἔπαρχος	*passim*	ܗܦܐ̈ܪܟܘܣ	90
					ܗܘܦܐܪܟܘܣ	72, 153
					ܗܦܐܪܟܐ	XI 4, XIII 3, XIV 4, XVII 3, XVIII 4, XIX 4, XX 3

		Orthographe la plus courante			Autres orthographes	
ܐܦܝܣܩܘܦܐ	(328)	évêque	ἐπίσκοπος	9, 145, 306, 311, 329, 355, 365, 390, 414, 428, 450	(pl.) ܐܦܝܣܩܘܦܐ ܐܦܝܣܩܘܦܐ	416, 449, 554
ܗܦܪܟܝܐ	(328)	éparchie	ἐπαρχία	426	(plur.) ܐܦܪܟܝܣ	11
ܦܝܠܘܣܘܦܐ ܕܩܢܐ	(363)	philosophe barbu	τριχο-φιλόσοφος (?)			
ܐܝܪ	(346)	mai	maius	passim		
		mille	mille	232		
ܢܘܢܐ		nones	nonae	passim	ܢܘܢܣ	XX 5
ܣܘܢܗܕܘܣ	(334)	synode	σύνοδος	81, 190, 208	ܣܘܢܘܕܘܣ	97
ܣܠܢܛܝܪܐ	(353)	silentiaire	σιλεντιάριος	310		
ܦܛܪܝܩܝܣ	(334)	patrice	patricius	VI 5		
ܦܠܛܝܢ	(353)	palais	palatium	311		

	Orthographe la plus courante				Autres orthographes	
(syriaque)	(328)	pape	πάππας	172, 446, 459, 512, 524	(syriaque)	7, 195, 278, I 1, II 1, III 1, IV 1
					(syriaque) / (syriaque)	182, 379
					(syriaque)	370
(syriaque)	(336)	assurance	παρρησία	104		
(syriaque)	(366)	bouleutes	πολιτευόμενοι	475		
(syriaque)	(367)	four	πυρεῖον	487		
(syriaque)		kalendes	calendae	passim	(syriaque)	120, 203
					(syriaque)	480, XIII 5
					(syriaque)	XI 6
					(syriaque)	XVIII 6
(plur.) (syriaque)	(338)	katholikos	καθολικός	X 4	(syriaque)	54
(syriaque)	(331)	cour	comitatus	54, IV 8		
(syriaque)	(371)	koureus	κουρεύς (?)	536, 544		
(syriaque)	(331)	dénoncer	κατηγορεῖν	57		
(syriaque)	(357)	risque	κένδυνος	357		
(syriaque)	(360)	cellule	κελλίον	389		
(syriaque)	(362)	clercs	κληρικοί	416		
(syriaque)	(367)	canon	κανών	490		
(syriaque)	(373)	chapitres	κεφάλαια	553		

INDEX DES NOMS DE PERSONNES

Les noms qui figurent dans l'*Historia « acephala »*, dans l'*Index* et dans les en-tête des *Lettres festales* sont en romain. Les autres noms sont en italique.

Pour l'*Historia* (p. 138-169), nous indiquons le numéro du chapitre (en gras) et du paragraphe (v.g. AÈCE, **4**, 5).

Pour l'*Index* et les en-tête des *Lettres festales*, le renvoi est fait au numéro de la page, suivi de celui (en gras) de la lettre (v.g. ABLABIOS, p. 229 **III**).

Pour les introductions et commentaires, les renvois sont faits aux pages. Les numéros entre parenthèses sont ceux des notes.

CEREALIS, consul, **2**, 3; p. 259 **XXX**.

CESAREUM, v. CESARION.

CESARION, p. 269 **XXXVII**, **XXXVIII**, 271 **XL**; *temple impérial*,
p. 189 (66), 190 (76), 207 (145), 302 (98 *bis*), 303 (103); *devenu
la « grande église »*, p. 95, 100, 102, 103, 181 (33), 184 (44), 300
(93), 303 (103), 304 (107).

CONSTANCE, empereur, **1**, 1, 7, 8; **2**, 1, 2, 8; **5**, 2; p. 237 **XI**, 241
XIV, 245 **XVIII**, 253 **XXIV**, **XXV**, 255 **XXVI**, 257 **XXVIII**, **XXIX**,
261 **XXXII**, 263 **XXXIII**; 327 **XI**, 329 **XIV**, **XVIII**; p. 21, 23, 30,
31, 37, 41, 47, 48, 50, 51, 53, 55, 63, 67, 76, 84, 85, 87, 88, 91,
92, 97, 100, 102, 103, 104, 171 (1)-(3), 172 (4) (5), 173 (7), 174 (11),
175 (13), 176 (17) (18), 177 (21), 178 (24), 179 (25), 182 (37), 184
(44), 186 (52), 187 (56) (59) (60), 188 (62) (63), 190 (76), 191 (79),
193 (84) (86), 196 (101), 197 (102) (104), 204 (128), 206 (134),
283 (14), 286 (27), 287 (33), 293 (57), 295 (64) (66), 296 (74) (77),
297 (79), 298 (80), 299 (88), 300 (93), 304 (107).

CONSTANT, empereur, **1**, 1; p. 235 **VIII**, 237 **XI**, 241 **XIV**, 245
XVIII; 327 **XI**, 329 **XIV**; p. 21, 41, 45, 46, 84, 89, 92, 171 (3),
172 (4), 174 (10), 175 (13), 178 (24), 179 (25), 207 (143), 281
(8 *bis*), 289 (42), 292 (53), 293 (57), 302 (102).

CONSTANTIN, empereur, p. 227 **I**, 229 **III**, 235 **VIII**, 237 **X**; 321 **I**;
p. 26, 28, 29, 63, 74-76, 84-86, 92, 172 (5), 174 (10), 179 (24),
190 (76), 204 (129), 281 (8 *bis*), 282 (12), 283 (16), 284 (22), 285
(25) (27), 286 (28) (30) (32), 298 (86).

CONSTANTIN II, p. 227 **I**; 321 **I**; p. 83, 285 (27), 286 (29).

Fl. Claudius CONSTANTIUS GALLUS, **1**, 8; p. 253 **XXIV**, **XXV**,
255 **XXVI**; p. 55, 76, 77, 180 (28), 187 (54), 189 (70), 197 (102),
295 (66).

CYRILLE d'Alexandrie, p. 15, 17, 27, 33, 45, 67, 106, 212 (176),
304 (104).

CYRILLE de Jérusalem, p. 203 (123).

DAGAIPOS *(sic)*, v. le suivant.

DAGALAIFUS, consul, **5**, 6, 7; p. 269 **XXXVIII**.

DALMATIOS, consul, p. 231 **V**; 323 **V**.

DAMASE, pape, p. 67.

DATIANUS, consul, **2**, 3; p. 259 **XXX**; p. 185 (50), 296 (74 *bis*);
comte, 293 (57).

DÈCE, empereur, p. 189 (68), 283 (14).

DÉMOPHILE de Constantinople, p. 67.

DENYS d'Alexandrie, p. 70, 189 (68), 212 (177), 282 (14); église de
2, 3; **5**, 7; p. 94, 95, 100, 102, 103, 185 (49), 186 (52), 207 (39),
300 (96), 302 (100).

DENYS le Petit, p. 14, 19.

GALLIKIANOS *(sic)*, consul, p. 229 **II**; 321 **II**.

GALLOS, v. Fl. Claudius CONSTANTIUS GALLUS.

GENNADE de Marseille, p. 14, 15, 19.

GEORGES de Cappadoce, év. d'Alexandrie, **2**, 2-10; p. 257 **XXIX**, 259 **XXX**; p. 19, 24, 25, 40, 53, 62, 65, 72, 78, 93-99, 100, 102, 104, 105, 176 (15), 178 (24), 184 (44-46) (48), 185 (50), 186 (52), 187 (56) (59), 188 (63), 189 (65) (72), 197 (103), 203 (123), 210 (159), 211 (168), 292 (47), 298 (82), 302 (100).

GEORGES de Laodicée, **1**, 2; p. 50, 174 (10), 178 (22), 290 (45).

GERONTIUS d'Arménie, préfet d'Égypte, **2**, 8; **3**, 2, 3; p. 263 **XXXIII**, **XXXIV**; p. 193 (86), 298 (80).

GRATIEN, empereur, **5**, 6, 7, 10; p. 269 **XXXVIII**, 275 **XLIII**; p. 281 (8 *bis*).

GRATUS de Carthage, p. 18.

GRÉGOIRE de Cappadoce, év. d'Alexandrie, **1**, 1; p. 239 **XII**, 241 **XIII**, 245 **XVIII**; p. 22, 24, 65, 71, 76, 82, 83, 87, 171 (3), 172 (3) (6), 184 (44), 185 (49), 286 (32), 287 (33) (36), 290 (45), 292 (53), 293 (56).

HANNIBALIANUS, roi du Pont, p. 84.

HÉLIODORE, de Sozousès en Pentapole, **4**, 5; p. 49, 51, 196 (101), 198 (105).

HERACLIUS, comte, **2**, 1; p. 93, 94, 183 (43), 186 (52), 192 (83).

HERMOGÉNÈS, *magister equitum*, comte, **1**, 4; p. 35, 36, 47, 175 (14), 176 (15), 177 (18),

HÉSYCHIOS, eunuque, p. 290 (44).

HIERIOS de Damas, préfet d'Égypte, p. 267 **XXXVI**.

HILARIANOS, Mekilios, consul, p. 231 **IV**; 323 **IV**.

HILARIUS, évêque arien, **4**, 7; p. 203 (123).

HILARIUS, notaire, **1**, 10; **3**, 4; **5**, 8; p. 21, 90, 92, 93, 104, 182 (37).

HYGINOS d'Italie, préfet d'Égypte, p. 229 **III**, 231 **IV**; 323 **IV**; p. 282 (10).

HYPATIANUS d'Héraclée, **4**, 5; p. 49, 198 (107).

HYPATIUS, consul, **1**, 2; **2**, 5; p. 261 **XXXI**; p. 135, 173 (9).

IANOARINOS, consul, p. 227, *l.* 7.

INNOCENT, prêtre africain, p. 15.

IOBINOS, v. JOVINUS.

IOSTOS, consul, p. 227, *l.* 7.

ITALIKIANOS d'Italie, préfet d'Égypte, p. 261 **XXXII**; p. 297 (77).

JOVIEN, empereur, **4**, 1, 3, 4; **5**, 1, 2; p. 265 **XXXV**, 267 **XXXVI**; p. 30, 64, 72, 99, 103, 104, 194 (89) (90), 202 (123), 203 (127), 210 (160), 299 (89).

ROPHINOS, consul, p. 247 **XIX**; 331 **XIX**.

SALIA, consul, p. 249 **XX**; 331 **XX**.
SALOSTIA *(sic)* = Fl. SALLUSTIUS, consul, p. 265 **XXXV**; p. 298 (84 *bis*).
SALOTIOS *(sic)* = Fl. Iulius SALLUSTIUS, consul, p. 243 **XVI**; p. 292 (48 *bis*).
SAPOR, roi, p. 85.
SARAPAMMON de Nikiou, p. 179 (26).
SEBASTIANUS, *dux* d'Égypte, **2**, 4; p. 93-96, 182 (38), 186 (52).
SEBASTIANOS de Thrace, préfet d'Égypte, p. 253 **XXV**, 255 **XXVI**.
SEKUNDOS de Ptolémaïs en Libye, p. 85.
SÉRAPION de Thmuis, **1**, 7; p. 253 **XXV**; p. 46, 179 (26), 202 (121), 288 (38).
SERGIOS, consul, p. 251 **XXII**.
SERRAS de Paraetonium, p. 52.
SOPHRONIUS de Pompéiopolis, **4**, 7; p. 202 (123).
SYMMACHOS Valerios, consul, p. 229 **II**; 321 **II**.
SYRIANOS, *dux* d'Égypte, **1**, 10; **3**, 4; **5**, 8; p. 257 **XXVIII**; p. 21, 89, 90, 92, 93, 182 (37), 209 (151).

TATIANOS, v. DATIANUS.
TATIANUS, Fl. Eutolmius, de Lycie, préfet d'Égypte **5**, 11, 12; p. 271 **XXXIX**, **XL**, 273 **XLI**, 275 **XLII**; p. 100, 211 (163), 302 (99), 304 (106).
TAURUS, consul, **2**, 6; **3**, 1; p. 263 **XXXIII**; comte, p. 293 (57).
THALASSOS, comte, p. 293 (57).
THÉODORE d'Héraclée, **1**, 2, 4; p. 28, 35, 36, 39, 40, 46, 174 (10), 175 (12), 176 (18), 198 (107), 290 (45).
THÉODORE, évêque « arien », **4**, 7; p. 203 (123).
THÉODORE, successeur de Pakhôme, p. 194 (87), 195 (94), 196 (97), 297 (79), 302 (102).
THEODOROS d'Héliopolis de Phénicie, préfet d'Égypte, p. 235 **X**; 325 **X**; p. 285 (27), 287 (33).
THEODORUS Fl. Antonius, v. le précédent.
THÉODOSE I, empereur, p. 67.
THÉODOSE II, empereur, p. 47.
THÉONAS d'Alexandrie, église de, **1**, 11; p. 237 **XI**, 257 **XXVIII**; p. 21, 66, 82, 90, 103, 181 (33), 185 (49), 287 (34), 293 (57).
THÉOPHILE d'Alexandrie, **5**, 14; p. 20, 27, 30, 31, 67, 96, 212 (176) (177).
TIMOTHÉE d'Alexandrie, **5**, 14; p. 67, 212 (177).
TITIANOS, consul, p. 235 **IX**.

INDEX DES NOMS DE LIEUX

Les noms de lieux cités dans l'*Historia « acephala »* et l'*Index* des *Lettres festales* sont en romain; les autres, en italique. Les numéros de pages en gras renvoient à la traduction de ces textes.

Les numéros entre parenthèses sont ceux des notes.

INDEX VERBORUM

Les mots figurant dans la traduction de l'*Historia « acephala »*, de l'*Index* et dans les en-tête des *Lettres festales* sont en romain; les autres, en italique. Les numéros en gras renvoient aux pages des traductions.

Les numéros entre parenthèses sont ceux des notes.

concile, v. noms propres.

cour, v. palais.

curiales, p. 101, 102, **269**, 302 (98 *bis*).

curie, p. **161**, **167**, 173 (7), 204 (128) (129), 294 (58).

cycle d'Anatole de Laodicée, p. 280 (4), 281 (7) (8).

décret de Porphyre. p. 29.

dédicace, p. **275**.

désert, p. 95, 96, 97.

donatiste, p. 12 n. 2, 18.

dux d'Égypte, p. 21, 25, 26, 89, 90, 92-96, 100, **143-147**, **163-169**, 182 (37) (38), 183 (40), 186 (52), 188 (63), 206 (134), 209 (151), **257**, **261**, **271**, **273**, 295 (67), 297 (79), 303 (103).

édit, p. 22, 23, 30, 67, 77, 90-92, 97-101, 103-105, **147-151**, **159**, **161**, 173 (7), 184 (44), 186 (52), 188 (62), 190 (76), 191 (80), 193 (84), 195 (95), 204 (127) (128), 206 (134), 287 (36), 300 (93).

églises d'Alexandrie, v. noms propres.

égyptien, p. 25. 26, 31, 34, 70, 74, 77, 78, 85, 87, 89, 90, 92, 95, 96, 98, 100, 110, 115, 178 (24), 181 (34), 182 (37), 183 (42), 281 (8), 284 (19) (21), 285 (25), 286 (32), 288 (38), 304 (108).

émeute, p. 42, 45-47, 95, 103, **139**, **147**, **161**, 176 (15) (18), 185 (48) (49) (50), 188 (63), 207 (143), 211 (164), **237**, **257**, 290 (44), 302 (98 *bis*).

épacte, p. 69, **225-277**, 281 (7), 287 (37).

épagomène(s) jour(s), ou j. intercalaire(s), p. 73, 81, 82, **143**, 181 (34), 185 (48).

éparchie, p. **225**, **267**.

éparque, v. préfet d'Égypte.

éphéméride, p. 20, 21, 23, 69, 73, 183 (39), 210 (158).

Épiphanie, p. 70.

épiphi, p. 75, 76, 79-82, 171 (3), 172 (6), 209 (155), **233**, **247**, **269**.

ère de Dioclétien, p. 73-75, 77, **225**, **227**, **273**, **275**, 280 (4), 304 (105), **321-331**.

eunuque du palais, p. 31, 85, 99.

Eusébiens, p. 85-87, 178 (24), 179 (25), 194 (87), 282 (11), 285 (23) (24), 286 (32), 287 (33), 289 (43).

Eustathiens, p. 63, 64, 187 (58).

exil(s) d'Athanase, p. 21-26, 32, 33, 35, 55, 69-72, 74-82, 85, 86, 89, 96, 103, 104, **151**, 172 (6), 173 (7) (8), 191 (81), 206 (134), 208 (146), 209 (150)(151), 210 (157), **235**, 285 (23) (24), 286 (32), 293 (58), 299 (89), 300 (94); *d'Eudoxe et Eunome*, p. 52; *d'Eustathe d'Antioche*, p. 63, 187 (58); *de Mélèce d'Antioche*, p. 53, 63, 188 (60), 198 (106); de Paul de Constantinople, p. 36, 45, 46, **141**,

mésorè, p. 73, 75, 82, **143, 153,** 181 (31), 182 (34), **237, 275.**
moines, p. 179 (26), 183 (41), **237,** 286 (32), 294 (58).
monastère, p. 96-98, 195 (93) (94), 297 (79).

néochore, p. **151.**
Nicéen(s), p. 33, 65, 100, 203 (125), 204 (128), 207 (143), 284 (17).
nombre des dieux (jour de la semaine), p. **225-277,** 281 (8).
notaire impérial, p. 41, 47, 77, 90-93, 96, 100, 104, 105, **143-147,**
    161, 180 (31), 181 (32), 182 (34) (36) (37), 185 (49), **255,** 294 (58),
    296 (77).

occidentaux (évêques), p. 22, 27, 29, 40-43, 52, 89, 91, 174 (10), 197
    (103), 290 (43) (45).
orientaux (évêques), p. 23, 35, 41-45, 48, 52, 89, 91, 99, 105, 174 (10),
    178 (24), 184 (46), 289 (43), 290 (44), 292 (47).
ordonnance, v. édit.
orthodoxe, p. 18, 23, 24, 33, 43, 67, 172 (6), 177 (19), 191 (79), 199
    (109), **263,** 284 (17).
orthodoxie, p. 29, 33, 67, 212 (174), 286 (32), 294 (58).

pachôn, p. 75, 77, 82, **143, 159, 165, 169,** 173 (7), 212 (172), **237, 271,**
    277, 304 (108).
païen, p. 55, 93, 96, 98, 99, 102, 103, **167,** 188 (63), 190 (76), 192 (83),
    211 (168), **269,** 300 (93), 301 (98).
palais, p. 90, **143, 159,** 180 (30) (31), 196 (97) (99), 203 (125), **253;**
    cour, p. 74, 90, 99, 179 (25), 188 (63), 194 (87), **229,** 279 (2), **323.**
palatinus (fonctionnaire du palais), p. **142,** 180 (29), 186 (50), 187 (56),
    253 (silentiaire).
pape (évêque d'Alexandrie), p. **169,** 212 (177), **225, 241, 259, 261,**
    267, 269, 273, 275, 321, 323.
Pâques, p. 69-73, 77, 82, 95, 99, 172 (4), 195 (93), **225-277,** 280 (4),
    287 (34), 288 (37), 291 (47), 292 (51), 294 (59) (60), 295 (61), 299
    (90), **321-331.**
patrikios *(patricius)*, p. **325.**
payni, p. 77, 82, **145, 147, 161, 163, 165,** 181 (31), 186 (53), 187 (55),
    206 (136), 208 (146), 209 (149), **227,** 299 (88).
Pentecôte, p. 95.
persécution, p. 47, 77, 96, 104, 188 (61), 189 (68), 209 (152), **263.**
peuple (résistance, soutien populaire), p. 35, 36, 45, 47, 67, 83, 88,
    91-96, 99-101, 104, 105, **139-149, 161, 167,** 171 (1), 184 (44), 186
    (52), **247, 259, 271** (foules), 282 (12), 294 (58), 296 (74).
phamenôth, p. 79-82, 172 (6), **235-239, 249, 257,** 281 (8), 288 (37),
    291 (47), 293 (55), 294 (59), 295 (61), **327.**
phaôphi, p. 21, 76, 77, 79-82, **139, 147, 151, 161, 163,** 171 (3), 173 (7),

TABLE DES MATIÈRES

Carte des déplacements d'Athanase dans l'Empire et
en Égypte (en fin de volume).

Plan d'Alexandrie (en fin de volume).

Addendum (p. 301, n. 97)

Les *Annales* d'Eutychius (xe s.) font état de destruction d'églises,
PG 111, 1015 D.

SOURCES CHRÉTIENNES

LISTE COMPLÈTE DE TOUS LES VOLUMES PARUS

N. B. — L'ordre suivant est celui de la date de parution (n° 1 en 1942) et il n'est pas tenu compte ici du classement en séries : grecque, latine, byzantine, orientale, textes monastiques d'Occident ; et série annexe : textes para-chrétiens.

Sauf indication contraire, chaque volume comporte le texte original, grec ou latin, souvent avec un apparat critique inédit.

La mention *bis* indique une seconde édition. Quand cette seconde édition ne diffère de la première que par de menues corrections et des *Addenda et Corrigenda* ajoutés en appendice, la date est accompagnée de la mention « réimpression avec supplément ».

24 bis. PTOLÉMÉE : Lettre à Flora. G. Quispel (1966).

25 bis. AMBROISE DE MILAN : Des Sacrements. Des Mystères. Explication du Symbole. B. Botte (réimpr. de la 2e éd., 1980).

26 bis. BASILE DE CÉSARÉE : Homélies sur l'Hexaéméron. S. Giet (réimpr. avec suppl., 1968).

27 bis. Homélies Pascales, t. I. P. Nautin. En préparation.

28 bis. JEAN CHRYSOSTOME : Sur l'incompréhensibilité de Dieu. J. Daniélou, A.-M. Malingrey, R. Flacelière (1970).

29 bis. ORIGÈNE : Homélies sur les Nombres. A. Méhat. En préparation.

30 bis. CLÉMENT D'ALEXANDRIE : Stromate I. En préparation.

31. EUSÈBE DE CÉSARÉE : Histoire ecclésiastique, t. I. Livres I-IV. G. Bardy (réimpression, 1964).

32 bis. GRÉGOIRE LE GRAND : Morales sur Job, t. I. Livres I-II. R. Gillet, A. de Gaudemaris (1975).

33 bis. A Diognète. H. I. Marrou (réimpr. avec suppl., 1965).

34. IRÉNÉE DE LYON : Contre les hérésies, livre III. F. Sagnard. Remplacé par les nos 210 et 211.

35 bis. TERTULLIEN : Traité du baptême. F. Refoulé. En préparation.

36 bis. Homélies Pascales, t. II. P. Nautin. En préparation.

37 bis. ORIGÈNE : Homélies sur le Cantique. O. Rousseau (1966).

38 bis. CLÉMENT D'ALEXANDRIE : Stromate II. En préparation.

39 bis. LACTANCE : De la mort des persécuteurs. 2 vol. En préparation.

40. THÉODORET DE CYR : Correspondance, t. I. Y. Azéma (1955).

41. EUSÈBE DE CÉSARÉE : Histoire ecclésiastique, t. II. Livres V-VII. G. Bardy (réimpression, 1965).

42. JEAN CASSIEN : Conférences, t. I. E. Pichery (réimpression, 1966).

43 bis. JÉRÔME : Sur Jonas. En préparation.

44. PHILOXÈNE DE MABBOUG : Homélies. E. Lemoine. Trad. seule (1956).

45. AMBROISE DE MILAN : Sur S. Luc, t. I. G. Tissot (réimpr. avec suppl., 1971).

46 bis. TERTULLIEN : De la prescription contre les hérétiques. En préparation.

47. PHILON D'ALEXANDRIE : La migration d'Abraham. Epuisé. Voir série « Les Œuvres de Philon ».

48. Homélies Pascales, t. III. F. Floëri et P. Nautin (1957).

49 bis. LÉON LE GRAND : Sermons 20-37. R. Dolle (1969).

50 bis. JEAN CHRYSOSTOME : Huit Catéchèses baptismales inédites. A. Wenger (réimpr. avec suppl., 1970).

51 bis. SYMÉON LE NOUVEAU THÉOLOGIEN : Chapitres théologiques, gnostiques et pratiques. J. Darrouzès et L. Neyrand (1980).

52 bis. AMBROISE DE MILAN : Sur S. Luc, t. II. G. Tissot (réimpr. avec suppl., 1976).

53 bis. HERMAS : Le Pasteur. R. Joly (réimpr. avec suppl., 1968).

54. JEAN CASSIEN : Conférences, t. II. E. Pichery (réimpression, 1966).

55. EUSÈBE DE CÉSARÉE : Histoire ecclésiastique, t. III. Livres VIII-X. G. Bardy (réimpression, 1984).

56. ATHANASE D'ALEXANDRIE : Deux apologies. J. Szymusiak (1958).

57. THÉODORET DE CYR : Thérapeutique des maladies helléniques. 2 volumes. P. Canivet (1958).

58 bis. DENYS L'ARÉOPAGITE : La hiérarchie céleste. G. Heil, R. Roques, M. de Gandillac (réimpr. avec suppl., 1970).

59. Trois antiques rituels du baptême. A. Salles. Trad. seule. Epuisé.

60. AELRED DE RIEVAULX : Quand Jésus eut douze ans. A. Hoste, J. Dubois (1958).

61 bis. GUILLAUME DE SAINT-THIERRY : Traité de la contemplation de Dieu. J. Hourlier (réimpression, 1977).

62. IRÉNÉE DE LYON : Démonstration de la prédication apostolique. L. Froidevaux. Nouvelle trad. sur l'arménien. Trad. seule (réimpr. 1971).

63. RICHARD DE SAINT-VICTOR : La Trinité. G. Salet (1959).

64. JEAN CASSIEN : Conférences, t. III. E. Pichery (réimpr., 1971).

65. GÉLASE Iᵉʳ : Lettre contre les Lupercales et dix-huit messes du sacramentaire léonien. G. Pomarès (1960).

66. ADAM DE PERSEIGNE : Lettres, t. I. J. Bouvet (1960).

67. ORIGÈNE : Entretien avec Héraclide. J. Scherer (1960).

68. MARIUS VICTORINUS : Traités théologiques sur la Trinité. P. Henry, P. Hadot. Tome I. Introd., texte critique, traduction (1960).

69. Id. — Tome II. Commentaire et tables (1960).

70. CLÉMENT D'ALEXANDRIE : Le Pédagogue, t. I. H. I. Marrou, M. Harl (1960).

71. ORIGÈNE : Homélies sur Josué. A. Jaubert (1960).

72. AMÉDÉE DE LAUSANNE : Huit homélies mariales. G. Bavaud, J. Deshusses, A. Dumas (1960).

73 bis. EUSÈBE DE CÉSARÉE : Histoire ecclésiastique, t. IV. Introd. générale de G. Bardy et tables de P. Périchon (réimpr. avec suppl., 1971).

74 bis. LÉON LE GRAND : Sermons 38-64. R. Dolle (1976).

75. S. AUGUSTIN : Commentaire de la 1ʳᵉ Épître de S. Jean. P. Agaësse (réimpression, 1984).

76. AELRED DE RIEVAULX : La vie de recluse. Ch. Dumont (1961).

77. DEFENSOR DE LIGUGÉ : Le livre d'étincelles, t. I. H. Rochais (1961).

78. GRÉGOIRE DE NAREK : Le livre de Prières. I. Kéchichian. Trad. seule (1961).

79. JEAN CHRYSOSTOME : Sur la Providence de Dieu. A.-M. Malingrey (1961).

80. JEAN DAMASCÈNE : Homélies sur la Nativité et la Dormition. P. Voulet (1961).

81. NICÉTAS STÉTHATOS : Opuscules et lettres. J. Darrouzès (1961).

82. GUILLAUME DE SAINT-THIERRY : Exposé sur le Cantique des Cantiques. J.-M. Déchanet (1962).

83. DIDYME L'AVEUGLE : Sur Zacharie. Texte inédit. L. Doutreleau. Tome I. Introduction et livre I (1962).

84. Id. — Tome II. Livres II et III (1962).

85. Id. — Tome III. Livres IV et V, Index (1962).

86. DEFENSOR DE LIGUGÉ : Le livre d'étincelles, t. II. H. Rochais (1962).

87. ORIGÈNE : Homélies sur S. Luc. H. Crouzel, F. Fournier, P. Périchon (1962).

88. Lettres des premiers Chartreux, tome I : S. BRUNO, GUIGUES, S. ANTHELME. Par un Chartreux (1962).

89. Lettre d'Aristée à Philocrate. A. Pelletier (1962).

90. Vie de sainte Mélanie. D. Gorce (1962).

91. ANSELME DE CANTORBÉRY : Pourquoi Dieu s'est fait homme. R. Roques (1963).

92. DOROTHÉE DE GAZA : Œuvres spirituelles. L. Regnault, J. de Préville (1963).

93. BAUDOUIN DE FORD : Le sacrement de l'autel. J. Morson, É. de Solms, J. Leclercq. Tome I (1963).

94. Id. — Tome II (1963).

95. MÉTHODE D'OLYMPE : Le banquet. H. Musurillo, V.-H. Debidour (1963).

96. SYMÉON LE NOUVEAU THÉOLOGIEN : Catéchèses. B. Krivochéine, J. Paramelle. Tome I. Introduction et Catéchèses 1-5 (1963).

97. CYRILLE D'ALEXANDRIE : Deux dialogues christologiques. G. M. de Durand (1964).

98. THÉODORET DE CYR : Correspondance, t. II. Y. Azéma (1964).

99. ROMANOS LE MÉLODE : Hymnes. J. Grosdidier de Matons. Tome I. Introduction et Hymnes I-VIII (1964).

100. IRÉNÉE DE LYON : Contre les hérésies, livre IV. A. Rousseau, B. Hemmerdinger, Ch. Mercier, L. Doutreleau. 2 vol. (1965).

101. QUODVULTDEUS : Livre des promesses et des prédictions de Dieu. R. Braun. Tome I (1964).

13

140. Rufin d'Aquilée : **Les bénédictions des Patriarches.** M. Simonetti, H. Rochais, P. Antin (1968).

141. Cosmas Indicopleustès : **Topographie chrétienne.** Tome I. Introduction et livres I-IV. W. Wolska-Conus (1968).

142. **Vie des Pères du Jura.** F. Martine (1968).

143. Gertrude d'Helfta : **Œuvres spirituelles.** Tome III. **Le Héraut.** Livre III. P. Doyère (1968).

144. **Apocalypse syriaque de Baruch.** Tome I. Introduction et traduction. P. Bogaert (1969).

145. **Id.** — Tome II Commentaire et tables (1969).

146. **Deux homélies anoméennes pour l'octave de Pâques.** J. Liébaert (1969).

147. Origène : **Contre Celse.** M. Borret. Tome III. Livres V et VI (1969).

148. Grégoire le Thaumaturge : **Remerciement à Origène.** — **La lettre d'Origène à Grégoire.** H. Crouzel (1969).

149. Grégoire de Nazianze : **La passion du Christ.** A. Tuilier (1969).

150. Origène : **Contre Celse.** M. Borret. Tome IV. Livres VII et VIII (1969).

151. Jean Scot : **Homélie sur le Prologue de Jean.** E. Jeauneau (1969).

152. Irénée de Lyon : **Contre les hérésies,** livre V. A. Rousseau, L. Doutreleau, C. Mercier. Tome I. Introduction, notes justificatives et tables (1969).

153. **Id.** — Tome II. Texte et traduction (1969).

154. Chromace d'Aquilée : **Sermons.** Tome I. Sermons 1-17. J. Lemarié (1969).

155. Hugues de Saint-Victor : **Six opuscules spirituels.** R. Baron (1969).

156. Syméon le Nouveau Théologien : **Hymnes.** J. Koder, J. Paramelle. Tome I. Hymnes I-XV (1969).

157. Origène : **Commentaire sur S. Jean.** C. Blanc. Tome II. Livres VI et X (1970).

158. Clément d'Alexandrie : **Le Pédagogue.** Livre III. Cl. Mondésert, H. I. Marrou et Ch. Matray (1970).

159. Cosmas Indicopleustès : **Topographie chrétienne.** Tome II. Livre V. W. Wolska-Conus (1970).

160. Basile de Césarée : **Sur l'origine de l'homme.** A. Smets et M. Van Esbroeck (1970).

161. **Quatorze homélies du IXe siècle d'un auteur inconnu de l'Italie du Nord.** P. Mercier (1970).

162. Origène : **Commentaire sur l'Évangile selon Matthieu.** Tome I. Livres X et XI. R. Girod (1970).

163. Guigues II le Chartreux : **Lettre sur la vie contemplative (ou Échelle des Moines). Douze méditations.** E. Colledge, J. Walsh (1970).

164. Chromace d'Aquilée : **Sermons.** Tome II. S. 18-41. J. Lemarié (1971).

165. Rupert de Deutz : **Les œuvres du Saint-Esprit.** Tome II. Livres III et IV. J. Gribomont, É. de Solms (1970).

166. Guerric d'Igny : **Sermons.** Tome I. J. Morson, H. Costello, P. Deseille (1970).

167. Clément de Rome : **Épître aux Corinthiens.** A. Jaubert (1971).

168. Richard Rolle : **Le chant d'amour (Melos amoris).** F. Vandenbroucke et les Moniales de Wisques. Tome I (1971).

169. **Id.** — Tome II (1971).

170. Évagre le Pontique : **Traité pratique.** A. et C. Guillaumont. Tome I. Introduction (1971).

171. **Id.** — Tome II. Texte, traduction, commentaire et tables (1971).

172. **Épître de Barnabé.** R. A. Kraft, P. Prigent (1971).

173. Tertullien : **La toilette des femmes.** M. Turcan (1971).

174. Syméon le Nouveau Théologien : **Hymnes.** J. Koder, L. Neyrand. Tome II. Hymnes XVI-XL (1971).

175. Césaire d'Arles : **Sermons au peuple.** Tome I. Sermons 1-20. M.-J. Delage (1971).

176. SALVIEN DE MARSEILLE : Œuvres. Tome I. G. Lagarrigue (1971).
177. CALLINICOS : Vie d'Hypatios. G. J. M. Bartelink (1971).
178. GRÉGOIRE DE NYSSE : Vie de sainte Macrine. P. Maraval (1971).
179. AMBROISE DE MILAN : La pénitence. R. Gryson (1971).
180. JEAN SCOT : Commentaire sur l'évangile de Jean. É. Jeauneau (1972).
181. La Règle de S. Benoît. Tome I. Introduction et Chapitres I-VII. A. de Vogüé et J. Neufville (1972).
182. Id. — Tome II. Chapitres VIII-LXXIII, Tables et concordance. A. de Vogüé et J. Neufville (1972).
183. Id. — Tome III. Étude de la tradition manuscrite. J. Neufville (1972).
184. Id. — Tome IV. Commentaire (I-III). A. de Vogüé (1971).
185. Id. — Tome V. Commentaire (IV-VI). A. de Vogüé (1971).
186. Id. — Tome VI. Commentaire (VII-IX), Index. A. de Vogüé (1971).
187. HÉSYCHIUS DE JÉRUSALEM, BASILE DE SÉLEUCIE, JEAN DE BÉRYTE, PSEUDO-CHRYSOSTOME, LÉONCE DE CONSTANTINOPLE : Homélies pascales. M. Aubineau (1972).
188. JEAN CHRYSOSTOME : Sur la vaine gloire et l'éducation des enfants. A.-M. Malingrey (1972).
189. La chaîne palestinienne sur le psaume 118. Tome I. Introduction, texte critique et traduction. M. Harl (1972).
190. Id. — Tome II. Catalogue des fragments, Notes et Index. M. Harl (1972).
191. PIERRE DAMIEN : Lettre sur la toute-puissance divine. A. Cantin (1972).
192. JULIEN DE VÉZELAY : Sermons. Tome I. Introduction et Sermons 1-16. D. Vorreux (1972).
193. Id. — Tome II. Sermons 17-27, Index. D. Vorreux (1972).
194. Actes de la Conférence de Carthage en 411. Tome I. Introduction. S. Lancel (1972).
195. Id. — Tome II. Texte et traduction de la Capitulation et des Actes de la première séance. S. Lancel (1972).
196. SYMÉON LE NOUVEAU THÉOLOGIEN : Hymnes. J. Koder, J. Paramelle, L. Neyrand. Tome III. Hymnes XLI-LVIII, Index (1973).
197. COSMAS INDICOPLEUSTÈS : Topographie chrétienne, t. III. Livres VI-XII, Index. W. Wolska-Conus (1973).
198. Livre (cathare) des deux principes. Ch. Thouzellier (1973).
199. ATHANASE D'ALEXANDRIE : Sur l'incarnation du Verbe. C. Kannengiesser (1973).
200. LÉON LE GRAND : Sermons 65-98, Éloge de S. Léon, Index. R. Dolle (1973).
201. Évangile de Pierre. M.-G. Mara (1973).
202. GUERRIC D'IGNY : Sermons. Tome II. J. Morson, H. Costello, P. Deseille (1973).
203. NERSÈS SNORHALI : Jésus, Fils unique du Père. I. Kéchichian. Trad. seule (1973).
204. LACTANCE : Institutions divines, livre V. Tome I. Introd., texte et trad. P. Monat (1973).
205. Id. — Tome II. Commentaire et index. P. Monat (1973).
206. EUSÈBE DE CÉSARÉE : Préparation évangélique, livre I. J. Sirinelli, É. des Places (1974).
207. ISAAC DE L'ÉTOILE : Sermons. A. Hoste, G. Salet, G. Raciti. Tome II. Sermons 18-39 (1974).
208. GRÉGOIRE DE NAZIANZE : Lettres théologiques. P. Gallay (1974).
209. PAULIN DE PELLA : Poème d'action de grâces et Prière. C. Moussy (1974).
210. IRÉNÉE DE LYON : Contre les hérésies, livre III. A. Rousseau, L. Doutreleau. Tome I. Introduction, notes justificatives et tables (1974).
211. Id. — Tome II. Texte et traduction (1974).
212. GRÉGOIRE LE GRAND : Morales sur Job. L. XI-XIV. A. Bocognano (1974).
213. LACTANCE : L'ouvrage du Dieu créateur. Tome I. Introduction, texte critique et traduction. M. Perrin (1974).
214. Id. — Tome II. Commentaire et index. M. Perrin (1974).

215. Eusèbe de Césarée : **Préparation évangélique, livre VII.** G. Schroeder, É. des Places (1975).

216. Tertullien : **La chair du Christ.** Tome I. Introduction, texte critique et traduction. J. P. Mahé (1975).

217. **Id.** — Tome II. Commentaire et Index. J. P. Mahé (1975).

218. Hydace : **Chronique.** Tome I. Introduction, texte critique et traduction. A. Tranoy (1975).

219. **Id.** — Tome II. Commentaire et index. A. Tranoy (1975).

220. Salvien de Marseille : **Œuvres,** t. II. G. Lagarrigue (1975).

221. Grégoire le Grand : **Morales sur Job.** L. XV-XVI. A. Bocognano (1975).

222. Origène : **Commentaire sur S. Jean.** Tome III. L. XIII. C. Blanc (1975).

223. Guillaume de Saint-Thierry : **Lettre aux Frères du Mont-Dieu (Lettre d'or).** J. Déchanet (1975).

224. Actes de la Conférence de Carthage en 411. Tome III. Texte et traduction des Actes de la 2e et de la 3e séance. S. Lancel (1975).

225. Dhuoda : **Manuel pour mon fils.** P. Riché, B. de Vregille et C. Mondésert (1975).

226. Origène : **Philocalie 21-27 (Sur le libre arbitre).** E. Junod (1976).

227. Origène : **Contre Celse.** M. Borret. Tome V. Introduction et index (1976).

228. Eusèbe de Césarée : **Préparation évangélique.** L. II-III. É. des Places (1976).

229. Pseudo-Philon : **Les Antiquités Bibliques.** D. J. Harrington, C. Perrot, P. Bogaert, J. Cazeaux. Tome I. Introduction critique, texte et traduction (1976).

230. **Id.** — Tome II. Introduction littéraire, commentaire et index (1976).

231. Cyrille d'Alexandrie : **Dialogues sur la Trinité.** Tome I. Dial. I et II. G. M. de Durand (1976).

232. Origène : **Homélies sur Jérémie.** P. Nautin et P. Husson. Tome I. Introduction et homélies I-XI (1976).

233. Didyme l'Aveugle : **Sur la Genèse.** Tome I (Sur Genèse I-IV). P. Nautin et L. Doutreleau (1976).

234. Théodoret de Cyr : **Histoire des moines de Syrie.** Tome I. Introduction et Histoire Philothée I-XIII. P. Canivet et A. Leroy-Molinghen (1977).

235. Hilaire d'Arles : **Vie de S. Honorat.** M. D. Valentin (1977).

236. **Rituel cathare.** Ch. Thouzellier (1977).

237. Cyrille d'Alexandrie : **Dialogues sur la Trinité.** Tome II. Dial. III-V. G. M. de Durand (1977).

238. Origène : **Homélies sur Jérémie.** Tome II. Homélies XII-XX et homélies latines, index. P. Nautin et P. Husson (1977).

239. Ambroise de Milan : **Apologie de David.** P. Hadot et M. Cordier (1977).

240. Pierre de Celle : **L'école du cloître.** G. de Martel (1977).

241. Conciles gaulois du IVe siècle. J. Gaudemet (1977).

242. S. Jérôme : **Commentaire sur S. Matthieu.** Tome I. Livres I et II. É. Bonnard (1978).

243. Césaire d'Arles : **Sermons au peuple.** Tome II. Sermons 21-55. M.-J. Delage (1978).

244. Didyme l'Aveugle : **Sur la Genèse.** Tome II (Sur Genèse V-XVII). Index. P. Nautin et L. Doutreleau (1978).

245. Targum du Pentateuque. Tome I : **Genèse.** R. Le Déaut et J. Robert. Trad. seule (1978).

246. Cyrille d'Alexandrie : **Dialogues sur la Trinité.** Tome III. Dial. VI-VII, index. G. M. de Durand (1978).

247. Grégoire de Nazianze : **Discours 1-3.** J. Bernardi (1978).

248. **La doctrine des douze apôtres.** W. Rordorf et A. Tuilier (1978).

249. S. Patrick : **Confession et Lettre à Coroticus.** R.P.C. Hanson et C. Blanc (1978).

250. Grégoire de Nazianze : **Discours 27-31 (Discours théologiques).** P. Gallay (1978).

251. Grégoire le Grand : **Dialogues.** Tome I. Introduction, bibliographie et cartes. A. de Vogüé (1978).

252. Origène : **Traité des principes.** Tome I. Livres I et II : Introduction, texte critique et traduction. H. Crouzel et M. Simonetti (1978).

253. **Id.** — Tome II. Livres I et II : commentaire et fragments. H. Crouzel et M. Simonetti (1978).

254. Hilaire de Poitiers : **Sur Matthieu.** Tome I. Introduction et chap. 1-13. J. Doignon (1978).

255. Gertrude d'Helfta : **Œuvres spirituelles.** Tome IV. Le Héraut. Livre IV. J.-M. Clément, B. de Vregille et les Moniales de Wisques (1978).

256. **Targum du Pentateuque.** Tome II. **Exode et Lévitique.** R. Le Déaut et J. Robert. Trad. seule (1979).

257. Théodoret de Cyr : **Histoire des moines de Syrie.** Tome II. **Histoire Philotée (XIV-XXX), Traité sur la Charité (XXXI)** et Index. P. Canivet et A. Leroy-Molinghen (1979).

258. Hilaire de Poitiers : **Sur Matthieu.** Tome II. Chap. 14-33, appendice et index. J. Doignon (1979).

259. S. Jérôme : **Commentaire sur S. Matthieu.** Tome II. Livres III et IV, index. É. Bonnard (1979).

260. Grégoire le Grand : **Dialogues.** Tome II. Livres I-III. A. de Vogüé et P. Antin (1979).

261. **Targum du Pentateuque.** Tome III. **Nombres.** R. Le Déaut et J. Robert. Trad. seule (1979).

262. Eusèbe de Césarée : **Préparation évangélique,** livres IV, 1 - V, 17. O. Zink et É. des Places (1979).

263. Irénée de Lyon : **Contre les hérésies,** livre I. A. Rousseau, L. Doutreleau. Tome I. Introduction, notes justificatives et tables (1979).

264. **Id.** — Tome II. Texte et traduction (1979).

265. Grégoire le Grand : **Dialogues.** Tome III. Livre IV, tables et index. A. de Vogüé et P. Antin (1980).

266. Eusèbe de Césarée : **Préparation évangélique,** livres V, 18 - VI. É. des Places (1980).

267. **Scolies ariennes sur le concile d'Aquilée.** R. Gryson (1980).

268. Origène : **Traité des principes.** Tome III. Livres III et IV : Texte critique et traduction. H. Crouzel et M. Simonetti (1980).

269. **Id.** — Tome IV. Livres III et IV : commentaire et fragments. H. Crouzel et M. Simonetti (1980).

270. Grégoire de Nazianze : **Discours** 20-23. J. Mossay (1980).

271. **Targum du Pentateuque.** Tome IV. **Deutéronome,** bibliographie, glossaire et index des tomes I - IV. Trad. seule. R. Le Déaut (1980).

272. Jean Chrysostome : **Sur le sacerdoce (dialogue et homélie).** A.-M. Malingrey (1980).

273. Tertullien : **A son épouse.** C. Munier (1980).

274. **Lettres des premiers Chartreux,** tome II : les moines de Portes. Par un Chartreux (1980).

275. Pseudo-Macaire : **Œuvres spirituelles,** t. I. V. Desprez (1980).

276. Théodoret de Cyr : **Commentaire sur Isaïe.** Tome I : Introduction et sections 1-3. J.-N. Guinot (1980).

277. Jean Chrysostome : **Homélies sur Ozias.** J. Dumortier (1981).

278. Clément d'Alexandrie : **Stromate V.** Tome I : Introduction, texte et index par A. Le Boulluec ; traduction de P. Voulet (1981).

279. **Id.** — Tome II : commentaire, bibliographie et index par A. Le Boulluec (1981).

280. Tertullien : **Contre les Valentiniens.** Tome I : introduction, texte et traduction. J.-C. Fredouille (1980).

281. **Id.** — Tome II : commentaire et index. J.-C. Fredouille (1981).

282. **Targum du Pentateuque.** Tome V. Index analytique. R. Le Déaut (1981).

283. Romanos le Mélode : **Hymnes.** J. Grosdidier de Matons. Tome V. Hymnes XLVI - LVI (1981).

284. Grégoire de Nazianze : **Discours** 24-26. J. Mossay (1981).

Hors série :

SOUS PRESSE

Grégoire de Nazianze : **Discours 32-37.** C. Moreschini et P. Gallay.
Les Constitutions apostoliques. Tome I. M. Metzger.
Tertullien : **Exhortation à la chasteté.** C. Moreschini et J.-C. Fredouille.

PROCHAINES PUBLICATIONS

Jérôme : **Sur Jonas** (2 tomes). Y.-M. Duval.
Conciles mérovingiens. J. Gaudemet et B. Basdevant.
Tertullien : **Du mariage unique.** P. Mattei.
Grégoire le Grand : **Homélies sur Ézéchiel.** Tome I. C. Morel.
Isaac de l'Étoile : **Sermons.** Tome III. P. Raciti.
Origène : **Homélies sur l'Exode.** M. Borret.

SOURCES CHRÉTIENNES

(1-316)

ACHEVÉ D'IMPRIMER EN 1985
SUR LES PRESSES DE L'IMPRIMERIE A. BONTEMPS
LIMOGES (FRANCE)
DÉPÔT LÉGAL : FÉVRIER 1985
IMPRIMEUR Nº 1545-83 - ÉDITEUR Nº 7997

LES DÉPLACEMENTS D'A. HANAÏS

DEPUIS MI EN EL FOUE'SVNO

DVNS L'SBNHE EL EL FOUE'SVNO